D1588085

N & K

3.50 fh

15

Marcelo Figueras

Kamtschatka

Roman

Aus dem Spanischen von
Sabine Giersberg

Nagel & Kimche

Die Übersetzung aus dem Spanischen wurde unterstützt
durch die Gesellschaft zur Förderung der Literatur
aus Afrika, Asien und Lateinamerika e.V.
in Zusammenarbeit mit der Kulturstiftung
PRO HELVETIA.

© 2003 by Edition Alfaguara, Madrid
Titel der Originalausgabe: *Kamchatka*

2 3 4 5   10 09 08 07 06

© 2006 Nagel & Kimche
im Carl Hanser Verlag München Wien
Redaktion: Manuela Waeber
Herstellung: Meike Harms und Hanne Koblischka
Satz: Filmsatz Schröter GmbH
Druck und Bindung: Friedrich Pustet
Printed in Germany
ISBN-10: 3-312-00377-6
ISBN-13: 978-3-312-00377-8

It is not down in any map;
true places never are.

Herman Melville, *Moby Dick*

Now is greater
than the whole of the past.

REM, *Reveal*

Erste Stunde: Biologie

f.: Wissenschaft von der belebten Natur

1. Das Abschiedswort

Das Letzte, was Papa zu mir sagte, das letzte Wort, das ich aus seinem Mund hörte, war Kamtschatka.

Er gab mir einen Kuss, kratzte mich dabei mit seinem Dreitagebart und stieg in den Citroën. Das Auto fuhr auf der sich schlängelnden Straße davon. Lange sah ich einer grünen Blase hinterher, die hinter den Hügeln verschwand und wieder auftauchte und immer kleiner wurde, bis ich sie nicht mehr sah. Ich blieb eine Weile stehen, den Karton mit dem TEG-Spiel unter dem Arm, bis Großvater die Hand auf meine Schulter legte und sagte, lass uns nach Hause gehen.

Das war alles.

Wenn es sein muss, kann ich noch etwas mehr erzählen. Großvater sagte immer, der liebe Gott steckt im Detail. Er sagte auch andere Dinge, zum Beispiel, was Piazzolla mache, sei kein Tango, und es sei genauso wichtig, sich die Hände vor dem Pinkeln zu waschen, wie danach, denn man wüsste ja nie, was man angefasst hat, aber ich glaube, das gehört nicht hierher.

Der Abschied fand in einer Tankstelle an der Ruta 3 statt, wenige Kilometer von Dorrego entfernt, im Süden der Provinz Buenos Aires. Papa, Großvater und ich frühstückten in der nahe gelegenen Bar, es gab Milchkaffee und Croissants, die Steinguttassen waren so riesig wie Töpfe und trugen das Logo der staatlichen Ölgesellschaft. Mama war auch dabei, aber sie verbrachte die meiste Zeit auf der Toilette. Sie hatte sich den Magen verdorben und konnte nicht einmal mehr Flüssiges bei sich behalten. Und mein kleiner Bruder, genannt der Zwerg, schlief, alle viere von sich gestreckt, auf dem Rücksitz des Citroën. Er strampelte im Schlaf ununterbrochen mit Armen und Beinen, als wolle er sein Recht als Gebieter über den gesamten grenzenlosen Raum einfordern.

Ich bin zu dem Zeitpunkt zehn Jahre alt. Ich sehe ganz gewöhnlich aus, bis auf das rebellische Haar vielleicht, das immer wieder senkrecht von meinem Kopf absteht wie ein Ausrufezeichen. Es ist Frühling. Der Oktober erstrahlt in der südlichen Hemisphäre in goldenem Licht und macht den heutigen Tag zu etwas Besonderem. Die Luft ist voll von diesen herumfliegenden Samen, die wir in Argentinien *Panaderos*, «Bäcker», nennen, nächtliche Sterne, die ich in meiner Hand festhalte und dann mit einem Pusten freilasse, um ihnen die Suche nach geeignetem Boden zu erleichtern.

(Der Satz «die Luft ist voll von *Panaderos*» hätte dem Zwerg gefallen. Allein bei der Vorstellung von kleinen, wie Seifenblasen umherschwebenden Männchen mit weißer Schürze und mehlbestäubter Mütze hätte er sich vor Lachen auf dem Boden gekugelt.)

Ich erinnere mich sogar noch an die Leute an der Tankstelle. Der Tankwart, ein dicker Kerl mit Schnauzbart und dunklen Flecken unter den Achseln. Der Fahrer des Ika, der ein Bündel Scheine, groß wie Bettlaken, auf dem Weg zur Toilette abzählte. (Ich korrigiere mich, Händewaschen vor dem Pinkeln ist genauso wichtig wie danach.) Und da war der Typ mit Rucksack, der auf seinem Trip zum Abenteuer der Landstraße den Parkplatz überquerte, mit Prophetenbart und klapperndem Blechgeschirr, das wie ein Armensünderglöcklein ertönte.

Das Mädchen hört mit dem Seilspringen auf, um den Kopf unter den Wasserhahn zu halten. Jetzt wringt sie ihre Haare auf dem Rückweg aus, Wasser tropft auf den Boden, plitsch, platsch. Die Tropfen verschwinden sekundenschnell im Boden. Sie versickern in den mineralischen und organischen Teilchen der Erde, dem Gesetz der Schwerkraft gehorchend; sie nutzen Raum, wo gar keiner zu sein scheint, sie lassen die Fetzen ihrer eigenen Seele zurück und schenken diesen Teilchen Leben, während sie ihres verlieren, auf dem Weg zum glühenden Herzen des Planeten, zu dem Feuer, wo die Erde noch dem ähnelt, was sie war, als sie entstand. (Im Grunde ist man immer, was man war.)

Das Mädchen beugt sich anmutig vor mir zu Boden. Einen Moment lang denke ich, sie verneigt sich. Aber sie hebt nur ihr Seil auf. Sie fängt wieder an zu springen, im perfekten Rhythmus durchschneidet sie die Luft, hepp hepp, und zeichnet die Grenze der Blase, in der sie sich einschließt.

Papa öffnet die Tür der Bar und lässt mich eintreten. Großvater sitzt drinnen und wartet auf uns. Sein Löffel löst im Milchkaffee einen Wirbel aus.

Manchmal gibt es in der Erinnerung Variationen. Manchmal steigt Mama nicht aus dem Citroën aus, bis wir aus der Bar kommen, weil sie etwas auf die Jockey-Zigarettenschachtel kritzelt. Manchmal laufen die Zahlen an der Zapfsäule rückwärts statt vorwärts. Manchmal überholt uns der Typ mit dem Rucksack und hält den Daumen schon bei unserer Anfahrt raus, als könne er es nicht erwarten, die Welt zu entdecken, die er noch nicht gesehen hat, und ihre Rettung mit Blechgescheppern anzukündigen. Die Veränderungen beunruhigen mich nicht. Ich bin daran gewöhnt. Sie beweisen, dass ich etwas sehe, was ich vorher nicht gesehen habe; sie beweisen, dass ich nicht genau der bin, der ich war, als ich mich das letzte Mal erinnerte.

Die Zeit ist ein seltsames Phänomen. Das ist offenkundig. Oft glaube ich, dass alles gleichzeitig geschieht. Das ist alles andere als offenkundig und noch seltsamer. Wer sich damit brüstet, nur in der Gegenwart zu leben, tut mir ein wenig leid, wie der, der den Kinosaal betritt, wenn der Film schon angefangen hat, oder der, der eine Cola light trinkt – er verpasst das Beste. Ich glaube, die Zeit funktioniert wie das Einstellen eines Radios. Die meisten Leute stellen gern einen Sender ein, den sie deutlich und ohne Störungen empfangen können. Aber das heißt noch lange nicht, dass man nicht zwei oder mehr Sender miteinander hören kann; Synchronie ist nicht unmöglich. Bis vor kurzem hielt man es für unmöglich, dass zwischen zwei Atome ein Universum passt, heute ist man da nicht mehr so sicher. Warum soll man die Idee verwerfen, dass man im Zeitradio die Geschichte der Menschheit simultan hören kann?

Das Alltagsleben lässt uns in der Hinsicht viele Dinge erahnen. Wir spüren, dass in uns all diese Ichs nebeneinander existieren, die wir waren (und sein werden?). Wir bewahren in uns das Wesentliche jenes unschuldigen, egoistischen Kindes und sind zugleich der sinnliche und bis zur Unvernunft großzügige Jugendliche. Wir sind der, der mit beiden Beinen auf dem Boden steht und seinen Traum nicht vergisst, und am Ende sind wir der alte Mann, für den Gold nur ein Metall ist; der an Sehkraft verloren und an Weitsicht gewonnen hat. Wenn ich mich erinnere, klingt meine Stimme, als wäre ich wieder zehn Jahre alt, und manchmal klingt sie, als spräche ich als Siebzigjähriger, der ich noch nicht bin; gleichzeitig klingt sie auch wie meine heutige, so alt, wie ich heute bin … oder zu sein glaube. All diejenigen, die ich war, bin und sein werde, befinden sich in einem ständigen Dialog und verändern sich gegenseitig. Dass meine Vergangenheit und meine Gegenwart sich verbünden, um meine Zukunft festzulegen, hört sich wie eine grundlegende Wahrheit an, aber ich habe den Verdacht, meine Zukunft und meine Gegenwart sind in der Lage, dasselbe mit meiner Vergangenheit zu tun. Von Mal zu Mal, wenn ich mich erinnere, spricht und handelt der, der ich war, mit größerer Eleganz, als würde er mit jedem neuen Versuch die Figur besser verstehen.

Die Zahlen meiner Zapfsäule fangen an rückwärts zu laufen. Ich kann sie nicht anhalten.

Großvater sitzt wieder in seinem Lieferwagen, kurz vor der Abfahrt, und trällert seinen Lieblingstango: *Sag, bei Gott, was hast du mir gegeben, dass ich mich selbst nicht wiederkenn.*

Papa beugt sich zu mir herab und flüstert mir das Abschiedswort ins Ohr. Ich spüre wie damals die Wärme seiner Wange. Er küsst mich und kratzt mich zugleich.

Kamtschatka.

Ich heiße nicht Kamtschatka, aber ich weiß, wenn er das Wort ausspricht, denkt er an mich.

2. All things remote

Das Wort Kamtschatka klingt seltsam. Meine spanischen Freunde finden es unaussprechlich. Jedes Mal, wenn ich es verwende, zeigen sie sich gnädig, so als würden sie mit einem guten Wilden kämpfen. Sie schauen mich an und sehen Queequeg vor sich, den tätowierten Mann aus Melvilles Buch, der die Statue eines entstellten Gottes anbetet. Wie interessant wäre es, wenn *Moby Dick* von Queequeg erzählt würde. Aber die Geschichten werden von den Überlebenden geschrieben.

Ich kann mich nicht daran erinnern, zu irgendeiner Zeit nichts von Kamtschatka gewusst zu haben. Anfangs war es ein Land unter vielen anderen, das ich bei meinem Lieblingsspiel, TEG, Taktiken und Strategien des Krieges, erobern wollte. Das Epische des Spiels übertrug sich auf den Namen dieses Ortes, aber meine Ohren schworen, der Name klang nach Ruhm. Irrte ich mich, oder klang Kamtschatka wie Schwertklingen, die sich kreuzen?

Ich gehöre zu denjenigen, die sich seit eh und je zu fernen Dingen hingezogen fühlen, wie Ismael aus *Moby Dick*. Die Entfernung bestimmt die Dimension des Abenteuers, in das man aufbrechen will, je weiter weg der Gipfel, umso größer der erforderliche Mut. Auf dem Spielbrett des TEG liegt mein Heimatland Argentinien ziemlich weit unten und ziemlich weit links. Kamtschatka hingegen liegt ziemlich weit oben und ziemlich weit rechts, knapp unter der Windrose. In den ebenen Dimensionen dieses Universums war Kamtschatka der fernste Ort, den ich kannte.

Wenn wir spielten, war niemand an Kamtschatka interessiert. Die Nationalisten begehrten Südamerika, die Karrieristen Nordamerika, die Kultivierten träumten von Europa, und die Pragmatiker ließen sich in Afrika oder Ozeanien nieder, die leicht zu erobern und noch leichter zu verteidigen waren. Kamtschatka lag in Asien, das viel zu groß und daher schwer zu kontrollieren war. Und zu allem Überfluss war es nicht einmal ein echtes Land: Es existierte als unabhängige Nation nur auf der ungewöhnlichen Karte des TEG, und wer sollte ein Land wollen, das es nicht gab?

Kamtschatka blieb für mich übrig, ich hatte immer schon ein großes Herz für die Missachteten. Kamtschatka hallte wie die Trommeln eines verborgenen, barbarischen Reiches, das mich zu sich rief, um mich zum König zu machen.

Damals wusste ich nichts von dem echten Kamtschatka, der eisigen Zunge, die Russland dem Pazifik zeigt, um sich über seine Nachbarn auf der anderen Seite des Meeres lustig zu machen. Ich wusste nichts von seinem ewigen Schnee und den Hunderten Vulkanen. Ich wusste nichts von dem

Mutnovsky-Gletscher und von seinen Seen mit dem rostigen Wasser. Ich wusste nichts von den wilden Bären oder den Fumarolen und den Gasblasen, die sich wie Krötenkröpfe auf der Oberfläche ihrer Thermalwasser aufblähten. Es genügte mir, dass es die Form eines Maurensäbels hatte und unzugänglich war.

Papa wäre überrascht, wenn er wüsste, wie sehr das echte Kamtschatka dem Land meiner Träume ähnelt. Eine eisige Halbinsel, die zugleich das Gebiet mit der größten Vulkanaktivität auf der Erde ist. Ein Horizont himmlischer, fast unberührbarer, in Schwefeldämpfe gehüllter Gipfel. Kamtschatka ist das extreme, paradoxe Reich; eine Übung im Widerspruch.

3. Ich verliere meinen Onkel

Auf dem Brett des TEG täuscht die Entfernung zwischen Kamtschatka und Argentinien. Würde man die flachen Dimensionen auf einen Globus übertragen, würde dieser unüberwindliche Weg zu einem Katzensprung. Man muss nicht die ganze bekannte Welt durchqueren, um von einem Ort zum anderen zu kommen. Kamtschatka und Amerika sind so weit voneinander entfernt, dass sie sich fast berühren.

Genauso sind der Abschied an der Tankstelle und der Anfang meiner Geschichte zwei Enden, die sich übereinander schieben; man sieht das eine im anderen. Die Oktobersonne verschmilzt mit der Aprilsonne, der eine Morgen legt sich über den anderen. Man vergisst leicht, dass die eine Sonne die Ankündigung des Sommers ist und die andere die seines Abtritts von der Bühne.

In der südlichen Hemisphäre ist der April ein Monat der Extreme. Der Herbst beginnt und mit ihm die Kälte. Aber die Windböen sind nur von kurzer Dauer, und die Sonne setzt sich wieder durch. Die Tage sind noch lang. Viele von ihnen wirken, als hätte man sie dem Sommer gestohlen. Die Ventilatoren leisten letzte Dienste, und die Leute flüchten sich in dem Versuch, schneller zu sein als der Wind, am Wochenende an den Strand.

Bei seiner Amtseinführung im April 1976 unterschied er sich nicht von allen anderen vor ihm. Ich war gerade in der sechsten Klasse und kämpfte mit Stundenplänen und Bücherlisten. Ich hatte viel zu viel Schulzeug dabei und protestierte gegen die Platzverteilung im Klassenzimmer, da ich viel zu nah am Tisch von Fräulein Barbeito saß.

Aber einiges war dennoch anders. Der Militärputsch zum Beispiel. Obwohl Mama und Papa nicht viel darüber sprachen (sie schienen weniger Wut oder Niedergeschlagenheit als vielmehr Unsicherheit zu verspüren), war es doch offensichtlich, dass die Lage ernst war. Unterdessen waren mein Onkel und meine Tante wie durch Zauberhand verschwunden.

Bis 1975 war mein Zuhause im Viertel Flores offen für viele Gäste, die zu jeder Tages- und Nachtzeit kamen und gingen, laut redeten und lachten und mit der Faust auf den Tisch schlugen, um einem Satz den nötigen Nachdruck zu verleihen. Sie tranken Mate und Bier, sangen Lieder, spielten Gitarre und legten die Füße auf den Sessel, als hätten sie schon immer bei uns gelebt. Die meisten hatte ich nie zuvor gesehen und später auch nicht mehr wiedergetroffen. Wenn sie kamen, stellte Papa uns jeden einzeln vor. Onkel Eduardo. Onkel Alfredo. Tante Teresa. Onkel Mario. Onkel Daniel. Wir konnten uns die Namen nicht merken, aber das war auch nicht notwendig. Nach einer Weile ging der Zwerg ins Esszimmer und sagte ganz unschuldig: «Onkel, gibst du mir Cola?» Und dann standen etwa fünf auf, um ihn zu bedienen, und er kam mit den übervollen Gläsern ins Zimmer zurück, pünktlich zu *The Saint*.

Ende 75 nahm die Zahl der Onkel und Tanten ab. Es kamen immer weniger. Außerdem sprachen sie jetzt leiser und sangen und lachten auch nicht mehr. Papa gab sich nicht einmal mehr die Mühe, sie uns vorzustellen.

Eines Tages teilte er mir mit, dass Onkel Rodolfo gestorben sei, und ich solle ihn zur Totenwache begleiten. Ich wusste nicht, wer Onkel Rodolfo war. Trotzdem ging ich mit, weil er sagte, er wolle, dass ich – und nicht der Zwerg – ihn begleitete; das kam einer Anerkennung meiner privilegierten Stellung als ältester Sohn gleich.

Es war meine erste Totenwache. Onkel Rodolfo lag hinten in einem Sarg, und drei oder vier Räume waren voller wütender, aufgebrachter Leute, die Kaffee mit viel Zucker tranken und wie die Schlote rauchten. Ein Stein fiel mir vom Herzen, denn ich kann jammernde Leute nicht ausstehen, und ich hatte mir vorgestellt, eine Totenwache sei eine Versammlung von Heulsusen. Ich erinnere mich, dass Onkel Raymundo auf uns zukam (ich kannte ihn nicht; Papa stellte ihn mir dort vor) und mich nach der Schule fragte und danach, wo ich wohnte, und ich log, ohne darüber nachzudenken. «Ich lebe in der Nähe von La Boca», sagte ich. Warum weiß ich nicht.

Aus purer Langeweile ging ich zu dem Sarg und stellte fest, dass ich Onkel Rodolfo kannte. Seine Wangen waren eingefallen, und sein Schnauzbart war ein wenig üppiger, vielleicht wirkte es auch nur so, weil sein Körper dünner war und im Tod so förmlich wirkte, vielleicht lag das auch nur an dem Anzug und dem Hemd mit dem hohen Kragen, aber es war Onkel Rodolfo, ohne jeden Zweifel. Er war einer der wenigen, die zwei- oder dreimal bei uns gewesen waren, und er hatte sich bemüht, nett zu uns zu sein. Bei seinem letzten Besuch schenkte er mir ein Trikot von *River Plate*. Als wir von der Totenwache zurückkehrten, sah ich in meinem Schrank nach, und dort lag es, in der zweiten Schublade hinten.

Ich fasste das Trikot nicht einmal an. Ich schloss die Schublade und strich es aus meinem Gedächtnis, zumindest bis ich eines Nachts träumte, das Trikot käme von allein aus dem Schrank, kröche zu meinem Bett, schlänge sich um meinen Hals und würge mich. Ich hatte diesen Traum mehrmals. Jedes Mal, wenn ich erwachte, fühlte ich mich wie ein Trottel. Wie sollte mich ein Trikot von *River* würgen, mich, einen Fan des Teams?

Es gab noch andere Zeichen, aber keines, das so unheilverkündend war. Die Angst schien sich bei mir zu Hause, in meiner Schublade, eingenistet zu haben, fein säuberlich gefaltet und frisch duftend zwischen den Socken und Strümpfen.

Ich habe Papa nie gefragt, wie Onkel Rodolfo gestorben ist. Das war nicht notwendig. Niemand stirbt mit dreißig aus Altersgründen.

4. Ein unangenehmer Patriarch

Meine Schule hieß Leandro N. Alem, wie der Herr, der uns von einem finsteren Gemälde aus ermahnte, wenn wir das Büro des Direktors betraten, um uns unsere Strafe abzuholen. Es war ein altes Gebäude an der Ecke Yerbal und Fray Cayetano gegenüber der Plaza Flores im Herzen eines der ältesten Viertel von Buenos Aires. Es hatte zwei um einen Patio mit einer Glaskuppel herumgebaute Stockwerke und eine abgenutzte Marmortreppe, die von den vielen Generationen zeugte, die dort ihren Aufstieg in die hehren Sphären des Wissens begonnen hatten.

Es handelte sich um eine städtische Schule, das heißt, sie stand allen offen. Durch die Zahlung eines geringen monatlichen Betrages hatte jeder Zugang zu dem Unterricht in zwei Schichten, er bekam am Vormittag ein Sandwich und konnte anschließend an den sportlichen Aktivitäten teilhaben. Die eher symbolische Summe öffnete uns die Tür zu dem Maschinenraum unserer Sprache und der Sprache des Universums, der Mathematik; sie offenbarte uns, an welchem Punkt der Welt wir uns befanden, was es im Norden, Süden, im Osten und Westen gab; was sich unter unseren Füßen regte, im Feuerzentrum der Erde, und über unseren Köpfen; sie entfaltete vor unserem unschuldigen Blick die Geschichte der Menschheit, von der wir damals, ob gut oder schlecht, der momentane Höhepunkt waren.

In diesen Klassenräumen mit hohen Decken und knarrenden Dielen hörte ich zum ersten Mal eine Erzählung von Cortázar, und dort schlug ich den Revolutionären Operationsplan von Mariano Moreno auf. In diesen Klassenräumen entdeckte ich, dass der menschliche Körper eine perfekte Fabrik ist, und ich freute mich, als ich elegant eine Rechenaufgabe löste.

Meine Klasse hätte für jede Kampagne für die Eintracht unter den Menschen als Modell dienen können. Broitman war Jude. Valderrey sprach immer noch mit spanischem Akzent. Talavera hatte schwarze Vorfahren. Chinen war Chinese. Und auch unter denjenigen, die das Ergebnis der üblichen Mischung aus Spaniern, Italienern und Lateinamerikanern waren, gab es deutliche Unterschiede. Einige, wie ich, waren Kinder von Akademikern und andere von

Hilfsarbeitern. Einige lebten wie ich in Eigentumswohnungen und andere zur Miete, oder sie teilten sich mit ihren Eltern ein Zimmer in der Wohnung der Großeltern. Einige studierten wie ich Sprachen und gingen in die Sportklubs, andere halfen ihren Eltern in ihrer Freizeit Radios und Fernseher zu reparieren und kickten Bälle auf irgendeinem freien Feld.

Innerhalb des Klassenraumes verloren die Unterschiede jegliche Bedeutung. Einige meiner besten Freunde (Guidi, zum Beispiel, ein Ass in Elektronik, oder Mansilla, der noch schwärzer als Talavera war und in Ramos Mejía lebte, einem Vorstadtviertel, das sich noch ferner anhörte als Kamtschatka) hatten wenig mit mir oder meinen Lebensumständen gemein. Trotzdem bildeten wir eine perfekte Gemeinschaft.

Morgens trugen wir einen weißen Kittel und am Nachmittag einen grauen, wir tranken Mate in den Pausen, wir schubsten uns gegenseitig weg, um an unser Lieblingsgebäck zu kommen, das der Pedell in einer himmelblauen Plastikwanne brachte. Uns einten die Uniform, die Neugier und die Energie jener Jahre, und der jugendliche Eifer ließ alle Unterschiede verschwimmen.

Uns einte auch das Unwissen über N. Alem, den Gründungsvater der Schule. Der Mann ähnelte mit seinem Bart und seinem finsteren Blick Melville. Er schien, vielleicht weil er es müde war, in den zwei Dimensionen des Porträts im Zimmer des Direktors eingesperrt zu sein, auf etwas außerhalb des Rahmens hinweisen zu wollen. Eine einfache Interpretation wäre, Alem weise uns die Zukunft oder den Weg, den wir zu beschreiten hatten. Aber der nervöse Ausdruck, den der Maler in sein Gesicht gelegt hatte, gab eher zu der Vermutung Anlass, dass Alem uns warnte, nicht in die falsche Richtung zu blicken, wir sollten nicht ihn, sondern das ansehen, was im Anmarsch war, dieses Geheimnis, das das Bild uns nicht zeigte und das, weil nicht fassbar, nur bedrohlich sein konnte.

In der ganzen Zeit, in der ich dort zur Schule ging, hat uns nie jemand etwas über Leandro Alem erzählt. Viele Jahre später (ich lebte schon in Kamtschatka) erfuhr ich, dass er sich gegen die konservative Ordnung aufgelehnt hatte, um für das allgemeine Wahlrecht einzutreten; er hatte zu den Waffen gegriffen und landete im Gefängnis, um am Ende des Lebens den Triumphzug seiner Ideen verfolgen zu können. Vielleicht wollten diejenigen, die nicht über Alem sprachen, uns vor der unangenehmen Nachricht seines Selbstmordes schützen. Der Selbstmord eines siegreichen Mannes wirft Schatten über die von ihm vertretene Sache, so wie es Schatten geworfen hätte, wenn der Apostel Petrus sich in Rom unter Nero die Pulsadern aufgeschnitten oder wenn Einstein während seines Exils in den Vereinigten Staaten Gift getrunken hätte.

Ich wäre naiv, wenn ich den Namen der Schule, die mich sechs Jahre aufgenommen hat, bis zu dem Morgen, an dem ich wegging und nie mehr wiederkam, dem Zufall zuschriebe.

5. Ein wissenschaftlicher Exkurs

An dem besagten Aprilmorgen zog Fräulein Barbeito die Vorhänge zu und zeigte uns einen Lehrfilm. In verblasster Farbe behandelte der Film, wie der mexikanische Sprecher mehrmals wiederholte, das Geheimnis des Lebens, und er erklärte, die Zellen würden sich zu Geweben zusammenschließen und die Gewebe zu Organen, und diese würden dann Organismen bilden, die mehr wären als die Summe ihrer Teile.

Ich setzte mich wie immer (zu meinem Bedauern, ich sagte es bereits) in die erste Reihe, die Nase direkt vor der Leinwand, aber ich bekam nur den Anfang des Films mit. Ich registrierte, dass die Erde vor einer Milliarde fünfhundert Millionen Jahren aus einer Feuerkugel entstanden war. Ich registrierte, dass es weitere fünfhundert Millionen Jahre gedauert hatte, bis sich die ersten Felsen bildeten. Ich erfuhr, dass es zweihundert Millionen Jahre geregnet hatte und aus der ordentlichen Sintflut die Ozeane entstanden. Anschließend sprach der Mexikaner mit der Bassstimme von der Entstehung der Arten, und ich dachte, er hätte einen Teil übersprungen, nämlich den zwischen der unbelebten Erde und der Entstehung des ersten Lebens. Ich fragte mich, ob ein Stück Film abhanden gekommen war. Vielleicht sprach der Mexikaner deshalb vom Geheimnis, und als ich mich dem Film wieder zuwenden wollte, hatte ich den Faden verloren und verstand gar nichts mehr.

Die Sache mit dem Geheimnis ging mir nicht mehr aus dem Kopf. Deshalb stellte ich Mama einige Fragen, sie erwähnte in ihren Antworten Darwin und Virchow. Schon 1855 hatte Virchow behauptet, *omnis cellula e cellula*, jede Zelle entsteht aus einer Zelle, dadurch wurde das Leben zu einer Kette, deren erstes Glied, so stellte ich fest, wohl kein unbedeutendes Thema war. Es war auch Mama, die die Lücke in dem theoretischen Zeitplan füllte, den der Mexikaner aufgestellt hatte, indem sie mir erklärte, die ersten bakteriellen Zellen wären vor dreieinhalb Milliarden Jahren in diesen nicht gerade tiefen Ozeanen aufgetaucht, die aus dem längsten Unwetter der Geschichte entstanden waren.

Andere Dinge fand ich erst heraus, als ich – zwischen Vulkanausbrüchen und Schwefeldämpfen – bereits in Kamtschatka lebte. Ich entdeckte zum Beispiel, dass wir aus denselben Atomen und kleinen Molekülen bestehen wie die Steine. (Sollten wir demzufolge nicht länger leben?) Ich entdeckte, dass Louis Pasteur, der mit dem Impfstoff, Experimente gemacht hatte, die bewiesen, dass das Leben in einer sauerstoffreichen Atmosphäre wie der dieses Planeten nicht spontan entsteht. (Das Geheimnis wurde immer größer.) Und dann entdeckte ich, zu meiner großen Erleichterung, dass einige Wissenschaftler behaupteten, in den Anfängen hätte es auf der Erde keinen Sauerstoff gegeben, oder nur in geringen Mengen.

Manchmal erscheint es mir, als ob alles, was man in diesem Leben wissen muss, in den Biologiebüchern steht. Man denke nur daran, wie die Bakterien auf das massive Eindringen von Sauerstoff in die Erdatmosphäre reagiert haben. Bis dahin (vor zwei Milliarden Jahren, nach meinem Kalender) war der Sauerstoff Gift für das Leben. Die Bakterien widerstanden, weil der Sauerstoff von den Metallen des Planeten absorbiert wurde. Als die Metalle gesättigt waren und nichts mehr absorbierten, füllte sich die Atmosphäre mit giftigem Gas, und zahlreiche Arten wurden ausgerottet. Die Sauerstoffkrise hätte beinahe alles Leben ausgemerzt. Aber die Bakterien organisierten sich neu, sie entwickelten Abwehrmechanismen und passten sich auf effektive, geradezu brillante Weise an, indem sie ein Stoffwechselsystem entwickelten, das genau die Substanz benötigte, die bis dahin ein tödliches Gift gewesen war. Anstatt am Sauerstoff zu sterben, nutzten sie ihn zum Leben. Was sie einst tötete, wurde zu der Substanz, die sie einatmeten!

Vielleicht sagt Ihnen diese Fähigkeit, einer gefährlichen Partie eine Wendung zu geben, nichts. Aber was mein Leben betrifft, das kann ich Ihnen versichern, spricht sie Bände.

6. Eine fantastische Reise

Fünf Minuten nach Beginn des Films fing ich an zu spielen, und an Zellen, Geheimnisse oder Moleküle dachte ich nicht mehr. Sobald ich starr auf die Leinwand blickte und dabei nichts Konkretes fokussierte, wurden die Bilder dreidimensional – Psychodelik für Anfänger. Nachdem ich eine Weile die beweglichen Kreise und kleinen Bananen der Zellgewebe betrachtet hatte, verschwanden die Umrisse der Leinwand, und es war, als tauchte ich ins Magma ein.

Anfangs amüsierte mich das. Es war, als befände ich mich in *Fantastic Voyage*, diesem Film, in dem ein U-Boot auf mikroskopische Größe verkleinert wird, um durch die Blutbahnen eines Versuchskaninchens zu reisen. Aber nach kurzer Zeit wurde es mir schlecht. Wenn ich aus dieser Suppe nicht bald auftauchte, würde ich das Frühstück auskotzen. Ich drehte mich auf dem Stuhl um und suchte Ablenkung. Im Halbdunkel des Klassenraumes aß Mazzocone sein Mittagsbrötchen, Guidi war eingeschlafen, und Broitman spielte mit einem kleinen Soldaten *Der 6-Millionen-Dollar-Man* (er ließ ihn in Zeitlupe gehen und wie eine Languste hüpfen). Bertuccio wandte mir den Rücken zu. Wie es seine Art war, war er aufgestanden und sagte zu Fräulein Barbeito, er glaube kein Wort davon, dass wir einmal eine einzige Zelle im Meer gewesen sein sollen, und dann sei die Zeit vergangen, und zack, da habe sich die Zelle auch schon in uns verwandelt.

7. Auftritt Bertuccio

Bertuccio war mein bester Freund. Es klingt unglaublich, aber ich schwöre, mit zehn las Bertuccio schon Anouilhs *Becket* und erklärte, er wolle Theaterstücke schreiben. Ich las den *Hamlet*, um nicht zurückzustehen und weil wir das Buch zu Hause hatten und den *Becket* nicht, und obwohl ich nichts verstand, schrieb ich eine eigene Fassung, die ich mit meinen Freunden in diesem freien Platz zwischen der Küche und dem Patio aufführen wollte, der als Bühne durchgehen konnte, wenn Mama die Waschmaschine wegschob.

Ich schrieb, weil ich älter wirken, Bertuccio hingegen, weil er Künstler werden wollte. Bertuccio hatte gelesen, ein Künstler stelle die Gesellschaft in Frage, und von da an stellte er alles in Frage, sogar die Höhe des Schulgeldes, die Logik, am Morgen einen weißen und am Nachmittag einen grauen Kittel zu tragen, und den Wahrheitsgehalt der Geschichte von French, Beruti und den Feldzeichen. (Wie hatten sie erraten, dass Belgrano die Flagge himmelblau-weiß gestalten würde? Was waren sie? Seher?)

Bertuccio brachte mich hin und wieder in peinliche Situationen. Einmal gingen wir ins Kino, um uns *Gold* anzuschauen, der für unter Vierzehnjährige verboten war, und an der Kasse fragte man uns nach unseren Ausweisen. Bertuccio sagte, er sei noch minderjährig, aber er habe den Roman gelesen und er hätte darin nichts Unschickliches oder Obszönes entdecken können, dann fügte er noch an, dass niemand das Recht habe, ohne genauere Prüfung seiner Person ihn für unreif zu halten, sich einen Film anzusehen. Als der Mann an der Kasse etwas erwidern wollte, schleuderte er ihm entgegen: «Werter Herr, ich habe bereits *Becket* und *Der Exorzist* und *Lady Chatterleys Liebhaber* gelesen (zumindest in Teilen), und das ist doch mehr, als viele Erwachsene von sich behaupten können, oder?»

In solchen Situationen kümmerte ich mich um die Lösung. Als Bertuccio es müde wurde, zu diskutieren, und der Eintrittskartenverkäufer, ihm zuzuhören, gingen wir die Marmortreppe des Rivera Indarte hoch und versteckten uns auf der Toilette. Wir warteten, bis der Platzanweiser alle Eintrittskarten abgerissen hatte, und sobald er mit der Taschenlampe hineinging, um einen Zuspätgekommenen an seinen Platz zu bringen, klemmten wir uns hinter ihn und versteckten uns zwischen den Vorhängen. So hatten wir zwar die ersten fünfzehn Minuten verpasst, aber immerhin konnten wir den Film noch anschauen.

Gold war ein Reinfall. Es gab nicht einmal nackte Frauen zu sehen.

8. Das Prinzip der Notwendigkeit

An diesem Morgen wandte sich Bertuccio an Fräulein Barbeito, um das Gebäude der Wissenschaft von seinen Grundfesten aus in Frage zu stellen, während ich nach Bleistift und Papier suchte, um Galgenmann zu spielen.

Fräulein Barbeito seufzte und sagte zu Bertuccio, dass es natürlich ein Prinzip gebe, das alles erkläre: die Teilung der Zellen und ihre Organisation, die Ausbildung komplexer Funktionen wie das Wassermilieu zu verlassen, Farben und Häute auszubilden, Energie aus neuen Quellen zu gewinnen, Beine zu entwickeln, sich fortzubewegen und sich aufzurichten. Mazzocone wurde unruhig, weil er kein Mittagessen mehr hatte, Guidi floss ein Speichelfaden bis zum Kinn, und Broitman sagte, sein Soldat koste sechs Millionen

Dollar, und ich dachte, wie toll es wäre, wirklich zu kotzen und die Leinwand zu bespritzen, während Fräulein Barbeito sagte, das Prinzip, das erkläre, warum sich jeder Organismus an neue Umstände anpasse, sei das Prinzip der Notwendigkeit.

Bertuccio wollte partout nicht klein beigeben. Das erledigte ich dann für ihn, im wörtlichen Sinn. Er fragte mich, was ich wollte, und ich schlug ihm vor, Galgenmann zu spielen. Er schien darüber nachzudenken; die philosophischen Diskussionen hatten Zeit bis später. Ich nutzte sein kurzes Schweigen, um ihm zu sagen, wir würden mit Eigennamen spielen. (Ich hatte ein Wort mit mehreren «ka» im Sinn, mit dem ich gewinnen würde.) Bertuccio nahm an, unter der Bedingung, dass er anfangen konnte. Er kündigte mir ein Wort mit zehn Buchstaben an und zeichnete den Galgen. Ich sagte «a», und er begann die leeren Kästchen auszufüllen. Bertuccios Wort hatte fünf a. «Du bist verrückt», sagte ich zu ihm. «Warte ab, du wirst schon sehen», erwiderte er, theatralisch wie immer.

Ich sagte «e», und er zeichnete den Kopf.

Ich sagte «i», und er zeichnete den Hals.

Ich sagte «o», und er zeichnete einen Arm.

Ich sagte «u», und er zeichnete den anderen.

Jetzt sitze ich in der Klemme, dachte ich. Ein unglückliches s brachte mir einen Oberkörper ein, und ein selbstmörderisches t führte mich an den Rand des Abgrundes.

Da klopfte es an die Tür, und Mama tauchte auf.

Etwas habe ich von der Sache mit den Zellen verstanden, und das ist: man verändert sich, weil einem nichts anderes übrig bleibt.

9. «Der Fels»

Mama nannten wir «la Roca», der Fels. In der Geschichte von Stan Lee mit dem Titel *Die phantastischen Vier* gibt es eine Figur aus Stein, die *The Thing*, das Ding, heißt. Das gab den Anstoß. Mama gefiel es nicht allzu sehr, mit einem kahlen, x-beinigen Typen verglichen zu werden, aber sie verstand, dass in dem Spitznamen die Anerkennung ihrer Autorität lag. Das erfreute sie, aber nur wenn der Zwerg und ich den Spitznamen verwendeten. Wenn Papa sie so nannte – das war das Schlimmste –, dann war es wie im Kino mit Dolby-Surround, wenn ein Katastrophenfilm die Kinosessel zum Vibrieren bringt.

Mama war für uns immer blond, obwohl ganz alte Fotos zeigten, dass sie erst mit der Zeit erblondet war. Sie war zierlich und lebhaft, darin unterschied sie sich von *The Thing*. Als ich kleiner war, mochte sie Kreuzworträtsel und Filme. Auf ihrem Nachttisch hatte sie ein Foto von Montgomery Clift, aus der Zeit, als er noch ein schöner Mann war, bevor der Autounfall sein Gesicht zerstörte. Außerdem war sie ein Fan von Liza Minnelli. Morgens weckte sie uns mit der Musik aus *Cabaret*. Mama sang gut, und sie kannte die Texte auswendig. Von dem *Willkommen, bienvenue, welcome* am Anfang bis hin zu *auf Wiedersehen, à bientôt*, das dem Schlussapplaus vorausgeht. Eigentlich wäre zu erwarten gewesen, dass ich *gay* würde, aber das ist nur eines von vielen Dingen, die nicht eintraten.

Ich fand sie wunderschön. Alle Jungen denken das von ihrer Mutter, aber für mich sprach, dass meine Mutter das *Entwaffnende Lächeln* besaß, eine Riesenmacht, für die Stan Lee viel Geld bezahlen würde: Sie verstand es, diese Macht einzusetzen, wie zum Beispiel als ich das Geld zurückfor-

28

derte, das ich zum Geburtstag bekommen und das sie sich ausgeliehen hatte, da griff sie auf das *Entwaffnende Lächeln* zurück, ich schmolz dahin und gab auf. (Dieses Geld hat sie mir übrigens nie zurückgegeben.) Papa sagte, wir sollten uns nicht beklagen, im Schlafzimmer würde Mama dieses Lächeln zu noch zwielichtigeren Zwecken einsetzen, und dann schwieg er, während in unseren fiebrigen Köpfen die Fantasie mit uns durchging.

Aber sie hatte noch ganz andere Kräfte, die ihr ihre Spitznamen einbrachten und um die selbst *The Thing* sie beneidet hätte. Mama konnte auf den *Eisigen Blick*, den *Lähmenden Schrei* und im äußersten Fall auf das *Fatale Zwicken* zurückgreifen. Was noch schlimmer war, wir konnten keine Achillesferse an ihr entdecken. Mit ihr konnte es niemand aufnehmen. Was uns nicht daran hinderte, es täglich aufs Neue zu versuchen, uns kühn dem Blick, dem Schrei und dem Zwicken auszusetzen, um am Ende in die Knie zu gehen. Unsere Kämpfe hatten etwas Atavistisches wie zwischen Wölfen und Menschen, wie zwischen Superman und Lex Luthor, es war eine Schlacht, die größer war als das Leben selbst und die wir in dem Wissen wiederholten, dass es sich um ein für eine Gottheit von elisabethanischer Sensibilität geschriebenes Drama handelte. Wir kämpften, weil der Wettkampf uns definierte, die einen und die anderen. Im Gefecht waren wir wir.

Mama hatte einen Doktortitel in Physik und arbeitete als Dozentin an der Universität. Sie betonte immer, sie hätte eigentlich Biologie studieren wollen und ihr Umschwenken zu den Gesetzen des Universums ginge auf ihre ebenfalls unbeugsame Mutter, Großmutter Matilde, zurück. Wer Großmutter Matilde kennt, weiß, wie absurd diese Behauptung ist. Ich glaube nicht, dass Großmutter etwas anderes an Mamas Zukunft interessiert hat als ihre Fähigkeit, sich einen jungen Mann mit gutem Auskommen zu angeln. (Das war auch so ein Satz, der den Zwerg amüsierte: Hieß gutes Auskommen nicht, sich gemeinsam durchzuschlagen?) Nachdem diese Möglichkeit ein für alle Mal vom Tisch war, nachdem mein Vater aufgetaucht war – er hatte einfach nur ein Auskommen –, wird es Großmutter Matilde egal gewesen sein, ob es um Physik, Biologie oder Akupunktur ging. Außerdem fällt es mir schwer, mir vorzustellen, dass Mama sich ihren Plänen unterwirft. Ich weiß nicht, worauf dieser familiäre Gründungsmythos zurückgeht. Aber sicher ist, dass meine Leidenschaft für die Wissenschaften, die sich mit dem beschäftigen, was der Mexikaner das Geheimnis des Lebens nannte, auf Mama zurückgeht.

Das und die Begeisterung für Liza. Hat jemand ein Problem damit?

10. Ein kurzer Nachtrag die Familie betreffend

Als Mama Papa kennen lernte, war sie bereits mit einem anderen Mann verlobt. Die Auflösung der Verlobung war ein Familienskandal. Aber Mama, die noch nicht «der Fels» war, aber schon der Stein in der Schleuder Davids, gab sich nicht geschlagen.

Kurze Zeit später lud sie die ganze Familie zum Abendessen ein, um Papa dem Clan vorzustellen. Die Legende besagt, die Familie hätte den früheren Verlobten Mamas angebetet. Aber Papa übertraf alle Erwartungen, denn er trat ganz ernst auf und gab den Rechtsanwalt mit vielversprechender Zukunft. (Das war er auch, nebenbei gesagt.) Papa gelang es, in der Konversation immer wieder Bezüge zu seinen «Fällen» und die gerade in der Nähe des Gerichts eröffnete Kanzlei herzustellen. Beim Nachtisch hatte sich die Atmosphäre so weit entspannt, dass Mama und ihre Cousine Ana eine Cueca oder eine Samba tanzten und mit Taschentüchern wedelten, und Papa rief: «Passt auf mit dem Rotz!» Dieser Ausruf war es. Mamas Familie atmete auf. Papa war damit aufgenommen.

Noch im selben Jahr haben sie geheiratet. Ein Jahr später kam ich auf die Welt. Wenn es stimmt, was man erzählt, war ich ein Zehnmonatskind. Mama hatte in den ersten Januartagen den Geburtstermin. Es verging der 10. (Mamas Geburtstag), und nichts passierte. Es verging der 20., und es geschah immer noch nichts. Die Untersuchungen bestätigten, dass ich wohlauf war: ich atmete und entwickelte mich normal. Trotzdem beschloss man in den letzten Stunden des Monats, die Geburt künstlich einzuleiten.

Papa hat immer behauptet, der Geburtshelfer hätte falsch gerechnet. Eine logische Erklärung. Aber immer wenn ich nachhakte, wurde Papa nervös, als ahnte er, dass alles, was ihn vom Unergründlichen trennte, eine mit unleserlicher Arztschrift bekritzelte Karteikarte war.

Was mich betraf, so entwickelte ich ein Faible für Geschichten über außergewöhnliche Geburten. Die Tradition weist ihnen symbolische Bedeutung zu. Julius Caesar, zum Beispiel, kam dank eines Messers zur Welt (seiner Mutter hat man den Bauch aufgeschnitten; daher stammt das Wort Kaiserschnitt), und durch das Messer verabschiedete er sich auch in den Iden des März von ihr. Pallas Athene war im wörtlichen Sinn die Frucht des furchtbarsten Kopfschmerzes von Zeus. Ich könnte für meine Weigerung, auf die Welt zu kommen, nach einem Sinn suchen, aber irgendetwas hat mich stets daran gehindert. Die Hebammen sagen, keiner weiß etwas, bevor seine Stunde gekommen ist, und ich respektiere diese Tradition mehr als jede andere.

Fünf Jahre später kam der Zwerg. Papa zufolge war der Zwerg die Frucht einer verrückten Nacht, in der sie ein paar Gewinne auf der Pferderennbahn von Palermo gefeiert hatten. Der Legende zufolge war es das erste Mal, dass Papa im Schlepptau von ein paar Kollegen vom Gericht zum Pferderennen ging. Plötzlich packte ihn das Wettfieber. Weil er von Anfang an gewann, hielt er sich für einen Experten. Ich kann mich jedoch nicht erinnern, dass er später noch einmal gewonnen hätte. Jedenfalls habe ich keine weiteren Geschwister außer dem Zwerg.

Eine Zeit lang glaubte ich, es gäbe eine Verbindung zwischen dem Glück und dem Kinderkriegen (ich stellte mir vor, dass ich das Ergebnis einer gewonnenen Pokerpartie und folglich vom Geschlecht der Könige war) und spezieller noch zwischen meinem Bruder und den Pferden. Ich ertrug stoisch, dass er meine Matchboxautos und meine Zeitschriften und meine Modelle zerstörte, weil ich ihn für mein Schicksal hielt. So stand es in den Sternen geschrieben und wurde durch den Tag seiner Geburt, am 29. April, dem Tag des Tieres, unterstrichen.

Mein Bruder wurde im Zeichen der Tiere geboren.

Mama fing damals an, als Dozentin zu arbeiten, und gründete eine gewerkschaftliche Verbindung in der Fakultät, mit der sie bei den Wahlen gewann. Zu diesem Zeitpunkt begann Papa politische Gefangene zu verteidigen, Mama brachte ihm fast jede Woche neue Fälle. Viele meiner Onkel und Tanten waren Kampfgenossen von Mama und Leute aus der Gewerkschaft; einige waren verhaftet worden. Onkel Rodolfo zum Beispiel.

Anfangs protestierte Papa gegen so viel politisches Engagement und hielt Mama immer wieder vor, sie habe ihm besser gefallen, als sie Romane von Guy des Cars las anstelle von Hernández Arregui und *El Descamisado* und Wälzer wie *Instabilität und Chaos in dynamischen nichtlinearen Systemen*, aber er log. Ich sah, wie er sich genauso leidenschaftlich wie sie an politischen Diskussionen beteiligte. Papa gehörte zu den Leuten, die sich hinsetzen, um die Nachrichten anzusehen, und dann auf den Bildschirm einbrüllen, als könnte der ihn hören. Da heißt es immer, die Selbstgespräche bei Shakespeare seien künstlich. Aber wo liegt der Unterschied zwischen Hamlet, der zu einem Totenkopf spricht, und meinem mit dem Fernseher sprechenden Papa?

In der Zeit, als die Onkel und Tanten bei uns ein und aus gingen, schleppten meine Eltern den Zwerg und mich zu jeder Demonstration mit. Uns gefiel es, auf den Schultern zu sitzen, etwas zu trinken oder Bonbons geschenkt zu kriegen, Lieder zu singen, die uns später Anerkennung an der Schule einbrachten, wie «Bundespolizei, nationale Schweinerei». Außerdem schienen sich alle untereinander zu kennen, und sie waren fröhlich, und Fröhlichkeit ist bekanntlich ansteckend.

Papa sträubte sich anfangs gegen die Politik des offenen Hauses, die Mama betrieb, Mama bezichtigte ihn als reaktionären Winkeladvokaten und Sesselfurzer. Sie hielt ihm vor, er wäre immer noch der Junge aus reichem Hause, *ehrgeizig und eingebildet*, wie es in dem Tango heißt. Letztlich gab er auch nach, weil er an das glaubte, wofür Mama einstand, und weil meine Onkel und Tanten ihm sympathisch waren. Er servierte Bier und verriet ihnen Tricks und Kniffe, und er konnte sich furchtbar aufregen, wenn einer ein Problem mit der Polizei oder mit der Triple A (*Alianza Anticomunista Argentina*, wie die Bücher sagen, *Alianza Argentina de Asesinos*, Argentinisches Bündnis von Mördern, wie Papa sagt) hatte und sie verhaftet oder geschlagen wurden.

33

Eines Tages teilte er mit, Onkel Rodolfo sei tot. Er wollte, dass ich ihn zur Totenwache begleitete. Als Onkel Raymundo kam und mich fragte, wo ich wohnte, log ich, wie gesagt. Ich sagte, ich wohne in der Nähe von La Boca.

11. Wir verschwinden

Mama steckte den Kopf in das Klassenzimmer und fragte, ob sie eintreten dürfe. Sie trug ein dunkelblaues Kostüm, das mir sehr gefiel, weil es ihre Wespentaille betonte. Sie hatte wie immer eine brennende Zigarette zwischen den Fingern. Vielleicht war das das einzige Merkmal eines verrückten Wissenschaftlers an Mama, abgesehen von ihrer Neigung, alles mit physikalischen Begriffen erklären zu wollen und selbst ein Fußballspiel als komplexes System von Massen, Widerständen, Vektoren und Energien zu sehen. Mama benutzte die Schachtel ihrer Jockey, um alles Mögliche zu notieren, von Telefonnummern bis hin zu Formeln, und dann vergaß sie, dass sie etwas Wichtiges notiert hatte, und warf die Schachtel weg. Das war Gesetz, so unumstößlich wie das Gesetz der Schwerkraft.

Fräulein Barbeito stoppte den Film und flüsterte mit Mama. Ich nutzte die durch ihr wundersames Erscheinen entstandene Verwirrung, um Bertuccio nicht noch mehr Buchstaben vorzusagen, bis ich mir sicher war (noch ein Fehler, und ich starb am Galgen). Was hatte Mama hier zu suchen? Musste sie um diese Uhrzeit nicht im Labor sein? Hatte sie das Schulgeld bezahlt und war auf dem Weg kurz vorbeigekommen, um hallo zu sagen?

«Pack deine Sachen, du musst jetzt gehen», sagte Fräulein Barbeito zu mir.

Ich setzte ein leicht triumphierendes Gesicht auf und packte alles in die Tasche. Bertuccio wirkte beleidigt. Mama hatte ihn um seinen Sieg gebracht.

Er füllte die Lücken mit den fehlenden Buchstaben aus und fragte mich, was wir am Nachmittag unternehmen würden. «Das Gleiche wie immer», erwiderte ich: «Nach der Englischstunde komme ich zu dir». «Meine Mutter macht Schnitzel», sagte er, um mich endgültig zu überzeugen. Und das gelang ihm natürlich. Wenn ich Großvaters Satz noch vervollständigen dürfte, würde ich sagen: der liebe Gott steckt in den Details und in den Schnitzeln von Bertuccios Mama.

Da gab er mir das Zettelchen mit dem Galgenmann.

Es stand jetzt nicht mehr A_ A _ A _ A _ _ A darauf.

Die Lösung war einfach und elegant. Oder besser gesagt magisch.

Bertuccios Wort lautete: *abracadabra*.

12. Der Citroën

An dieser Stelle muss ich über die Merkmale des Familienautos sprechen, mit dem wir flüchteten. Wenn ein normaler Mensch den Namen Citroën hört, stellt er sich ein elegantes Gefährt in Paris mit dem Arc de Triomphe als Hintergrund vor. Auch wenn es sich um dieselbe Marke handelt und sie französischer Herkunft sind, klafft zwischen den Citroëns im Argentinien des Jahres 1976 und dem traditionellen Bild dieser Marke ein so großer Abgrund wie zwischen Rosinante und Bukephalos.

Erst einmal zur Form. Im Profil, kann man sagen, entspricht er der runden Form des klassischen Käfers von

Volkswagen, ein Halbkreis, der Kofferraum und Kabine umfasst, aus dem ein weiterer kleiner Halbkreis entspringt, in
dem der Motor hinten untergebracht ist, aber das würde einen falschen Eindruck erzeugen. Dort, wo Volkswagen das
Gefühl deutscher Solidität vermittelt, war unser Citroën
leicht wie ein Autoscooter.

Das lag an der Karosserie. Wenn man auf eine ganz gewöhnliche Mauer stieß, würde der Käfer hindurchfahren,
der Citroën sich hingegen wie ein Akkordeon zusammenfal-
ten, auf dem man *La Vie en Rose* spielt. Das Dach trug ebenfalls zu dieser Schwäche bei. Es war aus Stoff, aber man darf
das keineswegs mit den Faltdächern europäischer Cabrios
gleichsetzen. Stoff heißt in dem Fall, das Dach löste sich ab
und rollte sich zusammen.

Die Leichtigkeit des Metalls bemerkte man erst beim
Fahren. In scharfen Kurven bekam die Fahrgastzelle Schlag-
seite nach links oder rechts, und das fühlte sich an, als reise man auf einem Wackelpudding. Zum Glück erzeugte
der Motor keine sehr hohe Geschwindigkeit, nur großen
Lärm.

Was den Innenraum betrifft, nur zwei Details. Die Gang-
schaltung war ein einzigartiges Modell, das sich von den damals populären Schaltungen am Boden (Sportmodelle) oder
der Lenkradschaltung (Dodge, Chevrolet) unterschied. Sie
bestand aus einem in die Armatur eingelassenen Eisenstab,
der mehr für die Steuerung der Schiffe in *Plan 9 de Espacio
Exterior* geeignet schien als für ein Auto. Und die Sitze waren eine mit Stoff bespannte Metallkonstruktion, die man
am ganzen Körper spürte. Man konnte nur auf eine ganz bestimmte Weise darin sitzen, so dass die Pospalte genau auf
der Eisenstange war, sonst lief man Gefahr, sich eine weitere
Spalte mitten auf der Pobacke oder eine ernste Skoliose ein-
zufangen. Auf der Rückbank zu schlafen, fühlte sich an, als

wäre man ein Fakir auf seinem Nadelbett; möglicherweise ist die Neigung des Zwerges zur Askese während der Siestas im Citroën entstanden.

Zu guter Letzt ein Detail, die Auswahl der Familie betreffend. Unser Citroën war limettengrün, eine Farbe, die bei wolkenlosem Himmel und einem bestimmten Sonnenstand den hartgesottensten Fahrer erblinden ließ.

Aber denken Sie nicht, aus dieser Beschreibung spräche irgendeine Form von Verachtung gegenüber unserem Stahlross. (Oder Aluminiumross. Wer weiß.) Dieser Citroën war ein edles Tier. Er hat uns nie im Stich gelassen, nicht in der ersten und nicht in der letzten Stunde. Seine Besonderheiten haben wir sogar mit Freude ausgelebt, wie das Faltdach, das es uns erlaubte, den Kopf in den Wind hinauszustrecken und mit der Präzision eines Panzers Kugeln auf andere Autos zu schießen.

Jedes Wort über ihn ist mit Liebe geschrieben; nicht mit Entzücken, denn das würde bedeuten, seine Mängel für Tugenden zu halten, sondern mit wahrer Liebe, mit einer klaren Vorstellung von dem Wert, den er in meinem Leben hatte und immer haben wird.

Ich möchte glauben, wenn ich etwas während dieses Abenteuers gelernt habe, dann, dem treu zu sein, der mir treu war.

13. Auftritt Zwerg

Der Zwerg wartete in dem Citroën auf uns. Er saß auf seinem Platz, den Pony bis zu den Augenbrauen, bekleidet mit der karierten Schürze der Vorschulkinder. Er verzog keine Miene, als wir in das Auto stiegen, so als wären wir noch gar nicht da oder als würde er in einer anderen Zeit leben, die nah an unserer war, aber nicht mit ihr identisch.

Ich wollte ihn nicht stören. Er war in sich versunken. Zwei Sekunden später brachte er mit seiner Frühstückstüte fast meinen Kopf zum Platzen.

Die Wissenschaftler behaupten, ein schwarzes Loch sei eine dunkle Region, die die Materie und die Strahlen aus ihrer Umgebung absorbiert. Eine Art Sternenstaubsauger. Bis jetzt hat man ihre Existenz nicht beweisen können, aber bestimmte Daten sprechen sehr dafür; eines davon ist die Existenz des Zwergs, ein Ausbund an negativer Energie.

Der Zwerg zerstörte alles, was in seinen Aktionsradius kam. Seine Körpersprache war nicht gewalttätig, aber die Dinge schienen durch seine bloße Berührung kaputtzugehen. Auch wenn er sie vorsichtig umblätterte, löste sich die Seite aus dem Buch, das ich ihm gerade geliehen hatte. Auch wenn er es nur im Kreis fahren ließ, verlor mein Spitfire-Rennauto in seinen Händen Teile, als litte es unter plötzlicher Materialermüdung oder als würde der Klebstoff zu Wasser. Auch wenn er sich nicht von meiner Seite rührte, verschwanden die Zubehörteile zu meinen mittelalterlichen Soldaten – Helme, Lanzen, Schwerter, Schilder – unvermeidlich und tauchten nie wieder auf, sosehr wir auch unter Mithilfe von Mama, Papa, einem Sieb und einem Geigerzähler danach suchten.

Das Phänomen stach ins Auge. Sogar Mama, die die Tatsachen herunterspielte, um die Verluste nicht noch zu vergrößern, muss auf der Suche nach einer wissenschaftlichen Erklärung darüber nachgedacht haben.

Für einen Vorkämpfer des Chaos hing der Zwerg erstaunlich an einer Reihe von Gegenständen und Ritualen, die für ihn immer gleich sein mussten. Er mochte *das* Laken und *den* Pyjama, und sie mussten den Tag über gewaschen und getrocknet werden, damit sie zur Schlafenszeit wieder zur Verfügung standen. Es gefiel ihm, seinen Kakao mit Milch *La Tres Niñas* und einem braunen Pulver mit Namen Nesquick zuzubereiten, nach einer Technik, bei der er die Milch aus einer bestimmten Höhe eingoss und dann nur viermal umrührte – natürlich in *dem* Schnabelbecher.

Trotz all des Zündstoffs war die Chemie unserer Beziehung immer im Gleichgewicht. Als wir beispielsweise noch keinen Plattenspieler hatten, rief ich bei Ana, Mamas Cousine, an und bat sie, uns eine Beatles-Platte aufzulegen. Sie machte ihre Ranser-Anlage an und legte eine Single auf, die zwei Lieder auf jeder Seite hatte *(I saw her standing there, Chains, Anna und Mysery)*, und der Zwerg und ich saßen schweigend vor dem Hörer, während die Musik aus der Avenida Santa Fe an unser Ohr drang.

Wenn die Platte zu Ende war, war der Zwerg der Erste, der rief: «Noch einmal!»

14. Gefahrenblind

Mama zündete eine neue Zigarette an, betätigte den Schalthebel, dann ruckelten wir los, wackelnd wie der Kopf der kleinen Ziertiger, die unter den Taxifahrern damals beliebt waren.

Alles verlief friedlich, bis ich die Schnitzel von Bertuccios Mama erwähnte.

Die Mängel meiner Mutter als Hausfrau waren ein wesentlicher Bestandteil unserer Konfrontationen, und ich benutzte die Schnitzel als Angriffswaffe. In der Küche kam meine Mutter nicht über gegrilltes Steak, Würstchen und Hamburger hinaus. Die wenigen Male, bei denen sie versucht hatte, Fleisch zu braten, waren Schnitzel dabei herausgekommen, die sich anfühlten, als kaute man in der Lava gekochten pompejanischen Hund.

Ich hatte die Absicht, an diesem Abend ein Schnitzel bei Bertuccio zu stehlen und in meiner Schultasche zu verstecken, es nach Hause zu schmuggeln und dort unter Laborbedingungen gründlich zu untersuchen: Gargrad, Öl, chemische Zusammensetzung der Panade. Großmäulig wie immer, verriet ich Mama meine Pläne.

«Heute gehst du nicht zu Bertuccio», sagte sie.

«Aber heute ist Donnerstag», erklärte ich.

Einmal in der Woche zu Bertuccio zu gehen, war mittlerweile ein fest eingebürgertes Ritual. Donnerstags hatte ich Englischunterricht. Bertuccio wohnte einen Block entfernt. Nach dem Unterricht klingelte ich bei ihm, wir tranken unsere Milch, schauten *Invasion von der Wega* an und spielten danach Szenen aus irgendwelchen Theaterstücken. Bertuccio spielte Polonius, der wie ein schwülstiger Sprecher der damaligen Zeit sprach; zum Schreien komisch. Ich aß bei ihnen zu Abend, anschließend brachten sie mich nach Hause. Wenn es Schnitzel gab, geriet ich in Ekstase, wie Pepe Le Pew, wenn er den Duft der Stinktierdame seines Herzens in die Nase bekommt.

«Heute ist Donnerstag, aber Bertuccio fällt aus», sagte Mama.

Aufgeweckt durch die fremdartige Landschaft, fragte der Zwerg, wo wir hinfahren würden.

«Zu Freunden», sagte Mama und zog wütend an der Zigarette.

Ich fragte, warum ich dann nicht im Anschluss zu Bertuccio gehen könnte.

«Weil wir erst zu den Freunden fahren und danach eine Reise machen», sagte Mama.

»Eine Reise? Mitten in der Schulzeit? Für wie lange?»

«Das weiß Papa besser», sagte Mama und gab damit den Ball weiter.

«Und fahren wir gleich los, wenn wir bei diesen Freunden angekommen sind, oder später?»

«Wenn Papa kommt.»

«Und warum setzt du mich nicht bei Bertuccio ab, und ihr holt mich später?»

«Nein.»

«Das ist ungerecht!»

Ich sagte ungerecht, obwohl ich wusste, welch starkes Geschütz ich da auffuhr. Nichts brachte Mama mehr auf die Palme, als wenn ich dieses Füllwort verwendete, besonders wenn sie ahnte oder wusste, dass ich recht hatte. Mein Gerechtigkeitswahn brachte sie völlig aus dem Häuschen, umso mehr, wenn ich noch einen draufsetzte und schwor, ich würde Papa bitten, mir einen guten Rechtsanwalt zu besorgen.

An diesem Punkt des Schlagabtauschs zwischen Mutter und Sohn wussten wir beide, wenn ich sagte, das ist ungerecht, wäre Mama verärgert, und wenn sie mit ihrem eigenen Spruch kam (das Leben ist schön, aber ungerecht), würde sie das Thema mit einem Pyrrhussieg beenden, indem sie ein konkretes Problem in den Himmel der allgemeinen Redensarten erhob und es so auflöste.

Der Zwerg schaltete sich ein und fragte nach seinen Sachen. Obwohl Mama genau wusste, wovon er sprach, fragte sie ihn, welche Sachen er denn meine.

«Mein Pyjama», sagte der Zwerg. «Mein Becher. Mein Goofy!»

Mama sah mich über die Schulter hinweg hilfesuchend an. Sie zählte auf mich, um den unvermeidlichen Zwergenaufstand aufzuhalten, weil er ohne seinen Plüschgoofy nicht schlafen konnte.

Ich ignorierte den Blick und fragte unbeirrt weiter. Was waren denn das für Freunde? Wie sollte es mit der Schule weitergehen? Wie sollte ich alles nachholen? Warum mussten wir ausgerechnet jetzt reisen? Die Schlüsselfrage, mit der ich ihr in den Rücken fiel, weil sie den Zwerg noch mehr anstachelte, lautete: Warum konnten wir nicht wenigstens zu Hause vorbeifahren, um den Goofy zu holen?

Erst an der nach meinen Protesten eintretenden Stille merkte ich, dass der Citroën angehalten hatte. Wir standen mitten in einem Verkehrsstau. Autos warteten vor uns, neben uns, hinter uns. Aber schuld daran war nicht etwa eine kaputte Ampel oder ein schlecht geparktes Auto, das den Verkehr behinderte. Zehn Meter weiter hinten standen ein paar Streifenwagen mitten auf der Avenida, sie bildeten einen Trichter, durch dessen Öffnung nur jeweils ein Auto passte.

Mama zündete sich noch eine Zigarette an und steckte sie mit zittriger Hand in den Mund. In jeder anderen Situation hätte mich diese Grenze, die sie gerade zu überschreiten drohte, zur Vorsicht gemahnt, aber ich hatte ja nichts zu verlieren – oder zumindest glaubte ich das. Was konnte sie mir noch wegnehmen, wenn sie mir schon Bertuccio genommen hatte und mir den Zugriff auf meine geliebten Habseligkeiten verweigerte, die zu Hause lagen?

Ich hing ihr im Duett mit dem Zwerg weiter in den Ohren. Mama ertrug die Kanonade verdächtig ruhig, während der Citroën in Schrittgeschwindigkeit auf die Polizeikontrolle zufuhr, wie das Sandkorn auf die Mitte der Sanduhr zustrebte.

«Warum können wir nicht den Goofy holen?»

«Das ist ungerecht.»

«Ich will meinen Goofy!»

«Sollen wir die Ferien so verbringen, mit dem, was wir anhaben?»

«Ich will meinen Pyjama.»

«Ich will mein TEG!»

Mama schaute nach vorne, die weißen Fingerknochen auf dem Lenkrad des Citroën. Aus dem Augenwinkel heraus betrachtete ich die Polizisten an der Spitze des Trichters, und obwohl sie mir aus einem natürlichen Reflex heraus zuwider waren (Bundespolizei, nationale Schweinerei), flößten sie mir damals noch keine Angst ein; und was meinen Verdruss angeht, so richtete er sich vor allem gegen Mama.

Diese Inkonsequenz war unsere Rettung.

Ich kann mir vorstellen, der für uns zuständige Polizist schaute in den Citroën, sah die Frau mit der leicht gelblichen Hautfarbe und dem genervten Gesicht, die das Gequengel ihrer Kinder ertragen muss, dachte, armes Ding, und winkte uns durch.

Als der Kontrollposten aus dem Rückspiegel verschwunden war, streckte Mama einen Arm aus und streichelte uns. Ich wich der Berührung aus, und der Zwerg tat es mir gleich. Ich dachte, es handelte sich um einen absurden Versuch, sich einzuschmeicheln, der vielleicht darin begründet lag, dass sie während der Fahrt nicht auf ihr *Entwaffnendes Lächeln* zurückgreifen konnte, und ich wollte ihr nicht den Gefallen tun zu kapitulieren. Ich hatte nur Bertuccio, die Schnitzel, das TEG, die Schule und die verpasste Folge von *Invasion von der Wega* im Kopf und die Aussicht auf ungewollte Ferien in den Schulschuhen.

Sie muss sich sehr allein gefühlt haben.

15. Was ich wusste

Als Kind passt die Welt in eine Nussschale. Geografisch ausgedrückt umfasst unser Universum das begrenzte Areal von zu Hause, der Schule und im besten Fall von dem Viertel, in dem Großeltern und Cousins leben. In meinem besonderen Fall passte die Welt bequem in ein Stück des Viertels Flores zwischen der Kreuzung von Boyacá und Avellaneda (mein Zuhause) und eben der Plaza Flores, der gegenüber meine Schule lag. Die einzigen Ausflüge außerhalb dieses Territoriums hatten mit Urlaubsreisen zu tun (nach Córdoba, Bariloche oder an irgendeinen Strand) und mit den gelegentlichen, immer selteneren Besuchen bei den Großeltern auf dem Land in Dorrego, Provinz Buenos Aires.

Die erste Wahrnehmung der großen weiten Welt kommt über die Personen zu uns, die wir bedingungslos lieben. Wenn man registriert, dass die Erwachsenen um einen herum unter Arbeitslosigkeit, ungerechter Behandlung und Hungerlöhnen leiden, nimmt man das auf und schließt daraus, die Außenwelt ist brutal und grausam. (Das ist Politik.) Wenn man registriert, dass die Erwachsenen um einen herum bestimmte Funktionäre verfluchen und gewissen Gegnern recht geben, nimmt man das auf und schließt daraus, die einen sind gut und die anderen schlecht. (Das ist Politik.) Wenn man das Unwohlsein und die Anzeichen der Angst registriert, die der bloße Anblick von Soldaten und Polizisten in den Erwachsenen um einen herum erzeugt, nimmt man das auf und schließt daraus, dass Ungeheuer Uniform tragen. (Das ist Politik.)

Angesichts meiner Situation hatte ich weit mehr Kontakt zu der Politik als die Gleichaltrigen aus anderen Zeiten und Orten. Meine Eltern waren während anderer Diktaturen aufgewachsen, und der Name von General Onganía war untrennbar mit den Geschichten aus ihrer Jugendzeit verbunden. War ich in der Lage, dieses Ungeheuer zu identifizieren? Sie nannten ihn das Walross, weshalb ich ihn mit einem total verrückten Lied der Beatles in Verbindung brachte, und in einem flüchtigen Blick auf sein Foto hatte ich die entscheidenden Informationen registriert: ein Mann mit Mütze, einem riesigen Schnurrbart und einem bösen Gesicht.

Ich erinnere mich, dass ich Perón anfangs mochte, weil meine Eltern ihn mochten, und immer wenn sie «El Viejo» sagten, hörte ich die Musik in ihren Stimmen. Er brachte sogar Großmutter Matilde, die immer etepetete und reaktionär war, ins Wanken, denn, so argumentierte sie, warum sollte «El Viejo» mit über siebzig Jahren sein spanisches Exil verlassen, wenn er nicht die Absicht hatte, seine Sache gut zu machen? Aber danach muss etwas passiert sein, denn die Musik veränderte sich und wurde erst unsicher und dann zittrig. Dann starb Perón. Und es kam das Schweigen.

(Zu jener Zeit sind Großvater und Großmutter zum ersten Mal nach Europa gereist und haben viele Souvenirs mitgebracht, unter anderem einen Katalog des Prado. Ich habe ihn oft durchgeblättert, weil mich die Malerei faszinierte, aber nach der ersten Durchsicht achtete ich peinlich genau darauf, die Seite mit *Saturn verschlingt seinen Sohn* von Goya zu überblättern, denn das Bild machte mir Angst. Saturn war ein alter, eindeutig monströser Riese, der den Körper seines kleinen Sohnes mit beiden Händen gepackt und den Kopf bereits verspeist hatte. Ich erinnere mich, dass ich damals dachte, Saturn und Perón wären die beiden ältesten Menschen, die ich in meinem Leben gesehen hatte. Eine Zeit lang wechselte sich Saturn in meinen Alpträumen mit dem Trikot der *River* von Onkel Rodolfo ab.)

Von diesem Moment an gehen die Dinge in meinem Kopf ein wenig durcheinander. Es gab Entführungen, Schießereien, Bomben, Streiks, und die Anhänger von «El Viejo» waren zugleich auf der Seite der Opfer und der Täter. Bei einigen Gestalten gab es keinen Zweifel. Isabelita, Peróns Witwe, sprach mit einer schrillen Stimme, die die Bauchredner verwenden, wenn sie in die Puppenrolle schlüpfen. López Rega, seine rechte Hand, sah Ming, dem Bösewicht von *Flash Gordon*, verdächtig ähnlich, natürlich ohne den Bart und mit kurzen Fingernägeln. Aber alles andere erschien mir grau. Als ich erfuhr, dass man einen Gewerkschaftler namens Rucci getötet hatte, war ich verwirrt. Hätte ich mich darüber freuen oder traurig sein sollen? Ich kam zu keinem Ergebnis. Es war nur wichtig, dass er wenige Blocks von zu Hause getötet worden war, mitten im Herzen von Flores, an einer sehr nahe gelegenen Ecke, und wenn ich an diesem Tag nicht meinen gewohnten Weg zur Schule genommen hätte, hätte ich sehr gut dort vorbeikommen und die Schüsse hören und das Blut sehen können.

Ruccis Ermordung hatte nicht in einer Welt außerhalb der meinigen stattgefunden, in die ich nur ausnahmsweise bei einem Kinobesuch im Zentrum oder über das Fernsehen kam. Sie hatten ihn in «meiner» Welt erschossen, in dem Areal zwischen meinem Zuhause und der Schule. Irgendwie muss ich registriert haben, dass die Pest keine Grenzen kennt und keine persönlichen Ausnahmen macht.

Das ist Politik.

Als der Putsch von 76 kam, wusste ich wenige Tage nach Schulbeginn sofort, dass die Dinge sich zum Schlechten wenden würden.

Der neue Präsident war ein Mann mit Mütze, riesigem Schnurrbart und einem bösen Gesicht.

16. Auftritt David Vincent

Wir kamen rechtzeitig zu *Invasion von der Wega* bei den Freunden an. Die Freundin setzte uns vor den Fernseher, während Mama Milch und Nesquick kaufen ging, um das Unbehagen des Zwergs zu lindern.

Invasion von der Wega war unsere Lieblingsserie. Der Hauptdarsteller, der Architekt David Vincent, ist der Einzige, der weiß, dass die Außerirdischen heimlich die Erde überfallen haben, indem sie die Menschengestalt angenommen haben. Natürlich glaubt ihm niemand. Wer sollte glauben, dass ausgerechnet dieser dicke Mann und dieses blonde Mädchen Außerirdische sind, wenn sie doch so normal aussehen und so gut Spanisch sprechen? (Die Serien waren synchronisiert, genau wie der Lehrfilm von Fräulein Barbeito.) Aber David Vincent hat ein Ass im Ärmel: Er weiß, dass durch einen Fabrikationsfehler oder etwas Ähnliches die Außerirdischen in Menschengestalt den kleinen Finger nicht abknicken können. Und wenn die Außerirdischen getötet werden, gehen sie zu Boden und zerfallen und hinterlassen auf dem Boden eine dunkle Aureole, als hätte ihnen jemand beim Bodenwischen den Schmutz untergeschoben.

In den fünfziger Jahren hatten die paranoiden Fantasien im Stil von *Die Invasion der Körperfresser* im Kontext des Kalten Krieges ihre Existenzberechtigung. Hinter der Fassade eines jeden *happy american* konnte ein Kommunist verborgen sein, der konspirierte, um das Gewebe der Demokratie zu ersticken und es durch einen Bienenkorb voller Automaten zu ersetzen. Aber in den siebziger Jahren war *Invasion von der Wega* nur eine Übung im Genre, eine bescheidene Produktion, mit einem sehr priesterlichen Hauptdarsteller, der in Hollywood auf Nazirollen abonniert war. Aber die einfache Handlung von *Invasion von der Wega* fand bei den jüngeren Zuschauern großen Anklang. Jedes Kind, das zum ersten Mal in diese Welt eintauchte, erkannte sich in der Geschichte von David Vincent wieder, dem Mann, der jedes unbekannte Gesicht beobachtete und sich fragte, ob es Freund oder Feind, sein Verbündeter oder seine Rachegöttin war; die Art Ton, die wir hervorgebracht hätten, wenn wir Stimmgabeln wären.

Wie alle guten Serien ermöglichte *Invasion von der Wega*, dass man die Handlung vom Bildschirm in das Reich des Spiels übertrug. Der Zwerg und ich überprüften fremde kleine Finger auf der Suche nach getarnten Außerirdischen. Die Restaurants waren zu einer Zeit, in der es noch ein Zeichen von angestrebter Vornehmheit war, aus einem Glas oder einer Tasse mit abgestrecktem kleinen Finger zu trinken, besonders ergiebig.

Wir hätten nie gedacht, dass das Spiel irgendwann ernst werden würde und wir in jedem Gesicht, in jeder ausgestreckten Hand nach einem Zeichen suchten, das uns sagen würde, ob wir einen Feind vor uns hatten.

17. Es wird Abend

Mamas Freundin mochte keine kleinen Kinder, oder zumindest machte sie diesen Eindruck. Seit sie uns die Tür geöffnet und misstrauisch hinter der Kette hervorgelugt hatte, zeigte ihr Gesicht einen Ausdruck, den ich als Widerwillen gegen unsere Anwesenheit deutete. Die Tatsache, dass sie Mamas Freundin war, hieß ja noch lange nicht, dass sie uns dieselbe Höflichkeit zuteil werden ließ; man kann jemanden lieben und eine enge persönliche Beziehung desjenigen verachten, so wie ich den Cousin meines Freundes Román verachtete, der zu allem Überfluss auch noch genauso hieß wie ich. (Mein Doppelgänger.) Diese Frau sah Kinder und dachte sofort an Geschrei, Fingerspuren auf der weißen Wand, Streifen auf dem Fußboden und klebrige Oberflächen. Oder zumindest glaubte ich das, bis es Abend wurde und sie eine Pizza bestellten. Papa war immer noch nicht da, deshalb erlaubte uns die Freundin, im Zimmer ihrer Kinder, die aus irgendeinem Grund nicht da waren, zu übernachten.

Eigentlich mochte die Frau Kinder. Sie hatte nur Angst. Trotzdem hat sie uns die Tür geöffnet. Ich erinnere mich nicht, wie sie heißt, und ich wäre auch nicht in der Lage, den Ort wiederzufinden. Ich weiß nicht einmal, ob er überhaupt noch in der Hauptstadt oder im Einzugsgebiet von Buenos Aires lag. Ich weiß nur noch, es war eine Wohnung, zu der man mit einem Aufzug gelangte, und dass in dem Kinderzimmer ein beleuchteter Globus auf einer Fensterbank stand. Manchmal denke ich, ich würde sie gerne treffen oder ihre Kinder kennen lernen und ihnen von jener Nacht erzählen, in der sie Flüchtlinge in ihrem Zimmer unterbrachten. Aber dann sage ich mir, es ist gut so, denn die wenigen Helden jener Zeit sind anonym, und so soll man sie in Erinnerung behalten.

Zu Mamas Glück schlief der Zwerg vor dem Fernseher ein. Sie steckten uns in das erste Bett, das zweite war für Mama und Papa bestimmt. Ich hatte keine Ahnung, wie sie das anstellen wollten, denn der Zwerg und ich hatten schon kaum Platz auf der kleinen Matratze. Hinzu kam auch noch, dass der Zwerg nicht aufhörte zu strampeln und anfing, mich zu treten und sich hin und her zu wälzen.

Ich versuchte mich auf den Globus zu konzentrieren. Die Landschaft, die ich aus meinem Blickwinkel sehen konnte, war eigenartig. Sie umfasste einen Teil von China, Japan und natürlich Kamtschatka; die Philippinen, Indonesien und das gesamte Ozeanien; und auf der anderen Seite des Pazifiks Nordamerika und ein Stück Süden, das mir Chile und den Westen von Argentinien zeigte. Ich war es gewohnt, Landkarten zu sehen, die mit Amerika auf der linken Seite beginnen und mit Ozeanien am Ende der rechten Seite enden, und so erkannte ich einen Moment lang das Gesicht der Erde, auf der ich lebte, nicht mehr. Ich dachte, es handelte sich um eine neue, parallele Welt.

Da traf Papa ein. Er sah gut aus, die Ärmel hochgekrempelt, und die Krawatte hing locker um den geöffneten Kragen. Er steckte nur den Kopf ins Zimmer herein, weil er dachte, wir schliefen bereits. Als er sah, dass ich wach war, lächelte er, aber als ich den Mund aufmachen wollte, legte er flehend einen Finger auf seine Lippen; der Schlaf des Zwergs war heilig.

«Er tritt mich die ganze Zeit», sagte ich leise.

«Wenn du willst, mache ich dir ein Bett auf dem Boden», flüsterte er.

«Wenn hier jemand auf dem Boden schlafen muss, dann ihr. Sobald du und Mama im Bett liegt, wird es zusammenkrachen.»

Papa kam ins Zimmer und schloss sanft die Tür hinter sich. Als wollte es mir recht geben, knarrte unser Bett, als Papa sich auf den Rand setzte, um mir einen Kuss zu geben.

«Hast du es gesehen?», fragte er neugierig.

«Wir sind gerade rechtzeitig gekommen. Aber es war eine Wiederholung. Die Folge, in der das Mädchen sieht, dass die Angreifer einen Laster zerstören, und David Vincent kommt, um den Fahrer zu suchen.»

«Ah, ja. Die habe ich bestimmt schon dreimal gesehen. Und deine Mutter, wie hat sie sich benommen?»

Ich erhob die geschlossene Faust und hielt sie neben mein Gesicht, ein Zeichen, das Papa sofort verstand.

«Der Fels.»

«Sie hat mich nicht einmal bei Bertuccio anrufen lassen, damit ich ihm sagen konnte, dass ich nicht komme. Heute ist doch Donnerstag!»

Papa runzelte die Stirn, zum ersten Mal wurde ihm bewusst, wie unpassend der Tag gewählt war.

«So ein Pech … Aber sieh es mal so: dadurch, dass wir hier sind, schützen wir nicht nur uns selbst, sondern auch Bertuccio.»

«Was ist los?»

«Hat Mama dir nichts erzählt?»

«Sie hat die ganze Zeit über mit ihrer Freundin getuschelt. Immer wenn ich in die Küche kam, haben sie das Thema gewechselt. Aber ich habe gehört, dass sie über Roberto und die Kanzlei gesprochen haben.»

Roberto war der Sozius von Papa. Er hatte einen Sohn in meinem Alter, er war eine Klasse unter mir und hieß Ramiro. Hin und wieder trafen wir uns in ihrem Landhaus in Torcuato zum Grillen. Ich will nicht behaupten, dass Ramiro toll war, aber wir verstanden uns einigermaßen gut.

«Heute Morgen sind ein paar Kerle in die Kanzlei geplatzt.»

«Militärs? … Polizisten!»

«Was weiß ich. Penetrante Typen. Sie haben Roberto mitgenommen und ein wenig herumgewühlt.»

«Roberto ist verhaftet? Aber warum denn? Was hat er getan?»

«Gar nichts!»

«Und jetzt?»

Papa zuckte die Schultern, machtlos.

«Aber sie müssen ihn wieder freilassen!»

51

«Das hoffe ich. Seine Familie sucht nach ihm.»

«Und Ramiro?»

«Was soll mit Ramiro sein?»

«Wie geht es ihm? Wo ist er?»

«Es geht ihm gut. Er ist bei Laura. Ich habe vorhin mit ihnen gesprochen. Es geht ihm gut.»

«Was geschieht jetzt mit ihm?»

«Ihm geschieht gar nichts!»

«Und uns?»

«Wir verschwinden für ein paar Tage, bis sich die Dinge beruhigt haben. In ein Landhaus.»

«In der Nähe von Dorrego?»

«Nein, gleich hier um die Ecke.»

«Was für ein Landhaus?»

«Ein Landhaus mit Schwimmbad. Mit Park. Mit einem geheimnisvollen Haus.»

«Bist du zu Hause vorbeigefahren?»

Papa schüttelte den Kopf. So schlimm stand es also um uns.

«Aber wir können doch nicht mit dem gehen, was wir anhaben!», protestierte ich.

«Wir werden alles Nötige kaufen.»

«Dann brauchen wir ein neues TEG.»

«Willst du denn wieder verlieren?»

«Nein, Mensch!»

«Woher hast du nur diese Vorliebe für Niederlagen?»

Ich suchte nach einer brillanten Antwort, um ihm den Mund zu stopfen, aber der Zwerg kam mir zuvor, er drehte sich um und verpasste mir einen rechten Haken.

18. Sirenen

In dieser Nacht erwachte ich auf dem Federbett, das mich nur notdürftig von dem harten Boden trennte, und stellte fest, dass Papa nicht mehr neben mir lag, wo er geschlafen hatte, als ich meine Augen schloss. Im Zimmer war es noch dunkel. Es roch nach verschwitzten Kinderschuhen.

Papa und Mama saßen auf dem kalten Boden in einer Ecke des Zimmers. Mama hatte die Jalousie ein paar Zentimeter hochgezogen und schaute durch die Schlitze auf die nur vom Licht der Laternen erhellte Straße. Sie trug ein Nachthemd, das ich noch nie gesehen hatte, sie war barfuß. Ein Fuß machte die ganze Zeit am Boden tap tap tap. Papa saß in Hemd und Unterhose neben ihr und starrte ins Nichts. So gekleidet oder entkleidet sah er dem Zwerg noch ähnlicher. Das eng am Kopf anliegende Haar, die Selbstvergessenheit. Es fehlte nur noch der Goofy.

Papa und Mama saßen so eng aneinander gedrängt wie möglich, aber es sah aus, als wären sie unglaublich weit voneinander entfernt.

Da hörte man das ferne, aber deutliche Heulen einer Sirene in der morgendlichen Stille. Ich weiß nicht, ob es eine Ambulanz oder ein Streifenwagen war. Papa und Mama, wieder miteinander verbunden, reagierten gleich und schauten durch die Jalousie, als könnten sie mehr sehen als Schatten und die Lichter der Straße.

«Siehst du was?», flüsterte Papa.

Mama gebot ihm zu schweigen.

Binnen weniger Sekunden verlor sich das Geräusch der Sirenen genau so, wie es aufgetaucht war; ein Schmerz, der nicht zu unserer Welt gehörte, der uns nur gestreift, aber nicht auserwählt hatte. Die Stille wurde durchsichtig, und ich hörte wieder das tap tap tap von Mamas Fuß auf dem Boden und das Atmen und ein Herz, meins, vermute ich.

Ganz leise sagte Papa zu Mama, sie solle ein bisschen schlafen, wenigstens ein paar Stunden, sie müsse morgen früh wach sein, denn es würde ein langer Tag. Es gäbe viel zu tun, dann wären da ja auch noch wir, du kannst dir vorstellen, wie wir uns durchlavieren müssen.

Mama gab ihm recht und zündete sich eine Zigarette an. Je stärker sie daran zog, desto roter war die Glut. Ich dachte schon, sie wäre verrückt geworden, als sie sich zu der Jalousie neigte und sie küsste. In Wirklichkeit blies sie den Rauch durch die Schlitze hinaus, weil sie das Zimmer nicht mit Rauch füllen wollte.

Am liebsten wäre ich aufgestanden und zu ihnen gegangen. Ich wollte sie umarmen, irgendetwas Dummes sagen, mit ihnen wachen und durch die Schlitze schauen und, wenn die Kirchenglocken läuten, sagen, es hat drei geläutet, wie die Stundenrufer, als Buenos Aires noch eine Kolonie war.

Ich glaube, ich wollte sie beschützen. Es war das erste Mal.

Aber ich dachte, Papa würde dasselbe zu mir sagen wie Mama, sie würden mir eine Predigt über den Wert der Nachtruhe halten und mich auf meine dünne Decke zu den schmerzenden Knochen zurückschicken.

Ich schloss die Augen, um so zu tun, als schliefe ich, und schlief dann tatsächlich wieder ein.

Pause

Can I view thee panting, lying
On thy stomach, without sighing;
Can I unmoved see thee dying
On a log,
Expiring frog!

Charles Dickens, «Ode on an
expiring frog», *The Pickwick Papers*

Zweite Stunde: Geografie

f. Wissenschaft, die sich mit der Beschreibung
der Erdoberfläche hinsichtlich ihres Aussehens
und als eines von Menschen bewohnten Ortes
befasst.
Territorium: «Der Sturm dehnt sich auf die gesamte Geografie Argentiniens aus».

19. Ours was the marsh country

In der Region, in der sich heute Buenos Aires erhebt, hatte jahrhundertelang niemand leben wollen.

Die Ureinwohner kehrten ihr den Rücken zu. Sie zogen das Grün der Pampa der ungesunden Luft der Sumpfgebiete vor, die weder Wasser noch Land noch überhaupt etwas sind. Als die Eroberer die Küste erreichten, waren sie mehr aus Neugier als aus echtem Verlangen hinter diesen Gebieten her, am Ende verließen sie sie, vorausahnend, wie es kommen würde. Eingeschlossen in ihren Festungen erlagen die Europäer Pest und Hunger und fraßen sich gegenseitig auf. Der Boden, auf dem wir leben, bewahrt die Erinnerung an jene Kannibalen auf. Ich weiß nicht, ob die Geschichte erfunden oder gleichbedeutend mit einem Schicksal ist.

Als die Ureinwohner des Kontinents nach Glanz und Ruhm strebten, wählten sie die Nähe des anderen Ozeans, des Pazifik. Lima war in den Händen der Inkas eine goldene Stadt, während Buenos Aires immer noch ein Sumpf war. Und als Europa sich in Südamerika häuslich niederließ, bevorzugte es ebenfalls die Linie, die Mexiko mit Peru verband. Buenos Aires war letzte Wahl, ein Dorf, eine Bastion, die die Grenze zur Barbarei markierte. Oder lag es schon auf der anderen Seite, als Hauptstadt des Reiches der Wilden?

Sicher ist nur, dass niemand nach Buenos Aires kommen wollte. Sogar der Name «Gute Lüfte» klingt nach einem geschmacklosen Scherz. Die Luft war ungesund, schwer und feucht. Man atmete Wasser. Ochsen und Wagen versanken im Lehm. Dieses bedrückende Klima herrschte auch 1947 noch, als Lawrence Durrell Buenos Aires in seinen Briefen als einen «ebenen und melancholischen» Ort mit «übel riechender Luft» beschrieb, wo die Mächtigen sich wie Hyänen den wenigen Reichtum teilen und die Schwachen «ausgeschlossen werden … Jeder, der ein Minimum an Sensibilität hat, versucht hier wegzukommen, ich eingeschlossen.» Damit kein Zweifel hinsichtlich der Wirkung blieb, die Buenos Aires auf seine Seele hatte, schrieb Durrell des Weiteren: «Nie zuvor habe ich so ausführlich, nachhaltig und so besessen über Selbstmord nachgedacht wie hier.»

In den Dokumenten wurde Buenos Aires als fantastische Gelegenheit für die kaiserlichen Mächte im 18. Jahrhundert dargestellt. Es war der letzte Hafen im Atlantik vor Kap Hoorn und der Zugang zu einem Netz von Flüssen, die sie in das Herz des Kontinents führen konnten. Die Flüsse bedeuteten Handel, und dieser konnte Reichtum, Zivilisation, Kultur bringen. Aber im alltäglichen Leben war Buenos Aires ein Alptraum. Der Río de la Plata war nicht sehr tief, und das erschwerte das Einlaufen großer Schiffe. Binnengewässer existierten zwar, aber sie stellten die Schifffahrt vor noch größere Probleme. Der Konflikt zwischen der Vorstellung von Buenos Aires und der Wirklichkeit wurde schon damals deutlich und ist immer noch nicht gelöst; die Spannung zwischen dem, was wir sein könnten, und dem, was wir sind, lähmt uns – ein Schiff, das in einem schlammigen Flussbett festsitzt.

Manchmal denke ich, alles, was man im Leben wissen muss, steht in den Geografiebüchern. Sie erzählen uns, wie die Erde entstanden ist, und von dem Prozess, der zwischen jener glühenden Energiemasse des Anfangs und dem Gleichgewicht am Ende abgelaufen ist; von einer jahrhundertealten Suche. Sie erzählen uns von der Abfolge der geologischen Schichten und davon, wie sie sich übereinander lagern und ein Entwicklungsmodell schaffen, das sich auf alle anderen Lebensbereiche ausdehnt.

(In gewissem Sinne entwickeln wir uns auch in Schichten. Die jüngste Verkörperung unseres Ichs schließt die vorhergehende ein, aber es gibt häufig Brüche oder Eruptionen, die wie eine Fontäne Elemente an die Oberfläche bringen, die wir in uns begraben wähnten.)

Die Geografiebücher lehren uns, wo wir leben, und das auf eine Weise, die es uns erlaubt, über den Tellerrand hinauszublicken. Unsere Stadt ist Teil eines Staates, unser Staat ist Teil eines Kontinents, unser Kontinent liegt in einer Hemisphäre, unsere Hemisphäre wird von bestimmten Meeren umspült, und unsere Meere sind ein vitaler Bestandteil des gesamten Erdballs, das eine ist ohne das andere nicht vorstellbar. Die physikalischen Karten enthüllen, was die politischen verschleiern: es handelt sich überall um die gleiche Erde und das gleiche Wasser. Es gibt höhere und niedere Landstriche, feuchtere und trockenere, aber es ist immer Erde. Es gibt kältere und wärmere Gewässer, seichtere und tiefere, aber es ist immer Wasser. Jede künstliche Aufteilung, die man darüberlegt, wie bei den politischen Karten, riecht nach Gewalt.

Alle Menschen auf der Erde sind überall gleich Mensch. Schwärzer oder weißer, größer oder kleiner, sie sind Mensch. Identisch im Wesen und unterschiedlich in der Ausprägung, denn (das lehren uns die Geografiebücher) der Punkt der Erde, auf den es uns verschlagen hat, ist die Form, in die unsere Materie gegossen wird, glühend, wie es die der Erde ursprünglich einmal war. Die Formen, die wir annehmen, sind Varianten der Form des Ortes. Wir neigen dazu, gelassen zu sein, wenn wir in den Tropen aufwachsen, genügsam, wenn wir in der Nähe der Pole aufwachsen, heißblütig, wenn wir mediterraner Abstammung sind. Etwas davon ahnte Durrell in seinen Briefen, wenn er die Begriffe Ebene und Melancholie hervorhob: der Ort Buenos Aires stellte ihn vor die Wahl, sich anzupassen oder zu sterben wie die Bakterien angesichts des neu aufgetauchten Sauerstoffs; er musste das Gift zu seiner Atemluft machen. Durrell ist fortgegangen, aber wir, die wir geblieben sind, haben die entsprechende Sensibilität entwickelt. Einige unserer Formen der Anpassung waren im Ergebnis so bewundernswert wie die der Bakterien. Der Tango zum Beispiel. Eine Musik von baltischer Traurigkeit, die die Flachheit und den Dunst und die Wehmut ausdrückt, die uns so sehr vom Rest Hispanoamerikas unterscheiden. Und in dem Punkt bin ich nicht mit Großvater einer Meinung: ich finde, was Piazzolla macht, ist Tango. Aber um zu diesem Schluss zu kommen, bedurfte es der Geografiebücher.

Zwischen jenen ursprünglichen Sumpfgebieten und dem heutigen Buenos Aires liegen Jahrhunderte, aber die Zeit ist das relativste aller Maße. (Die Zeit geschieht auf einmal, glaube ich.) Wir sind immer noch Geschöpfe ohne feste Umrisse, wie die Linie des Schlammes am Ufer instabil war. Wir sind immer noch Geschöpfe aus Lehm, den göttlichen Odem noch frisch auf den Wangen. Wir sind immer noch Amphibien und sehnen uns nach Wasser, wenn wir an Land sind, und nach Land, während wir im dunklen Wasser schwimmen.

20. Das Schwimmbad

Das Landhaus, das man Papa zur Verfügung gestellt hatte, lag am Rand von Buenos Aires. Dazu gehörte ein nierenförmiges Schwimmbad mit einem Beckenrand aus glatten Stei-

nen. Das Wasser war nicht sehr sauber, um es einmal so auszudrücken. Es hatte eine grünliche Färbung ähnlich wie der
Citroën, außerdem waren die Wasseroberfläche und der Boden bedeckt mit herabgefallenen Blättern. Die Blätter von
der Oberfläche zu fischen war einfach. Dafür gab es auch
extra ein Netz mit einem langen Stiel. Die Blätter auf dem
Boden hingegen waren nicht ganz so einfach wegzuräumen,
denn sie bildeten eine zähe Masse, auf der man beim Auftreten ausrutschte.

Kaum waren wir angekommen, da fragte ich Papa, ob ich
hineindürfte. Wie zu erwarten, schaute er Mama an, und sie
machte ein leicht angewidertes Gesicht. Die Brühe in dem
Schwimmbad war eine Suppe aus Bakterien, Mikroorganis-
men und sich zersetzendem Grünzeug. Aber es war Mittag,
die Aprilsonne brannte, und Mama war mir seit der Ber-
tuccio-Geschichte noch etwas schuldig.

Ich hatte keine Badehose, aber ich ging trotzdem hinein.
In Unterhose.

Das Wasser war angenehm kühl und ein wenig klebrig.
Sobald ich versuchte, Grund zu fassen, rutschte ich weg, als
wäre ich voller Creme. Es war besser, weiterzuschwimmen,
und wenn es im Hundestil war.

Oberflächenstile waren nie mein Ding gewesen. Jungen
mögen Wettschwimmen im Kraul oder in anderen Stilen,
die was hermachen, der Schmetterlingsstil zum Beispiel, mit
dem man die Leute am Beckenrand nass spritzen kann. Aber
ich mochte den Beckengrund. Ich hielt mich an den Ritzen
fest und stieß den Inhalt meiner Lungen Blase für Blase aus,
bis nichts mehr übrig war und ich ein paar Sekunden mit
dem Bauch direkt auf den Kacheln liegen konnte, bevor ich
auf der Suche nach Luft nach oben schoss.

Alles, was Mama an dem Schwimmbad ekelte, fand ich
faszinierend. Die grünliche Färbung, die es mir erlaubte,

mir vorzustellen, ich befände mich im Ozean, und außerdem filterte sie bizarr das Licht. Die unter Wasser schwebenden Blätter und Zweige waren die geeignete Kulisse für meine Unterseevorstellung. Die langbeinigen Insekten, die wie ich tauchten, nur wesentlich anmutiger. Die seltsamen Formationen an den Rändern, Trauben über Trauben von kleinen durchsichtigen Eiern. Und die dunkle Masse am Boden, eine Mischung aus Moos und sich zersetzenden Blättern, vermittelte mir noch mehr das Gefühl, mich auf dem Meeresgrund zu befinden.

Man erzählt sich, das Untertauchen würde uns an die Umgebung erinnern, in der wir entstanden sind und unsere ersten Monate verbracht haben. Das Wasser um uns herum würde in uns die Gefühle wiederbeleben, die wir zum ersten Mal im Schoß der Mutter hatten. Die Schwerelosigkeit. Die gedehnten dumpfen Klänge. Es steht mir nicht zu, dieser Argumentation zu widersprechen, aber ich glaube eher, die Freude am Eintauchen in Wasser hat mit einem anderen, weniger freudianischen, mehr mit der Entwicklungsgeschichte unserer Art verbundenen Grund zu tun.

Als unsere Vorfahren beim Erwachen der Menschheit das feuchte Medium verlassen haben, haben sie das Wasser mitgenommen. Die tierische Gebärmutter simuliert die Feuchtigkeit, den Schwebezustand und den Salzgehalt der früheren Meeresumgebung. Der Salzgehalt in unserem Blut und den Körperflüssigkeiten ähnelt dem der Ozeane. Auch wenn wir das Meer vor vierhundert Millionen Jahren (nach meinem Kalender) verlassen haben, das Meer hat uns nicht verlassen. Es ist immer noch in uns, in unserem Blut, in unserem Schweiß, in unseren Tränen.

21. Das geheimnisvolle Haus

Als er von dem geheimnisvollen Haus sprach, hatte Papa meine Fantasie angestachelt. Ich hatte es mir dunkel und feucht vorgestellt, ein zweistöckiges englisches Landhaus, die Mauern von Efeu überwuchert, hinter dem sich Tausende von langbeinigen Spinnen verbargen. Kaum wären wir da, würde mein forschender Blick sogleich ganz weit oben, fast auf Höhe des Kamins, ein verschlossenes Fenster entdecken. Keine Treppe würde zu dem verborgenen Zimmer führen. Ein Nachbar wäre mit mir der Meinung, dass das verschlossene Fenster ein Rätsel war, und ich würde mich fragen, ob er nicht wusste, was aus den früheren Bewohnern geworden war, einer sehr merkwürdigen Familie …

Das echte Haus war ganz anders: klein, einfach, quadratisch, geteertes Dach. Viel mehr ein Kompromiss mit der Realität als mit der Architektur. Die Wände waren gekalkt; man hatte den Eindruck, dass es nicht richtig fertig gebaut war.

Ich betrat das Haus fast nackt, in ein riesiges, weißes Handtuch gehüllt, an dem noch das Preisschild hing. Ich war nass, es juckte mich am ganzen Körper, eine Reaktion auf die Kiefernnadeln. Papa und Mama liefen hin und her, sie schleppten Plastiktüten aus dem Supermarkt herein. Damit der Zwerg nicht störte – es war schlimmer, wenn er helfen wollte, als wenn er sich von den familiären Tätigkeiten fern hielt –, hatte man ihn vor den Fernseher gesetzt, einen alten Philco mit einer Antenne obendrauf, bei dem die Schalter schon bei bloßer Berührung abfielen.

Das Haus war mit Restposten und Secondhand-Möbeln ausgestattet, ohne Rücksicht auf Stil und Farbe. Allein im Wohnzimmer standen eine nachgemachte französische Couch und zwei einzelne Sessel, einer aus Kiefer und der andere aus Johannisbrotbaumholz. Der flache Tisch war aus Rohrgeflecht gearbeitet und das Fernsehregal mit orangefarbenem Kunststoff überzogen.

Papa blieb vor einer Standuhr stehen, die nicht funktionierte. Er steckte eine Hand hinein und brachte sie zum Klingen, ding, dang, dong machten die Glocken, halb feierlich und halb magisch.

In allen Häusern bleibt etwas von den früheren Besitzern zurück. Die Leute hinterlassen Überbleibsel, wo immer sie vorbeigehen, so wie sich ihre Haut ständig erneuert, ohne dass sie es bemerken. Ganz gleich, wie akribisch der Umzug geplant war und wie gründlich das leere Haus geputzt wurde. Auch wenn die Böden nach Wachs riechen und die Wände weiß gestrichen wurden, ein aufmerksames Auge kann die Zeichen der Geschichte erkennen. Den abgenutzten Boden an den Stellen, wo die Leute am meisten drübergelaufen sind, und den unversehrten vor dem Zimmer desjenigen, der fortging. Eine dunkle Kerbe in der Fensterbank, wo jemand immer die Zigarette ablegte, wenn er in den Park schaute. Die Abdrücke auf dem Boden, an denen man erkennen kann, wo das Sofa ursprünglich stand.

Wir wussten nichts über die Eigentümer des Anwesens. Papa sagte lediglich, es hätte ihm jemand das Haus zur Verfügung gestellt, der es selbst von jemandem zur Verfügung gestellt bekommen hatte. Vielleicht hatte das Geheimnis mit diesem Punkt zu tun. Woher kam diese seltsame Großzügigkeit? Zu wem gehörten die Zigarettenspuren: zu dem Besitzer oder einem seiner flüchtigen Gäste? Warum gab es so viele Anzeichen, dass dort vor kurzem erst noch jemand gewohnt hatte: Mayonnaise mit noch nicht abgelaufenem Verfallsdatum im Kühlschrank, eine Zeitschrift vom vergangenen März? Wer war zuletzt hier, wie lange, und warum mussten sie gehen?

Immer noch nass, begann ich nach verborgenen Zeichen zu suchen. Mama sagte, ich sähe aus wie ein Frotteegespenst und ich solle mich endlich abtrocknen, sonst würde ich das ganze Haus nass machen.

Erst inspizierte ich das Wohnzimmer und das Esszimmer. Ich machte alle Schränke und Schubladen auf. Ich fand keinerlei persönliche Gegenstände. Eine der Schubladen war mit Papier ausgeschlagen, das mich anzog: Galeeren, Kaninchen, Zauberstäbe, Wohnzimmermagie. Ich dachte an das Wort, mit dem Bertuccio mich an den Rand der Niederlage gebracht hatte, und ich fragte mich, wo ich das Zettelchen mit seinen Schnörkeln gelassen hatte. Ich glaubte mich zu erinnern, es in die Hosentasche gesteckt zu haben; das beruhigte mich.

Es gab eine alte Stereoanlage mit einem Plattenspieler, der noch viel billiger aussah als das Möbel, auf dem er stand. Das kleinere Fach war voller Singles. Es war nichts dabei, das mir gefiel, fast nur Instrumentalschnulzen von Ray Conniff und Alain Debray und Sänger, von denen ich noch nie gehört hatte, wie Matt Munro und dieser andere mit dem Zungenbrechernamen: Engelbert Humperdinck. Genau diese Single von Engelbert fiel aus ihrer Hülle auf den Boden. Ich bückte mich, um sie aufzuheben, und entdeckte etwas Sonderbares unter der Stereoanlage. Ein Papier war offensichtlich hinter das Möbel gefallen und zwischen der Holzleiste und der Wand stecken geblieben.

Es war eine Postkarte aus Mar del Plata, das typische Bild der Rambla. Das Datum war aus demselben Jahr, Januar 76. Es standen nur ein paar armselige, knappe Zeilen darauf. *Lieber Pedrito, wir hoffen, Du verbringst schöne Ferien. Manchmal tut es gut, Spaß zu haben. Du kannst ein paar Tage hierher* kommen. *Sag Mami Bescheid. Wenn etwas ist, ruft an. Ihr könnt beide kommen. Du weißt, wie sehr wir Dich lieben. Liebe Grüße.* Unterzeichnet von Beba und China.

Wer war dieser Pedrito? War es ein Kind, wie der Text es nahelegte? Und was noch verstörender war: Was sollte der Satz, manchmal tut es gut, Spaß zu haben, heißen? War Pedrito einfach ein sehr ernstes Kind? War Pedrito ein besonderes Kind? (Missbildungen, übersinnliche Kräfte, Pusteln; die Dinge, die eine Familie dazu bringen, ihr Kind auf dem Dachboden einzusperren, damit es niemand zu Gesicht bekommt.) Oder gab es ein Drama in der Vergangenheit, in dessen Schatten er trotz Beba und China lebte?

Ich nahm die Postkarte an mich, und ein nasses Gespenst suchte die Abgeschiedenheit seines Zimmers.

22. Ich entdecke einen Schatz

Unser Zimmer ging nach hinten raus. Vom Fenster aus sah man die Wäschespinne und ein Häuschen, in dem die Werkzeuge aufbewahrt wurden. Papa ging draußen herum und suchte Zweige fürs Feuer zusammen. Durch das Fliegennetz hindurch fragte ich ihn, ob derjenige, der ihm das Landhaus zur Verfügung gestellt hat, einen Sohn namens Pedrito habe. Er sagte nein, er würde keinen Jungen mit diesem Namen kennen.

Das Zimmer hatte zwei unterschiedliche Betten und einen Nachttisch. Ansonsten war es leer. Nicht einmal die Schubladen des Wandschranks waren ausgeschlagen. Ich versteckte die Postkarte in dem Nachttischchen und setzte mich auf die Bettdecke. Die Matratze darunter war nicht bezogen.

Aus reiner Enttäuschung kehrte ich zu dem Wandschrank zurück und stellte mich auf das Schubladenteil, um eins der oberen Fächer zu inspizieren, das anscheinend leer war. Ich kam auf die Idee zu pusten, um den Staub wegzublasen, und konnte schlagartig nichts mehr sehen. Ich rieb mir die Augen, bis Tränen kamen. Aber als ich sie wieder öffnete, glaubte ich in dem Fach Farben zu sehen, die zuvor nicht da gewesen waren.

Pedrito hatte ein Buch vergessen. Ich nahm die Bettdecke, um den Staub abzuwischen, und öffnete es. Meine Vermutung bestätigte sich gleich auf der ersten Seite. Dort stand in Kinderhandschrift: Pedro '75.

Das Buch war schmal, aber großformatig und hatte einen bunten Einband. Der Titel lautete *Houdini, der Entfesselungskünstler*. Im Buch waren eine Reihe von Illustrationen auf glänzendem Papier zu sehen, und jedes Bild besaß einen Untertitel. Der erste hieß «Harry macht seine ersten Fluchtversuche mit Hilfe seines Bruders Theo». (Houdinis Vorname war Harry.) Ein anderer «In der Irrenanstalt»; auf der Illustration war Houdini in einer Gummizelle in Zwangsjacke zu sehen. Ein weiterer hieß «Die Folter des chinesischen Wassers»; dabei handelte es sich um einen Glassarg voller Wasser, in dem Houdini mit Ketten gefesselt und mit Gewichten beschwert lag.

Alles, was ich über Houdini wusste, hatte ich in einem Film im Fernsehen gesehen. Houdini wurde von Tony Curtis gespielt. Er war eine Art Zauberer, der von überall fliehen konnte. Ich erinnere mich, dass sie ihn in einen zugefrorenen See warfen, in einer Kiste, glaube ich, und Houdini gelang es, sich aus der Kiste zu befreien, jedoch wäre er fast ertrunken, da die Oberfläche des Sees zugefroren war und er kein Loch zum Auftauchen fand. Zuvor hatte er das in der häuslichen Badewanne ausprobiert, indem er sie mit Eisbrocken füllte. («Houdini on the rocks».)

Ich las in dem Buch, bis mir kalt war, dann zog ich mir schnell einen Pullover über und las weiter, bis es dunkel wurde und ich das Licht anmachen musste.

23. Woraus befreit sich Houdini?

Das lernte ich über Houdini:

Er wurde in Budapest geboren, am 24. März 1874.

Das war kaum mehr als ein Jahrhundert her!

Er hieß nicht Houdini, sondern Erik Weiss. Er war der Sohn von Mayer Samuel Weiss, der Rabbiner war (diese Männer, die den Golems Leben einhauchen), und seine Mutter hieß Cecilia.

Seine Familie emigrierte in die Vereinigten Staaten, als er vier Jahre alt war, und da sie sehr arm waren, musste er von klein auf arbeiten, er putzte Schuhe, verkaufte Zeitungen. In New York arbeitete er als Bote, und er schnitt Stoffe für die Kleiderfabrikanten Richter & Sons zu. Aber in keiner Aufgabe war er so gut wie als Bote. Der kleine Erik war nicht nur sehr schnell, sondern für seine jungen Jahre auch unglaublich widerstandsfähig, er konnte fast den ganzen Tag rennen, ohne müde zu werden! Und im Frühling, wenn die Erinnerung an die Eisschicht auf dem Hudson noch lebendig war, gehörte er zu den Ersten, die sich ins Wasser stürzten, Schwimmen war seine große Leidenschaft.

Am Anfang seiner künstlerischen Karriere nannte er sich Erik der Große, aber dann beschloss er, inspiriert durch einen französischen Vorläufer, Robert-Houdin, sich Harry Houdini zu nennen.

70

Anfangs unterstützte ihn sein jüngerer Bruder Theo auf der Bühne.

1894 lernte Harry Houdini Wilhelmine Beatrice Rahner kennen, und zwei Wochen nach der ersten Begegnung heirateten sie. Fortan war sie seine Assistentin. (Diese Rolle hat im Film Janet Leigh, im wirklichen Leben Tony Curtis' Frau.)

Er bot den Leuten Belohnungen an, die es schafften, ihn zu besiegen, indem sie ihm Handschellen, Zwangsjacken oder Fußschellen anlegten, ihn in Käfige, Kerker oder Särge sperrten oder ihn mit Ketten gefesselt ins Meer warfen, aber es gab keine Fessel, der er nicht hätte entrinnen können, das heißt, er hat nie eine Belohnung bezahlt. Manchmal flüchtete er aus richtigen Gefängnissen, unter dem bestürzten Blick Dutzender Journalisten und dem Applaus der Gefangenen, die bestätigten, ja, die Flucht sei doch möglich.

Die spektakulärste Befreiung war die aus der «Folter des chinesischen Wassers», als er vier Minuten unter Wasser war und sich unter den Blicken eines begeisterten Publikums seiner Fesseln entledigte.

1913 starb Cecilia Weiss, seine Mutter, und das war äußerst schmerzlich für ihn.

Trotzdem machte er weiter, bis er der berühmteste Entfesselungskünstler der Geschichte war, ein wahrer Künstler, den niemand einsperren konnte und der aus der Freiheit seine Berufung machte.

Eine keineswegs unwichtige Unterscheidung (das öffnete mir in der Tat die Augen) machte das Buch zwischen dem, was wir Zauberer nennen – ein Bühnen-, ein Illusionskünstler, der nur vorgibt, bestimmte Fähigkeiten zu haben –, und einem Entfesselungskünstler. Houdini gehörte zur letzten Kategorie. Die Illusionskünstler gingen ihm auf die Nerven, denn sie beschmutzten die Reinheit seiner Kunst: sie gaben

71

vor, etwas zu tun, was sie in Wahrheit gar nicht konnten, wohingegen der Entfesselungskünstler nur das verkündete, was er auch wirklich tat, ohne Tricks, mit reiner Körperbeherrschung und perfekter physischer Konstitution. Das Thema ließ Houdini nicht los, er unternahm ungeheure Anstrengungen, Betrüger und Scharlatane zu entlarven. Die Zauberer arbeiteten mit der Lüge. Die Entfesselungskünstler hingegen machten einen Kult aus der Wahrheit.

Obwohl es mir damals nicht als Lücke auffiel, muss ich doch hier erwähnen, dass das Buch keine Information über Standardfragen gab, die mit der Zeit zu einer fixen Idee für mich wurden. Zum Beispiel, was die Familie Weiss dazu getrieben hatte, Budapest zu verlassen und den Atlantik zu überqueren. Oder was den kleinen Erik inspirierte, sein Glück als Entfesselungskünstler zu versuchen. Und schließlich, was mich brennend interessierte und mir schlaflose Nächte bereitete, die Frage aller Fragen: wie zum Teufel machte er das?

24. Im Untergrund

Beim Grillen beging Papa gleich zwei Fehler auf einen Schlag. Da er vergessen hatte, Holzkohle zu kaufen, versuchte er mit Zweigen und Holzstücken Feuer zu machen. Das Feuer brannte viel zu schnell herunter, und so mussten wir nicht nur halbrohes Fleisch essen, sondern auch noch eine von Mamas Abhandlungen über die Unterschiede bei der Verbrennung von Holz und Kohle über uns ergehen lassen.

Der Zwerg und ich stürzten uns verzweifelt auf das Obst. Normalerweise mochten wir am liebsten Bananen oder

Mandarinen, denn die konnte man mit den Fingern schälen, oder Trauben, mit denen wir allein zu Rande kamen, denn Mama war im Unterschied zu anderen Müttern – der von Bertuccio zum Beispiel – unfähig, uns auch nur eine einzige Orange zu schälen. An diesem Abend war der Hunger jedoch so groß, dass wir notfalls bereit gewesen wären, eine Kokosnuss mit den Zähnen zu öffnen.

Wir entschieden uns für Äpfel. Der Zwerg fing an, seinen Apfel zu massakrieren. Mama zündete sich eine Zigarette an und räusperte sich.

Dann sprach sie von den neuen Regeln. Sie sagte, sie wisse nicht genau, wie lange wir in dem Landhaus blieben. Vielleicht für drei Tage, eine Woche oder länger. Im Moment würden wir nicht in die Schule zurückkehren. Am Montag müsse sie ins Labor, aber Papa könnte sich ein paar Tage freinehmen und bei uns bleiben.

Unter diesen Umständen gäbe es eine Reihe von Regeln zu beachten. Zum Beispiel, nicht in das Schwimmbecken zu gehen, ohne den Erwachsenen Bescheid zu geben. Nie den Kühlschrank zu öffnen oder den Fernseher anzuschalten, wenn wir nass oder barfuß seien. Und da das Landhaus kein fließendes Wasser hätte, sondern das Wasser aus dem Tank käme, sei es verboten, aus dem Hahn zu trinken, länger als zehn Minuten unter der Dusche zu bleiben oder das Wasser einfach so laufen zu lassen, wenn es nicht unbedingt nötig war. (Letzteres bedeutete eine zusätzliche Verantwortung für mich, da ich der Ältere war: Mama versprach, mir zu zeigen, wie man den Tank füllte, wenn er leer wurde.)

Aber es gab noch eine andere Art von Regeln, die mit der Besonderheit zu tun hatte, dass wir untergetaucht waren. Mama verbot uns zum Beispiel, das Telefon zu benutzen. Wir durften nicht rangehen und vor allem niemanden anrufen. Wir durften weder Ana noch Großmutter Matilde noch in Dorrego anrufen. Und ich durfte auch Bertuccio nicht anrufen, unter keinen Umständen. (Das wurde durch den ernsten Ton und eindringliche Blicke unterstrichen.) Wir sollten uns vorstellen, wir befänden uns auf einer weitab gelegenen verlassenen Insel, auf der es außer uns keine Touristen und weder Post noch Telefonleitungen gäbe und die wir im geeigneten Moment, und keine Minute früher oder später, verlassen würden, wenn das Boot, das uns gebracht hatte, uns wieder abholte.

Der Zwerg wollte wissen, ob es Fernsehen auf der Insel gäbe. Mama sagte ja, der Zwerg riss triumphierend die Arme hoch und schwenkte das Messer, auf dem noch ein Überrest des geschlachteten Apfels hing.

Ich führte an, keiner würde ohne eine Reisetasche in Urlaub fahren. Es handele sich in unserem Fall wohl eher um Schiffbruch. (Das Wort Schiffbruch machte sie ganz nervös, vor allem als sie sahen, dass der Zwerg ganz unruhig wurde.) Ich sagte ihnen, niemand könne Ferien genießen, die er in den gleichen Klamotten und Schuhen verbringen müsse, ohne etwas zu lesen und ohne das TEG und ohne die geliebten Soldaten und ohne Goofy – das war ein Schlag unter die Gürtellinie, ich gebe es zu – und ohne Freunde und …

Papa erklärte, sobald die Luft rein sei, würde er nach Hause fahren und ein paar Sachen holen oder jemanden mit dem Schlüssel und einer Liste hinschicken. Aber bei all der Ungewissheit auf der neuen Insel weigerte ich mich, diese Ankündigung als etwas Beruhigendes zu sehen. Wer wusste, wie lange es dauerte, bis sich der Nebel lichtete, der uns von der Zivilisation trennte?

Die Erwachsenen wechselten Blicke, und dann stand Papa vom Tisch auf. Einen Moment lang dachte ich, das wäre ein Eingeständnis der Niederlage (und in diesem Fall bedeutete das, wenn Papa geschlagen war, waren wir es alle), aber sogleich kam er mit einer Tüte aus seinem Zimmer und überreichte dem Zwerg und mir je ein in glänzendes Geschenkpapier gehülltes Päckchen.

Mein Geschenk war ein neues TEG. Ich war gerettet! Brandneu, schön und sauber, mit Spielbrett und Daten, mit Karten und Anweisungen, es war komplett.

«Wenn du wieder einmal verlieren willst, gib mir Bescheid», sagte Papa.

Das Geschenk für den Zwerg war ein Goofy. Er riss brutal das Papier herunter, und dann ein verhaltener Freudenschrei. Papa und Mama seufzten erleichtert. Mir war sofort klar, dieser Goofy würde mehr Probleme machen als losen.

Der Zwerg schüttelte die Puppe und blickte besorgt drein. Er schaute Papa und Mama an, die nichts verstanden, und fragte sie, was mit dem Goofy los sei; dieser Goofy sei krank, sagte er.

Der Originalgoofy war aus Plüsch. Der neue aus hartem Plastik.

Es war nicht nur eine Frage des Gefühls (im Gegensatz zu dem unendlich austauschbaren TEG war der Goofy eine menschenähnliche Puppe, und es entstand somit eine persönliche, nicht übertragbare Beziehung), sondern auch eine des Anfühlens. Der Zwerg schlief immer mit dem Goofy im Arm. Und es war eine Sache, mit einem abgewetzten weichen Plüschtier zu schlafen, und eine ganz andere, das Gesicht an eine steife, unebene Oberfläche zu drücken. Alle Jungen lieben Spielzeugautos, aber keiner benutzt sie als Kopfkissen.

25. Wir nahmen neue Identitäten an

Papa hatte noch ein Ass im Ärmel. Nachdem er die üblichen Zugeständnisse gemacht hatte (mir eine Partie TEG zu versprechen, sobald ich den Tisch abgeräumt hatte; dem Zwerg zu versichern, dieser Goofy sei ein entfernter Cousin des anderen, auch er werde mit der Zeit anschmiegsamer, vorausgesetzt, sie beide würden Freundschaft schließen), waren wir so weit besänftigt, dass wir einer lebenswichtigen Erklärung aufmerksam zuhörten, von deren Verstehen der Verlauf der nächsten Wochen abhing.

Dass wir das Haus, die Kanzlei und die Schule verlassen hatten, war, laut Papa, keine ausreichende Vorsichtsmaßnahme. Dass wir uns in diesem Landhaus am Rande von Buenos Aires einquartiert hatten (die «Insel», auf der festsitzend Mama uns sehen wollte), war ein notwendiger Schritt, aber nicht der einzige. Sosehr wir es uns auch wünschten, wir waren nicht unsichtbar. In den benachbarten Häusern lebten bestimmt Menschen; fahrende Händler könnten an unserer Tür klingeln; Nachbarn, deren gewohnter Weg durch unsere Straße führte, würden zweifellos an den Abfalltüten, den Gerüchen und Geräuschen merken, dass neue Bewohner dort lebten.

In diesem Fall müssten wir auf den Kontakt mit den anderen vorbereitet sein. Wir müssten diskret sein und möglichst unsichtbar bleiben, aber falls uns doch jemand sähe, dürfe niemand wissen, wer wir wirklich sind. Und was gibt es da für eine bessere Vorsichtsmaßnahme als die, uns als andere auszugeben als die, die wir waren?

Wir müssten neue Identitäten annehmen. Wie die Spione, die vorgeben, jemand anderes zu sein, um nicht in die Fänge des Feindes zu geraten. Wie Batman, der seine wahre

76

Mission hinter einer mondänen, frivolen Fassade verbarg. Wie Odysseus im Land der Zyklopen, der Polifem täuscht, indem er ihm sagt, sein Name sei nicht Odysseus, sondern Niemand. Ein schlaues Kerlchen, dieser Odysseus. Ein geborener Entfesselungskünstler. Um Polifem zu entkommen, der geschworen hatte, einen nach dem anderen zu verspeisen, haben Odysseus und seine Leute ihn erst betrunken gemacht und dann blind, indem sie einen Pflock in sein einziges Auge stießen. Als Polifems Nachbarn seine Schreie hörten und ihm zu Hilfe eilten, fragten sie ihn, wer über ihn hergefallen sei. Niemand, erwiderte Polifem. Die Nachbarn schlossen daraus, dass es sich um eine vom mächtigen Zeus gesandte Plage handelte, und rieten ihm, sich damit abzufinden.

Papa wusste, dass ich von der Idee begeistert sein würde. Sich in jemand anderen zu verwandeln, ist der grundlegende Antrieb all unserer Spiele. Cowboy oder Monster, Superheld oder Dinosaurier, selbst wenn wir Sport treiben, geben wir vor, jemand zu sein, der wir nicht sind.

Aber Papa hatte nicht damit gerechnet, dass mein Hirn schneller funktionierte als jeder männliche Code und sogar schneller als der gesunde Menschenverstand, was es aber tat. In Sekundenschnelle durchquerte ich das Universum an Möglichkeiten, das diese Gelegenheit, mich in einen anderen zu verwandeln, mir eröffnete, und ich hielt vor einer strahlenden, verführerischen Tür, die Papa nicht gesehen hatte und die ihn offensichtlich überraschte.

Hoffnungsfroh sagte ich zu ihm, wenn ich mich in jemand anderes verwandelte, dann könnte ich doch wenigstens Bertuccio anrufen. Ich sei überzeugt, wenn er ans Telefon käme, würde er meine Stimme gleich erkennen, auch wenn ich ihm sagte, meine Name sei Otto von Bismarck, ihm wäre sofort klar, dass es sich um eine Notsituation handelte, und er würde den Code respektieren. Wir könnten sogar eine Geheimsprache erfinden!

An dieser Stelle griff Mama als «der Fels» ein und machte all meine Hoffnungen zunichte. Sie sagte, das Verbot gelte nach wie vor und ich könne Bertuccio nicht anrufen, selbst wenn ich ihm sagte, Mandrake sei am Apparat, und Schluss, aus, kein Wort mehr, Santofinito. (Mit der Zeit sollte Santofinito zu einem von den Lieblingsheiligen des Zwerges werden, den er bei der Apokalypse zu sehen hoffte.)

Ich war besiegt. Ich schob den Teller mit dem halb aufgegessenen Apfel weg und verschränkte wutschnaubend die Arme vor der Brust. Der einzige Grund, warum ich nicht aufstand und weglief, war, dass ich nicht gewusst hätte wohin.

«Ab jetzt sind wir die Familie Vicente», sagte Papa noch immer voller Hoffnung.

Ich zeigte keine Regung. Das war mir doch egal. Ich wollte nichts wissen.

«Ich bin Architekt David Vicente», sagte Papa.

Vicente war schon als Vorname schrecklich, aber als Nachname noch viel schlimmer.

«David Vicente!», wiederholte Papa und schüttelte mich.

Da gab ich auf. Der Architekt David Vicente. Papa war David Vincent!

Ich fing an zu lachen. Der Zwerg sah mich an, er hielt mich für verrückt, und Mama sah Papa an und verlangte eine Erklärung.

«Verstehst du?», sagte ich zum Zwerg, immer noch lachend. «David Vicente ist wie David Vincent, nur auf Spanisch! Papa ist der Typ aus *Invasion von der Wega*!»

Der Zwerg sagte «aaaaahhh» und applaudierte.

Mama wusste nicht, ob sie Papa mit Blicken töten oder ihn umarmen sollte.

«Für jeden, der fragt, sind wir die Vicentes», sagte Papa, zufrieden mit sich. «Wenn jemand anruft und mit denen sprechen will, die wir vorher waren, müsst ihr sagen, nein, hier wohnt niemand mit diesem Namen, wir sind …»

«Ihr müsst gar nichts am Telefon sagen, weil ihr nicht rangehen sollt. Wie oft muss ich das noch sagen?», unterbrach ihn Mama und stellte die Dinge klar.

«Entschuldigung. Wenn ich rangehe, sage ich nein, falsch verbunden. Ist das klar?»

Der Zwerg und ich nickten.

Ich fragte Papa, ob wir auch gefälschte Papiere bekämen, wie es sich gehörte.

Ich dachte, er würde mir die Augen auskratzen, aber überraschenderweise suchte er nach Zustimmung in Mamas Blick und sagte, das wäre möglich, wenn es nötig wäre, würden wir neue Ausweise bekommen.

Ich fragte ihn, ob ich mir einen Namen aussuchen könnte.

Der Zwerg fragte, ob er sich auch einen Namen aussuchen könnte.

«Kommt darauf an», sagte Mama. «Es muss ein gewöhnlicher Name sein, du kannst dich nicht Fofó oder Miliki oder Goofy oder Donald nennen.»

«Simón!», rief der Zwerg, der (ich sagte es bereits) die Serie *The Saint* liebte. «Wie Simon Templar!»

Mama und Papa nickten zufrieden. Simón Vicente war gar nicht schlecht.

«Ich kann mich Flavia nennen», sagte Mama.

«Flavia Vicente. Okay. Aber du musst mir sagen, woher du diesen Namen hast», beklagte sich Papa.

«Nur über meine Leiche.»

«Dann nenne ich dich Dora oder Matilde, wie deine Mutter.»

«Das kannst du ja versuchen, dann sage ich nur ‹Trockendock›», sagte Mama.

«Flavia Vicente», sagte Papa schnell, «verkauft an diese Dame, zum Ersten, zum Zweiten …»

«Was ist ein Trockendock?», fragte der Zwerg.

«Hier ist noch einer ohne Namen», sagte Mama ausweichend.

Aber ich hatte ihn schon. Da gab es für mich keinen Zweifel. Alle Zeichen deuteten in eine Richtung, und ich, das war klar, war stolz darauf, sie lesen zu können.

Ich würde Harry heißen.

Ja, Harry. Angenehm.

26. Taktiken und Strategien

Herodot berichtet, zu Zeiten des Monarchen Atys, des Sohns des Manes, hätte das Reich Lydia unter einer großen Hungersnot gelitten. Eine Zeit lang hätten die Lydier die Entbehrungen ertragen, und schließlich wurde ihnen klar, sie mussten nach einer Ablenkung suchen, damit die Leute nicht ständig an das Leid dachten. So wurden die Spiele erfunden, Würfel- und Ballspiele, das Tabaspiel. Nach Herodot wird den Lydiern die Erfindung aller Spiele zugeschrieben, mit Ausnahme des Backgammon, das ist der Name, unter dem die englischen Piraten sich der ursprünglich arabischen *tawla* bemächtigten, die heute noch die alten Männer im gesamten mittleren Orient an flachen Tischchen an der Straße spielen und dazu ganz süßen Minzetee trinken.

Mir hat diese Geschichte immer gefallen. Herodot gibt das Ganze nicht wie eine glaubwürdige Tatsache wieder, sondern wie etwas, das die Lydier über sich selbst erzählen, aber sein Bericht ist von großer Ernsthaftigkeit und Eloquenz. Der Abschnitt ist einer der gelungensten der *Historien*. Herodot wusste, die Dinge, die die Völker über sich erzählen, sind wichtig, denn in ihnen drückt sich die Vorstellung aus, die die Leute über sich haben, wie es weder die Dokumente noch die (immer) tragische Bilanz der Schlachten können.

Die Geschichte der Lydier hat noch einen weiteren Vorzug. Es gefällt mir, dass die Erfindung der Spiele nicht der Langeweile oder der philosophischen Muße zugeschrieben wird, sondern dem Leiden. Die Lydier haben nicht gespielt, weil sie nichts Besseres zu tun hatten. Sie taten es, um nicht unterzugehen.

In gewissem Sinne ist das TEG ein Nachfahre der *tawla*. Bei beiden gibt es ein Brett, Würfel, ein Ziel, Regeln (die Taktik) und einen Spielplan (die Strategie), der, je intelligenter er ist, den Spieler umso sicherer zum Sieg führt. Der Zufall des Würfels ist entscheidend, aber die Strategie muss den Zufall zum Verbündeten machen.

Der westliche Beitrag, also der Teil, den wir zum TE beitragen, um es zum TEG zu machen, ist das G (Guerra), durch das die Logik des Krieges ins Spiel kommt. Das Brett ist nicht mehr länger nur rein abstrakt in geometrische Figuren aufgeteilt, sondern in Länder auf einer Weltkarte. In ihr werden die Versionen der alten Kartografen übernommen, die eher bildlich als realitätsgetreu sind. Und die politische Aufteilung trägt zu diesem anachronistischen Eindruck bei. Die Vereinigten Staaten gibt es beispielsweise nicht als Nation, sondern der Raum wird von einer Reihe unabhängiger Staaten eingenommen, New York, Oregon, Kalifornien. Russland ist ein europäisches Land beachtlicher Größe, das asiatische Gegenstück ist unter Ländern wie

Sibirien, Aral, die Tatarei aufgeteilt – und natürlich ist da auch Kamtschatka.

Jeder Spieler wird durch Spielmarken einer bestimmten Farbe vertreten – ich spielte gern mit den blauen – und erhält die Herrschaft über beliebig viele Länder, die Zahl ist abhängig von der Gesamtanzahl der Spieler. Es können bis zu sechs Personen mitspielen, jede erhält ein geheimes Operationsziel. Zum Beispiel «Nimm Nordamerika ein, zwei Länder von Ozeanien und vier von Asien» oder «Zerstöre die rote Armee oder, sollte das nicht möglich sein, den Spieler zu deiner Rechten», und darin lag ein politischer Widerspruch, den ich damals nicht mal im Ansatz begriff.

Jeder Kampf zwischen Heeren wird durch Würfel entschieden. Bin ich der Angreifer, brauche ich eine höhere Punktzahl als das sich verteidigende Heer. Setze ich mich tatsächlich durch, muss der Verteidiger seine Heere zurückziehen, und ich besetze das Land, das er geräumt hat.

Meine Lieblingsaufstellung war die denkbar einfachste. Papa gegen mich, ich gegen Papa. Die Welt aufgeteilt unter uns beiden, er mit schwarzen Heeren, ich mit blauen Heeren. Das Ziel, das wir verfolgten, war nicht geheim, sondern eindeutig und uns beiden gemein: den anderen vernichten. Die totale Zerstörung. Dem Feind durfte nicht ein einziges Heer übrig bleiben. Er musste von der Erde ausgelöscht werden. (Das heißt der Erde des TEG.)

Ich erinnere mich nicht mehr, wie alles anfing, ob ich das Spiel mit nach Hause brachte oder Papa oder sonst wer. (Ich konnte mich nicht an eine Zeit ohne Kamtschatka erinnern.) Woran ich mich sehr wohl erinnere, ist, dass Papa immer gewonnen hat. Jede Partie. Unausweichlich. Er machte mich fertig, oder wir setzten die Partie aus, wenn offenkundig war, dass ich mich nicht mehr erholen würde.

Dieser erste Abend im Landhaus war keine Ausnahme.

Nach einem vielversprechenden Anfang begann Papa, die Moral meiner Heere zu untergraben und sich der üblichen Beschäftigung zu widmen, sie eines nach dem anderen zu schlagen. Hin und wieder schaute Mama vorbei und sah sich den Spielstand an, und irgendwann verpasste sie Papa einen Schlag in den Nacken und sagte, jetzt lass den Jungen doch auch mal gewinnen, großer Junge, worauf Papa antwortete, was er immer antwortete – die Szene war ein Running Gag, den die Familie bei jedem Spiel voller Hingabe wiederholte –, nie im Leben, er soll mich besiegen, wenn er kann, und alles ging unerbittlich seinen Gang.

Papa zu besiegen war mit der Zeit nicht nur ein Wunsch, sondern ein Bedürfnis und zu guter Letzt ein kategorischer Imperativ. Das Gesetz der Wahrscheinlichkeit spricht für mich, sagte ich mir. Früher oder später würde es seine unausweichlichen mathematischen Gesetze walten lassen und mich Partie für Partie zum Sieger erheben, endlich würde mir Gerechtigkeit widerfahren. Jetzt, wo ich Harry war, musste sich das Schicksal zu meinen Gunsten wenden. Harry, dieser Name kannte keine Niederlage!

Die Geschichte der Lydier geht bei Herodot weiter. Er erzählt, die Hungersnot hätte angehalten und König Atys hätte schließlich begriffen, dass die Spiele keine Lösung waren, sondern der endlose Aufschub des Momentes der Wahrheit. Da traf er eine Entscheidung. Er teilte sein Volk in zwei Teile und ließ das Los entscheiden. (Das Glücksspiel war ihm zu einer Sucht geworden.) Ein Teil musste das Reich verlassen, und der andere konnte bleiben. Atys blieb als König der Hälfte zurück, die auserwählt war, in Lydia zu bleiben, und stellte seinen Sohn Tyrrhenos an die Spitze der anderen Hälfte.

Tyrrhenos und seine Leute reisten nach Smyrna, wo sie Schiffe bauten und in See stachen. Mit der Zeit fanden sie eine neue Heimat und brachten es zu Wohlstand. Die in Lydia Verbliebenen hingegen wurden von den Persern erobert und versklavt.

27. Wir finden eine Leiche

Am darauf folgenden Tag, als der Zwerg und ich die Erlaubnis bekamen, ins Schwimmbecken zu springen, bemerkten wir, dass uns jemand zuvorgekommen war. Zwischen den Blättern schwamm steif wie eine Gipsstatue eine riesige Kröte.

«Ich will da nicht mehr rein», sagte der Zwerg.

Ich nahm das Netz, um die Kröte aus dem Wasser zu fischen. Sie war tatsächlich tot, hatte alle viere von sich gestreckt, bereit für den Grill.

Kröten sind schreckliche, abstoßende Tiere. Sehen Sie sich nur diese kleinen schwarzen Augen an, diese grausame Basaltfarbe. Die kalte feuchte Haut voller Pusteln und Falten, die Häutchen zwischen den Zehen, die fast menschliche Beweglichkeit der Hinterbeine …

«Wir sahen auch einmal so aus wie diese Kröte», sagte ich.

«Fang nicht damit an», sagte der Zwerg.

«Vor Tausenden von Jahren, im Ernst. Wir lebten im Wasser und kamen an Land, um auf der Erde unser Glück zu versuchen. Erst streckten wir den Kopf aus dem Wasser, dann blieben wir eine Weile am Strand …»

«Das erzähle ich Mama.»

«Einige dieser Tiere sind im Wasser geblieben und heute noch Wassertiere. Andere haben sich daran gewöhnt, ein Bein im Wasser und eins auf dem Land zu haben, und sind

Amphibien geworden, wie die Kröten, die ihre Zeit halb im Wasser und halb an Land verbringen. Wenn sie zu lange an einem Ort verweilen, sterben sie, wie diese hier.»

«Eine Kröte kann ertrinken?»

«Sie hat das Wasser im Schwimmbecken gesehen und ist hineingesprungen, weil sie es wohl für eine Pfütze oder einen Teich hielt, und dann merkte sie, dass sie festsaß. Bei den Pfützen oder den Teichen gibt es einen Rand, der es ihr jederzeit ermöglicht, aus dem Wasser zu kommen. Aber die Schwimmbecken sind anders, abrupter. Schwupp, und du bist drinnen oder du bist draußen. Und die Kröten wissen nicht, wie man eine Treppe benutzt.»

«Wir müssen sie beerdigen.»

«Du hast recht.»

«Wir müssen vorher eine Totenwache halten. Großmutter Matilde sagt, die Totenwache sei das Wichtigste.»

«Das sagt sie, weil sie gerne feiert.»

«Großmutter sagt, man wacht bei den Toten, um sicherzugehen, dass sie tot sind und nicht schlafen.»

«Altweiberkram. Wer kann schlafen, wenn einem die Verwandten die Ohren voll heulen?»

«Was für einen Unterschied gibt es zwischen einer Totenwache und einer Leichenwache?»

«Keinen, soweit ich weiß.»

«Wahrscheinlich wachen sie in dem einen Fall, bis sie selbst tot umfallen, oder … Bist du dir sicher, dass sie tot ist? Und wenn sie einfach nur schläft?»

Ich packte die Kröte an einem Bein und hielt sie dem Zwerg direkt vors Gesicht; er lief schreiend davon und blieb in sicherer Entfernung stehen.

«Sie sieht dir ein wenig ähnlich», sagte ich.

«Das stimmt nicht!», schrie der Zwerg von weitem.

Wir wählten einen Platz im Schatten, unter einem Baum.

Ich fand im Gartenhäuschen eine Schaufel und fing an, das Grab auszuheben. Währenddessen erklärte ich dem Zwerg all die Dinge, die Fräulein Barbeito uns mit ihren Bildern und Dokumentarfilmen gelehrt hatte: Wie sich Amphibien zu richtigen Landtieren entwickelten, die die Luft direkt aus der Atmosphäre aufnehmen und auf der Erde leben und sich auf bestimmte Wohnräume spezialisieren. Der Zwerg schaute mich misstrauisch an, denn es fiel ihm schwer zu glauben, dass wir Säugetiere alle etwas gemeinsam hatten. Die Kröten schmecken ähnlich wie Hähnchen, Zwerg, ich schwöre es dir. Wenn du einem Schimpansen das Fell abziehst, sieht er wie eine riesige Kröte aus, sie setzen sich sogar gleich hin. Was hast du für ein Glück, einen älteren Bruder zu haben, der dir all das erklären kann.

Normalerweise sind die Realität und ihre Ausschmückungen unwahrscheinlicher als jede Fiktion. Welcher Schriftsteller könnte schon einen Komodowaran, die Mandeln oder die eigenartige Form unserer Fortpflanzungsorgane erfinden? Welcher Kopf könnte sich, ausgehend von kleinen Kalk absondernden Tieren, Korallenriffe ausdenken? Wer hätte den Mut, eine Welt zu schaffen wie die unsrige, beherrscht von den Nachfahren von Kröten, Fröschen, Salamandern und Molchen?

Während der Aushebung des Grabes und der Beerdigung schwieg der Zwerg und lauschte misstrauisch meiner Rede. Am Ende muss davon aber etwas hängen geblieben sein, denn als ich das Grab zugeschüttet hatte, legte er Steinchen auf den Hügel und fragte, ob Kröten auch in den Himmel kämen.

28. Ein süßes Interregnum

Das Wochenende verlief angenehm. Jeder Passant, der einen Blick auf uns geworfen hätte, hätte nichts anderes gesehen als die Familie Vicente beim *dolce far niente*, ganz dem Genuss von Sonne, Park und Schwimmbecken hingegeben und entschlossen, sich die Heilige Dreifaltigkeit der Kochkunst des Durchschnittsargentiniers schmecken zu lassen: Grillfleisch, Nudeln (natürlich aus der Packung; Mama setzte keinen Fuß in die Küche) und Kleingebäck.

Dem aufmerksamen Beobachter wäre jedoch zweifellos die eigenartige Häufigkeit aufgefallen, mit der Papa und Mama das Landhaus verließen, manchmal mit dem Citroën und manchmal zu Fuß, aber nie länger als eine Viertelstunde. (Wenn sie telefonieren wollten, konnten sie nicht den Anschluss des Hauses benutzen, sondern nur eine öffentliche Telefonzelle.) Und falls der aufmerksame Beobachter auch noch ein feines Gehör besäße, hätten die untereinander gestellten Fragen mit den offenkundigen Antworten (Wie heißt du? Wann bist du geboren? Wie heißen deine Eltern und deine Geschwister?) auf ein Familienspiel schließen lassen, dessen Regeln der normalen Bevölkerung unbekannt sind.

Von den Ereignissen jener Tage sind ein paar es wert, vermerkt zu werden. Zum Beispiel, dass Papa sich einen Schnurrbart wachsen ließ. Nach drei Tagen Rasiermesserstreik hatte sich ein entschiedener Schatten auf seiner Oberlippe niedergelassen. Für den Zwerg und für mich ging das schon als Schnurrbart durch, aber Mama beharrte darauf, dass Papa vom Nesquick des Zwergs getrunken und vergessen hatte, sich den Mund abzuwischen. Am Sonntagmorgen ertappte sie uns drei Männer vor dem Badezimmerspiegel.

Papa David zeigte sich zufrieden und hatte die Ehre, seinen Schnauzer mittels einer Schere zu stutzen. Harry, der Erstgeborene, beklagte sich über seine gegenwärtige Haarlosigkeit und sprach den Wunsch aus, hoffentlich bald einen feinen Schnauzbart à la Mandrake zu bekommen. Und der Benjamin, Simón, sagte, er sei zufrieden mit seiner makellosen Haut, wie die seines Fernsehidols, Simon Templar, und er fragte, warum Templar der einzige bekannte Heilige war, der weder Bart noch Schnäuzer hatte.

Wir spielten drei Partien TEG, über die Resultate möchte ich lieber schweigen.

Ich hatte Zeit, das Buch über Houdini noch zu lesen und mir eine Reihe von Gedanken über meine Zukunft zu machen, auf die ich noch zu sprechen komme.

Der Besuch der Vicentes in der Dorfkirche am Sonntagmittag war ein großes Ereignis. Soweit ich mich erinnern konnte, war ich mein ganzes Leben noch nie in einer Kirche gewesen, mit Ausnahme der einen oder anderen Taufe oder Hochzeit. Folglich waren mir die Regeln der gewöhnlichen Messe völlig unbekannt. Zu allem Übel wurde das, was ein Abenteuer hätte sein können, von Anfang an zu einer Tortur. Mama war auf die Idee gekommen, die Vicentes seien sehr gläubig. Und so zwang sie uns, den Text des Vaterunser, des Credo und des Ave Maria zu wiederholen, im Landhaus und im Auto, denn einmal in der Kirche, sollte es so aussehen, als ob wir dem Ritus mit der Gelassenheit des fachmännischen Gläubigen folgten.

Meine Eltern hatten eine religiöse Erziehung erhalten, die sie beide zur damaligen Zeit abgelehnt hatten. Papa, weil er an die Gesetze der Menschen glaubte. Mama, weil sie an die Wissenschaft glaubte und sich von der frömmelnden Überlegenheit von Großmutter Matilde distanzieren wollte. Sie waren sich also einig, uns vollkommen unbeleckt von jeglichem religiösen Wissen zu erziehen. Ich vermute, sie glaubten, uns damit einen Gefallen zu tun, obwohl dieser Unterschied, mit dem wir aufwuchsen, uns in Bedrängnis brachte, wenn es um so gewöhnliche Vorstellungen wie Himmel und Hölle ging. Die fehlende zuverlässige Information über den Zutritt und die Mitgliedschaft in dem einen oder anderen Klub rief manchmal Angst in uns hervor. Außerdem verstärkte die mangelnde Vertrautheit mit den zentralen Aspekten des katholischen Glaubens mein Gefühl, ein Außenseiter zu sein.

In einer Osterwoche, erinnere ich mich, brachte *Anteojito* auf den Hauptseiten ein Bild mit Stationen des Kreuzweges. Ich zündete diese Seiten an und entledigte mich des Beweises, indem ich ihn die Toilette hinunterspülte. Die Vorstellung, an einer Wand meines Zimmers würde die genaue Erläuterung eines Folter- und Todesprozesses hängen, erschien mir so obszön, als hätte man einen Raum mit den fabrikartig ablaufenden Prozessen in Auschwitz dekoriert.

Aber die traumatischste Erfahrung machte ich mit einem alten Film, *Das große Geheimnis des Marcelino*, an dem ich eines Abends auf Kanal 9 hängen blieb. Marcelino war ein von den Priestern eines Klosters aufgenommener Waisenjunge. Eines Tages ging er in einen Keller hinunter und hörte eine Stimme, die nach etwas zu trinken verlangte. Marcelino sah sich um, aber er konnte niemanden sehen. In der Tat war außer ihm niemand in dem Keller. Die Stimme kam von einem riesigen Kruzifix, dessen Christus aus Holz ihn um Wasser bat.

Zu allem Übel starb Marcelino am Ende, und der dicke Priester weinte vor Freude und alle Glocken läuteten, denn der Junge war von der Holzfigur «auserwählt» worden. (Die, nebenbei bemerkt, etwas Grundlegendes nicht wusste, nämlich, dass Holz durch Wasser aufquillt. Und einen dicken Christus kann kein Kreuz halten.) Der ganze Film war so angelegt, dass wir uns freuen sollten, denn Marcelino war heilig und in den Himmel aufgestiegen, aber ich musste immer daran denken, dass Marcelino von dieser verdammten Figur umgebracht worden war und niemand etwas dagegen unternommen hatte.

Wenn es von da an bei Gesprächen mit Gleichaltrigen um Horrorgeschichten und dabei natürlich um Frankensteins und Mumien und Drakulas ging und ich von dem Christus aus Holz sprach (ui, fast hätte ich ein entscheidendes Detail vergessen: der eine seiner angenagelten Hände ausstreckte, um das Glas von Marcelino entgegenzunehmen!), trat Schweigen ein, und sie sahen mich an, den komischen Kauz, der, ach herrje, ich damals auch war. Mit der Zeit lernte ich den Mund zu halten, aber meine Alpträume gingen weiter. Freunde und Schulkameraden wachten mitten in der Nacht auf, weil sie vor Wolfsmenschen und Reitern ohne Kopf flohen. Ich wachte schreiend auf, weil ich vor mörderischen Trikots, Menschen fressenden Saturnen und Christusfiguren aus Holz fliehen wollte, die vom Kreuz herabstiegen, mich über lange Flure verfolgten und mich zu überzeugen versuchten, nur ein totes Kind sei ein gutes Kind.

Auch der Zwerg hatte seine Probleme mit der Religion, aber sie waren geringer. Er fragte Mama, ob er die Zeile im Vaterunser überspringen dürfe, in der es heißt, und vergebe uns unsere Schuld, wie auch wir vergeben unseren Schuldigern, weil er noch zu klein sei, um Schulden zu haben. Das Einzige, was ihn wirklich beschäftigte, war die Vorstellung von der Auferstehung des Leibes; ich bin mir nicht sicher, was sich in seiner Fantasie abspielte, aber ich kann es mir lebhaft vorstellen.

Nach dieser Vorgeschichte kamen wir also in der Dorf-

kirche an, mit bangem Herzen und entschlossen, alles daran-
zusetzen, die gläubigen Vicentes zu spielen. Papa war sehr
formell gekleidet, Mama trug das maßgeschneiderte Kostüm, und der Zwerg und ich trugen die Hemden und die
Krawatten mit der Nadel, die wir normalerweise unter dem
Kittel trugen, den ich mit jeder Zelle meines Körpers hasste.

Die Kirche war genauso einfach wie das Dorf und stand,
wie es sich gehört, am zentralen Dorfplatz. Da am Sonntagmittag alle Bewohner dort zusammentrafen, mussten wir
den Citroën zwei Blocks entfernt parken.

Nachdem die Anspannung der ersten Minuten vorbei
war, langweilte ich mich zu Tode. Jedes Mal, wenn ein Teil
kam, in dem ich wieder tätig werden musste, drückte Mama
mein Knie, und ich rezitierte auf Kommando das Credo
oder was auch immer. Ansonsten beschränkte sich das Ganze darauf, aufzustehen, wenn alle aufstanden, und sich hin-
zuknien, wenn alle sich hinknieten.

Ich weiß, dass diese erste Messe im Innern des Zwergs
etwas aufwühlte. Obgleich man ihm die einfache Fertig-
keit des Kreuzzeichens beigebracht hatte (das er trotz der
seinem Alter eigenen Schwierigkeit, links von rechts zu unterscheiden, perfekt nachahmte), hinterließ die tatsächliche
Ausübung am Anfang und am Ende der Messe bei ihm einen
bleibenden Eindruck. Der Zwerg war darauf vorbereitet,
auszuführen, was man ihm sagte, wie der pawlowsche Hund,
aber nicht darauf, dass es alle gemeinsam und gleichzeitig
taten. Die Kombination der magischen, kabbalistisch anmu-
tenden Geste und der Gleichzeitigkeit, mit der die Anwesen-
den sie ausführten, überraschte den Zwerg, der die Augen
aufriss, als hätte er mit angesehen, wie das Wasser zu Wein
wurde. Ich vermute, er hat sich zum ersten Mal als Teil von
etwas gefühlt, das größer ist als die heilige Zelle der Familie;
etwas, das über uns hinausging und uns zugleich einschloss.

Als wir zum Landhaus zurückkehrten, lag die nächste tote Kröte im Schwimmbecken. Ich ärgerte mich über meine mangelnde Umsicht und versprach, etwas dagegen zu tun, denn ich war nicht der Ansicht, nur eine tote Kröte sei eine gute Kröte, ganz im Gegenteil.

Der Zwerg wollte sich um die letzten Rituale kümmern.

29. Wir bleiben allein

Als wir am Montagmittag aufwachten, war Mama nicht mehr da. Im Esszimmer hatte Papa die alte Standuhr auseinander genommen und unzählige Teile auf einer alten Wolldecke und dem Esszimmertisch und sogar auf der Anrichte ausgebreitet. Es sah in dem Raum aus, als ob die Zeit selbst explodiert war und in jeder Ecke Splitter hinterlassen hatte.

Der Zwerg machte sich sein Nesquick. Ich schnappte mir eine Banane und ging mit dem Buch über Houdini in den Garten. (Der Citroën stand nicht an seinem Platz. Mama war offensichtlich mit dem Auto unterwegs.) Um zwölf stellte Papa die Nachrichten an und drehte den Fernseher laut, damit er sie hören konnte, ohne sich von der Uhr zu entfernen. Ich war weit weg, aber auch so musste ich sie mit anhören. Es gab nichts Neues. Der Präsident dies, die Streitkräfte das, die neuen Wirtschaftsmaßnahmen, der unermüdliche Kampf gegen die Subversion, niedergeschlagene Guerillakämpfer, Tucumán, Dollar; das Übliche.

Der Tag fing langsam an. Es gab nicht einmal ein formelles Mittagessen. Wenn jemand Hunger verspürte, nahm er sich irgendetwas und setzte sich auf irgendeinen noch nicht von den Zeichen der Zeit eingenommenen Platz. Das kalte Hähnchen landete neben dem Nesquick und neben den Knochen das leere Päckchen Löffelkekse.

Wegen seiner strategischen Positionierung vor dem Fernseher war der flache Tisch bald mit Abfall und schmutzigem Geschirr bedeckt. (Das vorherrschende Kriterium war, in gemeinsamem Einverständnis: gebrauchtes Glas, unbrauchbares Glas. Jedes Mal, wenn einer von uns etwas trinken wollte, holte er sich ein neues Glas aus der Küche, und Schluss.) Im Verlauf der Stunden stapelten sich die Abfälle mit geologischer Präzision. Ich ging ins Schwimmbecken, wann immer mir danach war, und keiner sagte mir, ich solle erst aufs Klo gehen. Nach den Nachrichten kamen die Telenovelas und danach die Zeichentrickfilme und danach die Serien, und dann kamen die Nachrichten mit noch mehr Wirtschaftsmaßnahmen, noch mehr Toten und noch mehr Männern mit Schnäuzern und bösen Gesichtern.

Zu dieser Zeit schien Papa die Uhr schon aufgegeben zu haben, deren Innereien dort lagen, wo sie hingefallen waren. Entschlossen, sich auf die Nachrichten zu konzentrieren, machte er sich Platz auf dem Tischchen, um seinen Gancia und das Mittel gegen sein Magengeschwür hinzustellen, und dann fing er mit seinen Selbstgesprächen an. «Wer glaubt dir denn schon, du reaktionäre Spukgestalt», wetterte er gegen den Nachrichtensprecher; ein Satz, der aus dem Mund von Hamlet, erster Akt, vierte Szene, bei seiner Begegnung mit dem Gespenst interessant geklungen hätte. «Ich lerne mehr darüber, was in diesem Land vorgeht, wenn ich mir *Invasion von der Wega* ansehe als dich», protestierte er, schaute aber weiter. «Ihr müsst die Gefangenen endlich reinwaschen, das müsst ihr», riet er jetzt dem Innenminister, ihr könnt nicht so tun, als wären sie nicht in Haft: «Gebt ihnen ihre weiße Weste zurück!»

Weil die Sonne schon untergegangen und es frisch war,

rückten auch der Zwerg und ich näher an den warmen Bildschirm heran. Der Zwerg machte ein Experiment mit leeren Flaschen, benutzten Gläsern, Wasser, Mehl, Schrauben und Pinseln aus dem Gartenhäuschen. Als er nicht mehr weiterwusste, weil er an einem wissenschaftlichen Scheideweg angekommen war, wiesen ihm die Gegenstände auf dem Tisch einen neuen Weg. Der Tisch war voller potenzieller Ideen. Die Cola und das Nesquick zum Beispiel potenzieren den Schaum.

Ich las noch einmal den Houdini auf der Suche nach Hinweisen zu seinen spektakulären Befreiungen. Das Buch sprach immer wieder von der körperlichen Vorbereitung und der geistigen Konzentration, aber es schwieg beharrlich über die Einzelheiten einer jeden Befreiungsaktion; sicherlich war der Schriftsteller auch Entfesselungskünstler und wahrte ganz bewusst das Berufsgeheimnis. Deshalb schaute ich mir zum x-ten Mal das erste Bild an, «Harry macht seine ersten Befreiungsversuche, unterstützt von seinem Bruder Theo», in der Hoffnung, das Bild würde mir etwas verraten, was der Text mir verweigerte. Ich schaute Papa, seinen Gancia und die ausgeweidete Uhr an, und den Zwerg, der seinen Kleister zu einer karamellartigen Konsistenz verrührt hatte und mir sagte, vielleicht hätte das Bild schon längst gesprochen und ich sollte einfach damit anfangen.

Ich zog meinen Gürtel aus (ich trug einen Gürtel, der bis auf die Schnalle und den Teil mit den Löchern aus einem elastischen Material bestand; fragen Sie nicht weiter) und bat den Zwerg, mich an meinen Stuhl zu fesseln. Das Gesicht und die Hände mehlverschmiert, sah der Zwerg mich an, um herauszufinden, ob ich ihm eine Falle stellte. Ich zeigte ihm das Bild aus dem Buch. Er begriff sofort.

Die Spukgestalt aus den Nachrichten musste etwas Ungeheuerliches gesagt haben, denn Papa sprang wie von der

Tarantel gestochen auf und ging in den Garten, wo er nach Belieben schimpfen und fluchen konnte.

Der Zwerg fesselte meine Hände auf dem Rücken. Er machte einen verschiebbaren Knoten, schlang dann den Gürtel hundertmal um meine Handgelenke und dehnte das Band so weit, wie es ging. Er fragte mich, ob er es gut gemacht habe. Ich zog an den Fesseln, gerade so viel, dass der Gürtel nicht gleich beim ersten Versuch nachgab.

«Warte, da fehlt noch etwas», sagte er.

Er nahm die Flasche mit dem Kleister und verteilte ihn mit einem alten Pinsel über mein Gesicht und meinen Oberkörper.

Gefesselt konnte ich mich nicht wehren. Ich fragte ihn, ob er verrückt geworden sei. Der Kleister schmeckte nach Pizzateig und Nesquick.

«Ich wasche den Gefangenen rein. Hast du Papa nicht gehört. Gebt ihnen ihre weiße Weste zurück!»

Wir aßen schweigend zu dritt zu Abend. Reste von kaltem Grillfleisch. Viel Mayonnaise. Es war spät geworden. Wir schauten uns das Katastrophengebiet an, in das wir den Wohnraum und das Esszimmer verwandelt hatten, die Sessel waren voller Flecken, überall lagen Teile der Uhr und Abfall, und wir dachten über die Energie nach, die wir darauf verwendet hatten. Es gab keine perfektere Demonstration des Konzeptes der Entropie und keine größere Achtung vor dem Gesetz der Zerstreuung der Energie, das bei den physischen Phänomenen die Tendenz von der Ordnung zur Unordnung festlegt. Trotzdem war das Ergebnis unbefriedigend. Alle Unordnung der Welt hatte Mama nicht herbeizaubern können.

Als wir nach großem Widerstand wenigstens das Geschirr spülen wollten, stellten wir fest, dass es kein Wasser gab. Wir hatten vergessen, den Tank zu füllen.

30. Eine Entscheidung am
frühen Morgen

Das ganze Gebiet war in Landhäuser aufgeteilt, von denen viele nur im Sommer oder im besten Fall an den Wochenenden bewohnt waren. Die Parzellen waren klein und die Häuser einfach wie das unsrige, manchmal sogar unfertig, in Erwartung von ein paar übrig bleibenden Pesos oder des Wagnisses neuer Besitzer. Die Zufahrtswege waren nicht asphaltiert; man brauchte fünf Autominuten von unserem Zaun bis zur nächstgelegenen Straße. Zudem waren die Parzellen durch Zäune und junge Pappeln abgeteilt, deren Biegsamkeit die starre Begrenzung überspielen sollte.

Am frühen Morgen eines Wochentages war die Stille um das Landhaus herum so auffällig wie eine Sirene. Manchmal hörte man Grillen, oder es wurden je nach Wind Geräusche eines laufenden Radios herübergeweht, aber im Allgemeinen herrschte eine gnadenlose Stille, die alles verschlang und einem in den Ohren summte; es war unmöglich, sie zu überhören.

Wenn das Fernsehprogramm zu Ende war, wich alle Energie aus dem Zwerg, und er schlief sofort ein. Der Fernseher war seine Sonne: er wachte mit ihm auf, und er ging mit ihm zu Bett. Diese Kapitulation läutete den Beginn der Ruhephase im Haus ein. Die übrigen Geräusche erfolgten so leise wie möglich, Geschirrspülen, Zähneputzen, Türenverriegeln, die Gespräche vor dem Einschlafen, aus Rücksicht auf den schlafenden Zwerg, aber auch als Ehrerbietung gegenüber der Stille.

Ich schlief noch nicht, aber ich lag schon mit dem Buch in der Hand im Bett. Da hörte ich, wie mich der Citroën von der anderen Seite der Stille rief. Wenn alles ruhig ist, hört man den Motor eines Citroën ein paar Blocks weit. Er klingt wie ein normales Auto, das mit durchdrehenden Rädern im Sand stecken bleibt.

Ich hörte die Tür gehen und die leisen Stimmen von Papa und Mama.

Fünf Minuten später kam sie, um nach uns zu sehen. Der Zwerg war jenseits von Eden, das deformierte Gesicht gegen den Plastikgoofy gedrückt.

Sie setzte sich auf mein Bett und sagte, sie hätte mir die neueste Superman-Zeitschrift mitgebracht, aber sie hinge momentan beim Zoll fest. (Das bedeutete, Papa las zuerst.) Ich küsste sie aus ehrlicher Dankbarkeit. Zu jener Zeit war ich ein Superman-Junge. Wir, die Superman-Jungen, liebten die übermenschlichen Kräfte, die schrillen Anzugfarben, die verwirrende Anwesenheit von Lois Lane, wir warteten hingebungsvoll auf das zweiwöchentliche Erscheinen der mexikanischen Zeitschriften, und wir verachteten die Batman-Jungen, die wie Verlierer aussahen.

Mama sah den Zwerg an und fragte, ob er mir viel Arbeit gemacht habe. Angesichts der Umstände hatte er sich wirklich gut benommen. Er hatte alle Entbehrungen so stoisch ertragen, wie wir es von ihm bisher nicht kannten. Mama fand das auch und fragte mich, wie es mir ginge. Ich seufzte. Ich wollte mich nicht zwergenhafter benehmen als der Zwerg. Um ehrlich zu sein, ich vermisste alles. Ich vermisste Bertuccio und das Mädchen aus der Englischklasse, das mir so gefiel. (Sie hieß Mara und war koketter als Barbie.) Ich vermisste mein Bett und mein Kissen, ich vermisste meine Bücher und das Fahrrad, ich vermisste die kleinen Flugzeuge und das Fort mit der Hebebrücke, und die Stuka, die meine Großeltern mir geschenkt hatten, ich vermisste die Blocks mit meinen Zeichnungen und das Segelschiff und das batteriebetriebene Boot, ich vermisste den ferngesteuerten Mercedes und die Matchboxautos, die meinen Bruder überlebt hatten, und das Estanciero-Spiel und meinen Bogen aus Glasfaser, und ich vermisste meine *Nippur-de-Lagash*-Sammlung und die Zeitschriften des Verlags Novaro und die Platte von den Beatles, die Ana mir geschenkt hatte, als sie es leid war, dass wir sie anriefen, um sie zu bitten, uns ihre über den Hörer vorzuspielen.

Mama sagte ich, es ginge mir gut.

Sie wollte wissen, was ich da für ein Buch las. Ich erzählte ihr, wo ich es gefunden hatte, und zeigte ihr die Originalunterschrift von Pedro und die Postkarte von Beba und China, das Fundament meiner Theorien über die Geschichte unseres Vorgängers. Pedro tat mir leid. Ich stellte mir vor, wie sehr er gelitten hatte, als er das Buch über Houdini verloren hatte; ich reagierte extrem sensibel auf Verluste. Aber Mama vernichtete meine Interpretation, als sie sagte, vielleicht hätte Pedro mir die Postkarte und das Buch absichtlich dagelassen, als Begrüßungsgeschenk, und spekulativ eine Kette herstellte, von dem Kind, das vor Pedro da war (was war sein Geschenk für Pedro, sein Willkommensgruß gewesen?), und die auch mich einschloss, denn irgendwann würden wir fortgehen, und ich müsste an den denken, der nach uns käme. Ich antwortete, auf die spartanischen Verhältnisse anspielend, um etwas dazulassen, müsste ich erst mal etwas haben. Mama sah mich mit dem Gesicht an, das sie immer hat, wenn sie denkt, der Junge wird bestimmt Rechtsanwalt, und dann nahm sie mir das Buch aus der Hand, auf der Suche nach einer eleganten Überleitung, um das Thema zu wechseln.

Die Überleitung hieß Houdini.

«Houdini, der Zauberer?», fragte sie. Sie hielt mir verlockend das Zuckerstück der auf der Hand liegenden Antwort hin. Aber ich spielte den Ball wirkungsvoll zurück.

«Houdini war kein Zauberer. Er war Entfesselungskünstler, das ist nicht dasselbe. Das will ich werden, wenn ich groß bin: Entfesselungskünstler!»

In jenen Tagen hatte ich viel über die Zukunft nachgedacht. Bedrückt durch die Ungewissheit der Gegenwart, drängte sich die Vorstellung, Entfesselungskünstler zu werden, wie eine Vision auf; als die Vorstellung sich erst einmal im Kopf breit gemacht hatte, verschwanden alle Ängste. Jetzt hatte ich ein Projekt, etwas, das es mir in baldiger Zukunft erlauben würde, die verworrenen Fäden meiner Existenz sinnvoll zu verknüpfen. Ich ging davon aus, bei Houdini war es nicht viel anders gewesen. Seine Entscheidung hatte es ihm ermöglicht, die Puzzleteile seiner Lebensgeschichte zusammenzufügen und in jedem einzelnen Teil (der Flucht aus dem Heimatland, dem religiösen Eifer seines Vaters, dem Rabbiner, der Armut, seiner körperlichen Geschicklichkeit) einen Sinn zu finden und spielerisch durch die Kombination etwas Neues zu schaffen.

Mama betrachtete erst das Bild der «Folter des chinesischen Wassers», und dann sah sie mich durchdringend an und versuchte abzuschätzen, wie ernst die Ankündigung zu nehmen war. Ich hatte schon die Phasen des Feuerwehrmannes und des Astronauten durchlaufen, und meine Mutter hatte mich im Wissen, das geht vorüber, gewähren lassen, und später auch die des Arztes, des Architekten und des Meeresbiologen, was sie sehr begrüßte, denn es waren akademische Berufe. Mama tendierte zu der Meinung, jede Laufbahn ist gut, solange man seinen Doktor machen kann. Und da es noch keine Promotion in Entfesselungskunst gab, waren Konflikte vorprogrammiert.

«Scheint gefährlich zu sein», sagte sie und schaute wieder auf das Bild.

«Das ist ja der Witz an der Sache.»

«Gefahr an sich ist ja nichts Schlimmes, wenn man entsprechende Vorkehrungen trifft.»

«Busfahren ist gefährlich», sagte ich.

«Oder Antennen auf dem Dach installieren», sagte sie.

«Oder in Argentinien leben», sagte ich.

«Das mit Harry war also wegen Houdini», sagte sie ausweichend.

«Woher hast du den Namen Flavia?»

«Das werde ich dir nicht sagen.»

«Das ist ungerecht.»

«Das Leben ist nicht gerecht. Es ist schön, aber ungerecht. Und dieser Sarg?»

«Houdini hat sich angekettet hineingelegt, und dann hat man ihn ins Wasser geworfen. Er war eine Ewigkeit unter Wasser und ist nicht ertrunken.»

«Weil er die Luftmenge gut berechnet hat.»

«Luft berechnet man nicht, man atmet sie.»

«Ich will damit sagen, er wusste, wie viel Luft er noch in dem Sarg hatte und wie lange er unter Wasser bleiben konnte. Wenn du wirklich Entfesselungskünstler werden willst, musst du so was auch berechnen.»

«Ich nehme alles zurück. Berechnen die Busschaffner auch was?»

«Das Wechselgeld.»

«Und Archäologen?»

«Jahre.»

«Krankenpfleger?»

«Dosierungen.»

«Ich kann Entfesselungskünstler werden und dich als Assistentin nehmen.»

«Zu einem bescheidenen Lohn. Wir werden das ausrechnen.»

Sie küsste mich, deckte mich zu und sagte, dass sie mich

liebte. Ich muss in ihren Armen eingeschlafen sein. Meine Sonne war anders als die des Zwergs.

Señora Vicente war eine gute Mutter.

31. Ein unfehlbarer Plan

In der Nacht ertrank eine weitere Kröte im Schwimmbecken. Ohne das Frühstück abzuwarten, beschlossen der Zwerg und ich, der Situation ein für alle Mal ein Ende zu setzen.

Wir waren versucht, seitlich einen Zaun zu bauen und so zu verhindern, dass die Kröten an die Wasserfalle herankamen, eine drastische, jedoch effektive Lösung. Aber ich wollte den Verlauf ihres Lebens nicht ändern und mich zum Herr über das Schicksal aufspielen. Das Schwimmbecken könnte lebenswichtig für sie sein, und ich wusste davon nichts. Vielleicht hatten sie ihre Eier dort abgelegt!

Wir entschieden uns für einen Mittelweg, der zudem den Vorteil hatte, praktisch umsetzbar zu sein. Mit einem Holzbrett, das wir im Schuppen fanden, und ein wenig Draht bauten wir ein Sprungbrett, das in die umgekehrte Richtung funktionierte. So wie die Sprungbretter den Menschen dazu dienen, ins Wasser zu springen, so sollte unser Antisprungbrett den Kröten dazu dienen, zurück an Land zu springen.

Den Draht brauchte ich dazu, um das Brett an den Eisenstangen der Treppe zu befestigen. Ein Teil des Brettes hing also in der Luft, die andere Seite befand sich unter Wasser.

Bis dahin waren die Kröten, die in das Becken fielen, unweigerlich zum Tode verurteilt. Sie suchten erfolglos einen festen Punkt, um herauszuspringen, schwammen bis zur Erschöpfung, stießen immer wieder an den Beckenrand, und schließlich ertranken sie. Das Antisprungbrett bot ihnen den Ausweg, den sie bis dahin nicht hatten. Wenn sie dorthin schwammen, konnten sie auf das Holz klettern, atmen und weiter hinaufsteigen, bis sie den oberen Teil des Brettes erreichten und auf die Wiese springen konnten, wann immer sie wollten – und sooft sie wollten.

Einige müssten dennoch sterben. Sie würden das Brett nicht sehen oder nicht begreifen, was es damit auf sich hatte. Aber die vom Glück begünstigten Kröten würden das Antisprungbrett benutzen und gerettet werden, und die klügsten würden sich in ihr winziges Hirn das Wort Heureka einprägen (in jener Zeit war ich noch Lamarckianer) und ein drittes oder ein viertes Mal überleben, und ihre Nachkommen würden mit diesem eingeprägten Heureka auf die Welt kommen und wissen, was zu tun war, was man suchen musste, wenn man in das für die Vorfahren einst tödliche Schwimmbecken fiel.

«Wenn dir nichts anderes übrig bleibt, als dich zu verändern, dann veränderst du dich. Das hat Fräulein Barbeito mir erklärt. Das ist das Prinzip der Notwendigkeit. Die Kröten müssen sich verändern, um nicht zu sterben. Alles, was sie brauchen, ist eine Chance», sagte ich zum Zwerg.

«Glaubst du, Gott findet uns genauso eklig wie ich die Kröten?», fragte der Zwerg.

«Fertig», sagte ich, als ich die letzte Schlinge des Drahts befestigt hatte.

Jetzt hieß es nur noch abwarten.

32. Kyros und der Fluss

Als eines seiner Lieblingspferde bei der Durchquerung des Gindes ertrank, wurde Kyros, der Perserkönig, so zornig, dass er beschloss, den Fluss zu bestrafen. Er ließ das Heer auf seinem Marsch Richtung Babylon anhalten und befahl den Soldaten, dreihundertsechzig Kanäle auszuheben, um die Wasser des Gindes abzuleiten und ihn so nahezu auszutrocknen. Kyros wollte, dass die Wasser in der Ebene versickerten und sich in Mooren und Sümpfen stauten, bis das Hauptbett des Flusses kaum mehr tiefer war als das eines Baches. Er hatte ein genaues Maß für die Demütigung, die er ihm bereiten wollte: An der tiefsten Stelle durfte der Gindes nicht an das Knie einer Frau heranreichen.

Die Geschichte wird gewöhnlich erzählt, um die Allmacht von Kyros zu beschreiben, der einen Fluss verstümmelte und seine Soldaten zur Sklavenarbeit zwang, um ein Pferd zu rächen. Als Anführer des mächtigsten Heeres der Welt, das die Sonne verdunkelte, wenn es seine Pfeile abschoss, hätte Kyros die Sonne bestraft, wenn er gewollt hätte, und den Mond und die Meere.

Ich habe die Geschichte von Kyros immer anders verstanden. Als Kind hielt ich Kyros für unwissend und unvernünftig. Unwissend, weil er dem Fluss Gindes eine Persönlichkeit und Absichten unterstellte. Ein Fluss kann kein Mörder sein, und vor allem nicht boshaft; ein Fluss ist nur ein Fluss. Und unvernünftig, weil er seinen Feldzug wegen einer Laune aufs Spiel setzte und in Kauf nahm, dass seine Männer durch die Schaufeln Schwielen an den Händen bekamen und ihre Bögen und Schwerter nicht mehr halten konnten. In der Geschichte ist es nicht erwähnt, aber während der Aushebungsarbeiten müssen viele Soldaten ums Leben gekommen sein, was die Rache noch teurer machte. Nie hat jemand einem Pferd auf extravagantere Weise Tribut gezollt.

Mit den Jahren wurde mein Bild von Kyros weniger eindeutig. Anfangs war Kyros ein exotischer Monarch, mit Zöpfen im Bart und einer rohen Sprache, dessen Entscheidungen man nur als Teil der olympischen Logik der größten Könige und Krieger verstehen konnte. Dann verging die Zeit (es gibt Flüsse, die kann selbst Kyros nicht aufhalten), und als ich die Geschichte von Kyros noch einmal las, empfand ich ihn nicht mehr als fern und unverständlich. Er hatte Ähnlichkeit mit vielen, die ich kannte und mit denen er einen menschlichen Zug gemeinsam hatte: die Neigung, Macht anzuhäufen, ohne sich je zu fragen, wozu und wie er sie einsetzen sollte. Die Leute, die die Macht von Kyros haben (militärisch, politisch, wirtschaftlich), pflegen zu vergessen, dass Macht Verantwortung mit sich bringt, und sie ziehen es vor, das Übel immer bei den anderen zu suchen. Es ist einfacher, einen Fluss umzuleiten, als die Wahrheit einzusehen; Kyros wollte sich nicht eingestehen, dass sein Pferd am Leben geblieben wäre, wenn er es nicht gezwungen hätte, den Fluss zu durchqueren.

Mir sind bereits viele Kyros begegnet. Manche tauchen nur in Büchern auf, die sonst keiner aufschlägt. Andere teilen mit uns die Luft und die Straßen. Und auch wenn sie heute in Palästen leben und man ihnen huldigt, wird die Zeit mit ihnen machen, was sie mit Kyros tat. Menschen, die Macht anhäufen und sie vergeuden, sind wie falsche Münzen: Sie sind ohne Wert.

Ich musste an Kyros denken, als ich die Geschichte mit dem Sprungbrett Revue passieren ließ, das wir auf dem Wasser des Schwimmbeckens bauten. Dass die Verbindung zwischen den beiden Tatsachen nicht auf der Hand liegt, heißt nicht, das es sie nicht gibt; wir sehen den Abschnitt nicht, der die Wurzeln der Bäume unter der Erde verbindet, und doch gibt es ihn.

Aber ich habe keine schlüssige Antwort. Ich stelle mir vor, die Gewalt, mit der die anderen damals den Verlauf meiner Geschichte veränderten, verlieh mir ein für mein Alter ungewöhnliches besonderes Feingefühl. Ich stelle mir vor, dass ich Kyros korrigierte, indem ich Verantwortung für das Ertrinken der Kröten übernahm und die Existenz des Flusses respektierte. Ich stelle mir vor, ich wollte mit der Intelligenz der Natur vorgehen und nicht mehr tun, als sie getan hätte, wenn sie einen Baum gefällt und seine Zweige in das Schwimmbad getaucht hätte. Keine dieser Argumentationen ging mir damals durch meinen Kopf voller Invasoren und Houdinis, aber das heißt nicht, dass sie mein Handeln nicht begleitet haben. Wenn ich etwas im Verlauf meines Lebens gelernt habe, dann, dass wir mit viel mehr denken als nur mit dem Verstand. Wir denken auch mit dem Körper, mit den Empfindungen, die wir haben, und mit unserer Zeitvorstellung.

Dass Kyros ein paar Seiten weiter stirbt und sein Körper in einen Trog mit Menschenblut getaucht wird, hat anscheinend nichts mit der Geschichte vom Fluss Gindes zu tun. Und doch sagt mir irgendwas, dass dem nicht so ist.

Wir sehen nicht nur mit den Augen. Wir denken nicht nur mit dem Gehirn.

33. Was sie wussten

Mir war bewusst, dass wir in Gefahr waren. Es war klar, dass die Militärs ihre Gegner verfolgten, insbesondere die Peronisten und die Linken, oder die, die beides waren, eine weite

Definition, die Papa, Mama und die Onkel und Tanten einschloss. Es war klar, wenn sie uns fänden, würden sie uns verhaften, so wie sie Papas Sozius verhaftet hatten. Und es war klar, dass es zu extremer Gewalt führen könnte. Die Kugeln, die Onkel Rodolfo getötet hatten, stammten nicht aus seiner eigenen Waffe, sofern er überhaupt eine in der Hand hatte, als er starb.

Aber die Gefahr war nur eine Erwägung am Rande. Papa war schon einmal für ein paar Tage von zu Hause verschwunden, zwischen 74 und 75, als die Triple A an Macht gewonnen hatte, und er war nach kurzer Zeit gesund und munter zurückgekehrt, überzeugt, dass der Sturm sich gelegt hatte. Das Leben ging weiter. Es passierte nichts Schwerwiegendes. Politik. Man beteiligt sich, geht zu Märschen, singt, hält Reden, wählt. Manchmal bekommt man Applaus und manchmal Prügel.

Diesmal schien es ernster zu sein – zum ersten Mal waren der Zwerg und ich betroffen –, aber so gravierend auch wieder nicht. Jetzt mussten wir eben alle für ein paar Tage verschwinden, bald würden wir nach Hause und zu unseren Betätigungen zurückkehren, und alles wäre wie vorher, Militär hin oder her.

Was mich am meisten störte und mich tagaus, tagein beschäftigte, war die Unterbrechung des Alltäglichen. Dass ich gezwungenermaßen meinen gewohnten Unternehmungen mit Bertuccio nicht nachgehen konnte. Dass ich gezwungenermaßen fern von meinen Dingen war, die nicht mehr einfach zur Hand waren und die ich nicht mehr benutzen konnte, wann und wie ich wollte. Dass ich gezwungenermaßen fern von meiner kleinen Welt war, meinen Straßen, meinen Nachbarn, meinem Ladenbesitzer, meinem Kioskbesitzer, meinem Klub. Dass ich gezwungenermaßen von meiner gewohnten Empfindungswelt getrennt war: dem

Geruch meiner Bettlaken, dem Boden, den ich beim Aufstehen unter meinen Füßen spürte, dem Geschmack des Wassers aus dem Hahn, dem durch den Patio dringenden Hämmern der Tischlerei, dem Anblick des Beetes mit Mamas Blumen, der rauen Oberfläche des Schalters an meinem Fernseher.

Der Aufenthalt im Landhaus hätte wie unorganisierte Ferien sein können – das erste Wochenende verbrachten wir mehr Zeit mit Papa und Mama als in den Monaten davor –, aber es war schwer zu vergessen, dass man uns dazu gezwungen hatte. Geplante, erträumte, vorgesehene Ferien waren eine Sache. Es war etwas ganz anderes, zu verschwinden und an einem anderen Ort bleiben zu müssen, ganz gleich wie golden er sein mochte, bis der Schleier sich hebt und man uns unser Leben zurückgibt.

Viele Jahre lang, während ich in Kamtschatka lebte und mich vor den wilden Bären in Acht nahm, dachte ich, ich hätte den Tunnel dieses Winters 76 mit geschlossenen Augen durchquert. Schließlich wurde mir klar, dass Papa und Mama die Reise fast so blind angegangen waren wie ich. Ihre politische Entscheidung war klar und eindeutig, und sie haben sie nie verleugnet. Aber bis zum 24. März 1976, dem Tag des Militärputsches, hatten sie gewusst, woran sie sich zu halten hatten. Danach nicht mehr.

(Die Diktatur begann an einem 24. März. Houdini wurde an einem 24. März geboren. Die Zeit ist merkwürdig, und alles geschieht gleichzeitig.)

Die Machtergreifung durch die Diktatur veränderte die Spielregeln. Meine Eltern sahen um sich herum nur Schatten. Sie wussten, dass man sie suchte – ihre Mitstreiter wurden auch gesucht –, aber sie wussten nicht, was mit denen passierte, die in die Hände des Repressionsapparates fielen. Sie lösten sich schlichtweg in Luft auf. Ihre Familienangehörigen fragten nach ihnen, aber auf den Revieren, in den Kasernen und bei den Gerichten behauptete man, nichts darüber zu wissen. Es gab keinen gültigen Haftbefehl und auch keine formellen Anklagepunkte. Ihre Namen tauchten auf keiner Gefangenenliste auf. Eine Woche nach der Verhaftung von Papas Sozius wusste niemand, wo er abgeblieben war.

Die Anfangsmonate waren Monate der Verwüstung. Viele Leute glaubten, es genüge, sich aus dem politischen Leben zurückzuziehen, und sie würden in Ruhe gelassen. Sie holten sie aus ihren Wohnungen. Alle öffentlichen Orte waren gefährlich, Bars und Kinos, Restaurants und Theater, denn die Razzien konnten an jedem Ort und zu jeder Uhrzeit erfolgen. Ohne Ausweis auf die Straße zu gehen war gefährlich, denn wenn man sich nicht ausweisen konnte, war das Grund genug, auf dem Revier zu landen. Aber mit Ausweis auf die Straße zu gehen war noch gefährlicher, denn dann kam man gar nicht erst auf das Revier; man wurde identifiziert, verhaftet, und puff, man löste sich in Luft auf.

Diejenigen, die dachten, der Repressionsapparat würde eine klare Linie verfolgen und Grenzen anerkennen, irrten sich ebenfalls. In den ersten Apriltagen traf Papa einen befreundeten Rechtsanwalt, Sinigaglia, der ihm bei einem Kaffee sagte, von jetzt an – so dachte er – würden die Dinge ins rechte Gleis kommen. Sinigaglia erklärte, der natürliche Respekt der Militärs vor Formen und Statuten würde sie dazu bringen, die Repression zu legalisieren, die nach Gutdünken agierenden Polizeieinheiten abzuschaffen und die Listen der Verhafteten öffentlich zu machen. Papa dachte, das entbehre nicht einer gewissen Logik, aber trotzdem riet er ihm, sich von den Gerichten fern zu halten. Sinigaglia verwarf diesen Gedanken. Er sagte, man habe ihn schon tausendmal bedroht, und er würde nicht damit aufhören, politische Gefangene zu verteidigen und Habeaskorpusakten vorzulegen.

Ich erinnere mich gut an Sinigaglia. Ein großer Mann mit einer steifen Pomadenfrisur, dessen antiquierter Stil in Sachen Anzüge ihn weit älter wirken ließ, als er war. Zu mir sagte er immer Kleiner, was machst du, Kleiner, wie geht's dir, Kleiner, und dann fuhr er mir durchs Haar, vermutlich, weil ihn die widerborstige Mähne irritierte, die das genaue Gegenteil von seiner Frisur war.

Sinigaglia fiel als Erster. Sie holten ihn in einem Auto ohne Nummernschilder. Ich sehe ihn vor mir, wie er leidet, weil der Anzug von der Schubserei Schaden nimmt, und er zu mir sagt, schau dir das an, Kleiner, warum so ein Aufstand, das ist doch gar nicht nötig.

Dann fiel Roberto, an einem Morgen, an dem Papa nicht in die Kanzlei gegangen war. Wäre er dort gewesen, hätten sie auch ihn mitgenommen. Ligia, seine Sekretärin, sagte, die Männer, die Roberto abholten, hätten ihn in ein Auto ohne Nummernschilder gezerrt. Als sie die Männer beschreiben sollte, sagte Ligia, es seien Rüpel gewesen. Sie hätten den armen Doktor vor sich hergestoßen, wie einen gewöhnlichen Verbrecher, sagte Ligia, die ebenfalls von der alten Schule war.

Papa wollte kein weiteres Risiko mehr eingehen. Am selben Morgen verließ ich die Schule, mitten in dem Film über das Geheimnis des Lebens.

Mama fühlte sich sicherer. Die gewerkschaftliche Verbindung, die sie an der Universität anführte, nannte sich unabhängig. Es war keine peronistische Gruppierung, im Gegenteil, sie hatte sich während der Wahlen mit dem Peronismus angelegt. Geschützt durch die Neutralität ihres Berufs und ihre Neigung, alles mit logischen Sätzen und wissenschaftlichen Argumenten zu belegen, glaubte Mama, sie würde den Sturm ohne größere Unannehmlichkeiten überstehen.

Aber jeden Tag bekam sie dieselben Geschichten zu hören. Professoren und Studenten verschwanden einfach von der Bildfläche. Von einigen hieß es, man habe sie abgeholt, die Vorgehensweise war immer dieselbe: bis an die Zähne bewaffnete Leute in Zivil, die in Autos ohne Nummernschilder herumfuhren. Andere verschwanden einfach, und man hörte nie mehr etwas von ihnen. Die Listen der einzelnen Fächer füllten sich mit Abwesenden.

In jenen Apriltagen fing genau an der Grenze des Landhauses für Papa und Mama die Welt der Schatten an. Das Bild der Insel, das Mama uns als visuelle Hilfe vorgeschlagen hatte, bekam ein Eigenleben und begann sie zu verfolgen, wie der hölzerne Christus den entsetzten Marcelino. Jenseits des Landhauses gab es nur Ungewissheit, gefährliche Gewässer und undurchdringlichen Nebel. Sie wollten mit bestimmten Leuten sprechen und mussten feststellen, dass sie wie vom Erdboden verschluckt waren. Bei manchen Telefonen ging nie jemand ran. Bei anderen stritten die Angerufenen alles ab. Die Information wurde fragmentarisch, ungenau. Sie bekamen Einschätzungen der Lage, die sie nicht mit der Wirklichkeit, die sie zu sehen glaubten, in Einklang bringen konnten. Inmitten dieses dichten Nebels fiel es ihnen immer schwerer, einzuschätzen, was sie tun und woran sie sich halten sollten.

Und so kehrte Mama an ihren Arbeitsplatz zurück. Sie wollte zumindest eine direkte Verbindung zu dem haben, was vor sich ging. Vom Labor aus konnte Mama sprechen, Fragen stellen, Treffen organisieren und eine bescheidene politische Aktivität aufnehmen.

Wenige Tage später wurde auch Papa von der Unruhe

erfasst, und auch er beschloss, zu seiner Arbeit zurückzukehren.

Die Frage war, was sie mit uns machen sollten.

34. Die Matilde-Variante

An einem Samstag holten wir mit Mama Großmutter Matilde ab. Die Idee war, dass Großmutter mit uns das Wochenende verbringen sollte und am Sonntagabend wieder in ihre Wohnung gebracht würde. Wir wussten nichts davon und die Großmutter auch nicht, das ganze Unternehmen war eine geheime Mission. Papa und Mama wollten uns auf die Probe stellen. Sie wollten wissen, ob sich die Großmutter mit der Aussicht, mit uns zusammenzuleben, abfinden würde. Wären wir über diese Absichten informiert gewesen, hätten wir deutlich gemacht, dass wir einer genauso großen, wenn nicht gar noch größeren Gefahr ausgesetzt wären, wenn man uns der Großmutter allein überließe.

Großmutter Matilde gehört zu den Menschen, die glauben, ihre elterliche Pflicht ende an dem Tag, an dem ihre Kinder das Haus verlassen. Alle Fotos von Mamas Hochzeit zeigen sie strahlend unter ihrem Hut, nur dass die Fotografierten immer in die Kamera schauen und Großmutter nicht, so als feierte sie ihr eigenes Fest. Von da an verbrachte Großmutter ihre Zeit damit, durch die Welt zu reisen, mit ihren Freundinnen Canasta zu spielen und auf jede Wohltätigkeitsveranstaltung zu gehen, über die sie stolpert.

Einmal las ich einen Comic von Mafalda, in dem Susanita, das Mädchen, das nur daran denkt, eine gute Partie zu heiraten und eine traditionelle Familie zu gründen, eine ihrer Zukunftsvisionen darlegt. Sie stellte sich vor, wie sie sich mit anderen wohlhabenden Damen zu einem vorzüglichen Tee mit Gebäck und anderen Köstlichkeiten bei einer Wohltätigkeitsveranstaltung trifft, bei der es darum geht, Polenta, Reis «und all diesen Mist, den die Armen essen», zu sammeln. Ich erinnere mich, dass ich Mama den Comic zeigte und sagte, schau mal, Großmutter Matilde als kleines Mädchen. Mama machte hihihi, womit sie ihre Zustimmung zeigte und sich kompromittierender Kommentare enthielt, und dann las sie weiter Zeitung. Aber später, als sie glaubte, sie wäre allein, hörte ich sie wieder hihihi machen, während sie Zwiebeln hackte, und ein weiteres hihihi, als sie sich in ihr Zimmer zurückgezogen hatte, und ich denke, sie hat hihihi gemacht, bis sie eingeschlafen war.

Großmutter rief so gut wie nie an. Sie tauchte nur an unseren Geburtstagen bei uns auf. Ihre Anwesenheit machte uns alle leicht beklommen (Papa selbstverständlich eingeschlossen), insbesondere das Geburtstagskind, weil wir nie wussten, wie wir uns für das Paar Strümpfe, die Unterhose oder die Taschentücher bedanken sollten, denn darauf beschränkte sich ihre Geschenkpalette. Immer wenn wir zu ihr gehen mussten – im Normalfall an ihrem Geburtstag –, hatte sie die ganze Zeit ein Auge auf uns, damit wir nicht das Klavier öffneten, die Deckchen nicht durcheinander brachten und die Füße nicht auf die Louis-Wasweißich-Stühle legten.

Allein die Aussicht, mit Großmutter die lange Hin- und Rückfahrt im Citroën zu machen, war schon ein Drama für sich. Großmutter hätte sich lieber chauffieren lassen, aber Mama hatte ihr gesagt, das sei unmöglich, sie könnte ihr aus Sicherheitsgründen die Adresse des Landhauses nicht geben. Großmutter war, wie zu erwarten, pikiert. Du vertraust nicht mal deiner eigenen Mutter, protestierte sie. Mama sagte ihr, es sei keine Frage des Vertrauens, sondern der

Vorsicht: Wenn sie ihr diese Information nicht gäbe, geschähe das zu ihrem Schutz. Angesichts dieser Äußerung töchterlicher Liebe hätte jeder andere kapituliert, nicht so Großmutter Matilde; der Krieg hatte gerade erst angefangen. Wie kannst du meinem Chauffeur nicht trauen, sagte sie trotzig, der mich überall hinbringt?

Großmutter roch nach widerwärtigen Cremes und Haarspray. Die Cremetiegel und die riesige Flasche Haarspray waren fester Bestandteil ihrer Handtasche. (Diese Information verdanke ich dem Zwerg.) Als Mama ihr vorschlug, sie solle sich die Augen verbinden und zur Tarnung eine Sonnenbrille aufsetzen, war Großmutter außer sich. Wieso sollte sie sich eine perfekte Frisur ruinieren, für die sie extra um acht Uhr aufgestanden und zum Friseur gegangen war, und das an einem Samstag? (Großmutter gehört zu den Menschen, die sogar zum Friseur gehen, wenn sie in ein Landhaus fahren.) Mama sagte, dann solle sie sich während der Fahrt ducken, die Brust gegen die Beine gedrückt und den Kopf zwischen den Beinen. Großmutter willigte sofort ein, weil sie glaubte, so bleibe ihre Frisur unversehrt. Aber der Zwerg und ich wussten es besser.

Ich bin überzeugt, wenn sie in Houston die Astronauten trainieren, damit sie sich an die Schwerkraftveränderungen gewöhnen, dann verwendet die NASA bestimmt einen alten Citroën. Die Kombination aus dem eigenartigen Geruckel des Wagens und dem Verhalten der Federn in den Sitzen unterwirft den Körper einer Reihe gegenläufiger Kräfte, ähnlich wie die, stelle ich mir vor, die man verspürt, wenn man innerhalb weniger Minuten Zonen mit und ohne Schwerkraft durchquert. Und wenn dann am Steuer des Lenkrads noch ein ruckartig bremsender und Gas gebender Fahrer sitzt – wie Mama zum Beispiel –, multipliziert sich die Wirkung um ein Tausendfaches.

Großmutter musste eine Stunde lang ihre Schuhe in Großaufnahme betrachten, in alle Richtungen schwankend und an sich selbst abprallend, wenn Mama bremste. Das ist mehr, als ein Seemann aushalten kann. Der Zwerg und ich lachten bei jedem halsbrecherischen Manöver von Mama, besonders wenn Großmutter gerade sprach, denn dann erstickte ihre Stimme, als würde jemand auf ihrem Bauch herumspringen, und es hörte sich an wie der Gallo Claudio.

Aber es war ein unterdrücktes Lachen; wir warteten auf den einen voraussehbaren Moment. Und er kam mitten auf dem Weg, eine Ampel hatte nicht auf Rot umgeschaltet, und ein LKW fuhr mitten auf die Kreuzung. Mama stieg in die Eisen, und Großmutters Frisur prallte auf das Handschuhfach und fiel in sich zusammen.

Das Leben ist ungerecht, aber es hat seine Momente.

35. Das Experiment schlägt fehl

Großmutter Matilde war nicht für den Aufenthalt in der Natur geboren. Einmal in dem Landhaus angekommen, ging sie erst wieder in den Garten, als es nach Hause ging. Es störten sie die Fliegen und die Ameisen. Es störte sie, mit Absätzen über die Wiese zu laufen. Es störte sie die Sonne, die ihrer Haut schadete. Es störten sie die Kröten, deren bloßes Gequake ihr schon Schauer über den Rücken jagte. Und das Schwimmbecken war für sie wie der Ganges, dunkel von der Asche und den Toten.

Drinnen erging es ihr nicht viel besser. Großmutter sagte, der Wohnraum wäre wie ein amerikanischer Markt, die ausgemusterten Möbel wären an den Meistbietenden zu verkaufen. Das ist eine Zigeunerbehausung, murmelte sie, wenn sie den höchsten Grad an Missfallen zum Ausdruck bringen wollte.

Aber Papa und Mama waren entschlossen, das Experiment erfolgreich abzuschließen. Aus diesem Grund überließ Papa der Großmutter seinen Platz in dem großen Bett und schlief bei uns, für uns war das toll, aber für Mama ein Erlebnis der besonderen Art. Mit der eingecremten Großmutter das Bett zu teilen, musste so sein, als schliefe man mit einem Provolone-Käse im Arm.

Zu allem Übel weigerte sich Großmutter, die Küche zu betreten, denn sie betrachtete sich als Gast, und die Küche ist das Territorium des Gastgebers. Das hinderte sie nicht daran, Bemerkungen über Mamas Essen zu machen. In diesen Momenten geriet die übliche Dynamik des Abendessens völlig durcheinander. Gewöhnlich trug Mama das Essen auf, und Papa schluckte opferbereit die ersten Bissen herunter, wie es sich für einen guten Ehemann gehört; ich leistete passiven Widerstand, und der Zwerg schlang alles hinein wie das Nilpferd von *Pumper Nic*. Aber die Anwesenheit der Großmutter brachte alles aus dem Lot, und es entstanden Situationen wie diese:

«Was ist das?», fragte Großmutter und stocherte mit der Gabel in ihrem Teller mit braunem Eintopf herum.

«Das ist Gulasch», sagte Mama mit einem leichten Zittern in der Stimme.

«Gulasch ist ein ungarisches Gericht», erklärte mir Papa, da trieb Großmutter mich unerwartet in die Enge: «Weißt du, was Gulasch auf Ungarisch heißt?»

«Nein, Großmutter.»

«Aufgewärmte Reste!»

Großmutter verwendete stinkende Cremes, Unmengen Haarspray, sie war etepetete und rücksichtslos, aber auch intelligent und gebildet, und sie gebrauchte ihre Zunge wie eine fünfschwänzige Peitsche; sie traf nie nur eine Stelle.

Mama und Papa taten alles, um das Desaster zu vermeiden. Wenn es fast zum Knall kam, zum Beispiel als die Großmutter sich des Fernsehers bemächtigte und uns die Serien, die Zeichentrickfilme und die Superaction am Samstag vorenthielt, versuchten Papa und Mama uns zu entschädigen, um das heikle Gleichgewicht aufrechtzuerhalten. Unverzüglich wurden eine Partie TEG, neue Zeitschriften, Kinobesuche und Unterseespiele angeboten. Alles, was wir sofort haben konnten, nahmen wir, und der Rest kam auf die Sollseite. Aber als es am Samstag dunkel wurde, hatten Papa und Mama all ihren Kredit aufgebraucht. Sie konnten uns nur noch anbieten, was im Landhaus war, und in uns keimte der Verdacht, dass wir ein Gutteil des Zugestandenen wohl niemals eintreiben würden.

Da kam das Abendessen und mit ihm das Gulasch.

Dann ertönte der Pfiff, der den Beginn der Halbzeitpause ankündigte. Die lokale Mannschaft zog sich mit zwei Gegentoren und dem Gefühl der bevorstehenden Niederlage in die Umkleideräume zurück.

Wir sagten Mama fast schuldbewusst gute Nacht. Wir übergaben sie den Löwen. Und dem Provolone-Käse.

Uns war immer klar, dass Mama und Großmutter Matilde sich nicht vertrugen. Aber wir hatten sie nie über mehrere Stunden zusammen gesehen. Bei den Geburtstagen gab es immer irgendwelche Ablenkungen, zumindest für uns. Dieses Wochenende war in der Hinsicht sehr aufschlussreich. Die Überdosis Matilde ließ keinen Zweifel daran.

Anders als wir immer geglaubt hatten, hatte auch Mama ihren Explosionspunkt.

36. Ungeheuer

Wir konnten lange nicht einschlafen. Mit Papa im Zimmer, der Zwerg und ich in einem Bett zusammengepfercht und Mama in den Klauen von Großmutter Matilde, standen die Zeichen nicht gerade auf Entspannung. Im Dunkeln wanderten die Gedanken.

«Großmutter ist unerträglich», sagte ich.

«Findest du?», fragte Papa, der immer noch träumte.

«Großmutter hat die Tasche voller Cremes», sagte der Zwerg. «Großmutter sprüht sich Flit aufs Haar.»

«Und wenn wir warten, bis sie eingeschlafen ist, und Mama herholen?», fragte ich.

«Würdest du in die Höhle des Ungeheuers gehen?», sagte Papa.

«Es gibt keine Ungeheuer!», schrie der Zwerg und machte sich hinter mir ganz klein.

«Es gibt Ungeheuer, die mag ich», sagte ich. «Frankenstein rührt mich. Der Dracula in den alten Filmen ist zum Schreien komisch. Aber die Mumie macht mir Angst.»

«Die von Boris Karloff?»

«Die von *Titanenkampf*. Ana ist mit mir in den Film gegangen, und in der Nacht habe ich bei Licht geschlafen.»

«Macht das Licht an!», flehte der Zwerg.

«Einmal, als wir in Santa Rosa de Calamuchita waren, dachte ich, mich hätte ein Vampir gebissen», sagte ich. «Erinnerst du dich nicht, dass ich dich geweckt habe?»

«Ehrlich gesagt, nein.»

«Ich stellte fest, dass ich etwas Komisches am Hals hatte, wie zwei Bisswunden, eine neben der anderen. Das Haus war dunkel, und alle schliefen, der Wind pfiff ...»

«Macht das Licht an!»

«Ich habe dich wachgerüttelt, Papa, Papa, ich glaube, mich hat ein Vampir gebissen …»

Papa lachte sich halb tot.

«Du hast mir keine Beachtung geschenkt! Und es stimmte!»

«Es gibt keine Ungeheuer!»

«Doch, es gibt Ungeheuer!», sagte Papa. «Aber normalerweise haben sie weder Reißzähne noch Schrauben am Hals. Ein Ungeheuer ist nicht unbedingt jemand, der wie ein Ungeheuer aussieht, sondern vielmehr jemand, der sich wie eines verhält.»

«López Rega», sagte ich.

«Zum Beispiel.»

«Das Walross Onganía.»

«Auch der.»

«Und Großmutter Matilde.»

«Uups! Das kann man so nicht sagen.»

«Großmutter ist nicht böse!», protestierte der Zwerg.

«Es gibt Ungeheuer ersten Ranges und kleinere», sagte Papa.

«Aber sie behandelt Mama schlecht», argumentierte ich.

«Das muss nicht heißen, dass sie sie nicht liebt.»

«Man kann einen Menschen nicht lieben und ihn schlecht behandeln.»

«Da irrst du dich. Viele Leute behandeln die Menschen schlecht, die sie lieben.»

«Die sind verrückt.»

«Großmutter ist nicht verrückt!», sagte der Zwerg.

«Ich weiß, es klingt unlogisch, aber es ist so», sagte Papa. «Manche Leute versuchen die, die sie lieben, zu kontrollieren, oder sie wollen, dass die anderen sich ihrer Liebe nicht sicher sind oder sich unterlegen fühlen oder unwürdig. Damit richten sie viel Schaden an, aber im Grunde genommen sind es arme Leute. Sie haben Angst, verlassen oder nicht geliebt zu werden.»

«Hat Großmutter Angst, dass Mama sie verlässt?»

«In gewisser Weise.»

«Da kennt Großmutter Mama aber nicht.»

«Dem kann ich zustimmen.»

«Natürlich kennt Großmutter Mama, du Blödmann!», schrie der Zwerg. «Sie hat sie in sich gehabt!»

Ich fragte Papa nach dem Leben von Großmutter Matilde (im Allgemeinen glaubt man, die Großeltern wären immer so alt gewesen), und er erzählte mir auch etwas. Was er mir damals sagte und was ich herausfand, als ich bereits in Kamtschatka war, werde ich im folgenden Kapitel berichten.

37. Die eisige Lady

Alle Geschichten laufen im Kern auf dasselbe hinaus: Großmutter Matilde war nicht Mamas Mutter.

Ich will hier nicht die Tatsache bestreiten, dass sie ihre biologische Mutter war. Wie der Zwerg betont hatte, war Mama in der Großmutter gewesen, und das war das gesamte erforderliche Kurrikulum, um ihr das Diplom zu erteilen. Die Geschichten zielen auf eine feinere Unterscheidung ab. Eine Frau kann ein Kind empfangen, austragen, gebären und nähren; sie kann es mit Kleidung versorgen, ihm eine Ausbildung sichern und zu seinen Schulfesten gehen; sie kann das Studium finanzieren, ihm ein Dach über dem Kopf geben und es zum Altar begleiten, wo sein Leben als Erwachsener beginnt. Die Mehrheit der Frauen, die sich so entfalten, sind in der Tat Mütter im wahrsten Sinne des

Wortes. Aber es gibt auch die Möglichkeit, dass jemand alles Erforderliche tut, ohne dahinterzustehen. Jemand, der sich aus Liebe zur Form an die Form hält, aber ohne die Leidenschaft, die wir für untrennbar von der Aufgabe halten.

Mein Großvater war ein schüchterner, fleißiger Mann, geblendet von der Heuchelei meiner Großmutter, der nur dafür lebte, ihre Forderungen zu erfüllen. Alles deutet darauf hin, dass er lebte, um Geld zu verdienen. Als er viel davon hatte, wollte er sich zurückziehen und das Leben genießen, aber meine Großmutter ließ ihn nicht; das erschien ihr verantwortungslos.

Ob er Gefühle für seine Frau hatte, muss er für sich behalten haben, denn für meine Großmutter waren Gefühle nicht Teil der ehelichen Gleichung. Und die Liebe für ihre Tochter verteilte er mit der Pipette, hinter dem Rücken der Großmutter, die jede Art von Herzlichkeit ablehnte, weil sie sie für geschmacklos und kontraproduktiv für die gute Erziehung hielt. Mein Großvater starb mit 48 Jahren, als Mama gerade 17 war. Er war noch jung, aber die Verbindung von viel Arbeit und wenig Liebe ist Gift. Als sein Körper sagte, es reicht, blühten seine Geschäfte – ein Autohaus von Chrysler, eine Werkstatt –, außerdem besaß er üppige Konten bei verschiedenen Banken. Meine Großmutter fand, der Großvater hatte seinen Teil der Abmachung erfüllt, und lebte weiter ihr Leben.

Nach Großvaters Tod war sie so gut wie nie zu Hause. Sie reiste viel, gewöhnlich nach Europa. Wenn sie in Buenos Aires war, ging sie jeden Tag aus, zum Tee, ins Theater, Canasta spielen oder um sich von einer Reihe Freier den Hof machen zu lassen, von denen einige so jung waren, dass sie Mamas Freunde hätten sein können. Großmutter machte sich nicht die Mühe, sie zu verstecken. Sie holten sie zu

Hause ab, oder sie brachten Blumen, Pralinen, Halsketten. Mama öffnete ein paarmal die Tür, und am Ende weigerte sie sich; von da an fiel die Tür ausschließlich in den Verantwortungsbereich von Mary, dem Hausmädchen.

Großmutter war zu klug, um nicht zu merken, dass viele in ihr nur eine reiche Beute sahen – Grundbesitz, Geschäfte, Bankkonten –, und deshalb heiratete sie nicht wieder. Aber sie war nicht sensibel genug, um zu begreifen, wie sehr Mama das jugendliche Alter ihrer Freunde verwirrte. Sie hatten schon über die Neigung der Großmutter gestritten, theatralische Auftritte in Kleidern à la Brigitte Bardot oder Claudia Cardinale zu inszenieren, wenn Mama Freunde mit nach Hause brachte. Dieser Zusammenstoß war lautstark und zwecklos gewesen. Großmutter hatte ihr Recht verteidigt, sich zu kleiden, wie es ihr beliebe, hinzugehen, wo sie wolle und mit wem sie wolle. Sie glaubte, Mama wollte mit ihr in einen Machtkampf treten, den sie nicht bereit war zu verlieren. Dabei wollte Mama nur eine Mutter.

Von da an war Mama überzeugt, die Heirat wäre ihr einziger Ausweg. Der legendäre Verlobte war zu kleinmütig, verschlossen und gehemmt, um Großmutters Verführungsgelüste zu wecken. Dann tauchte Papa auf, der sie zum Lachen brachte, ihr aufmerksam zuhörte und sie liebte, anstatt sie zu bewerten, und da war Mama klar, dass sie weit mehr als einen Ausweg gefunden hatte.

Papa zufolge war Mama ein Nervenbündel in den Tagen vor dem berühmten Abend, an dem er der Familie vorgestellt werden sollte. Während des Essens weigerte er sich, Großmutter Mati zu nennen, wie sie es verlangte, und bestand darauf, sie mit Señora anzusprechen. Großmutter schien beleidigt wegen der Ansprache, die sie an ihre Position und ihr Alter erinnerte, aber sie konnte sich der herzlichen Segnung nicht entgegenstellen, die der Rest der

Familie über Papas Stirn ergoss. Mit Ausnahme von Großmutter hatten alle gesehen, wie glücklich Mama in seiner Gesellschaft war.

Ich weiß, dass dieses Bild Großmutter Matilde nicht gerade in einem günstigen Licht zeigt. Aber sie ist mehr als das Ungeheuer, das ich hinter ihr vermutet habe, sie ist die traurigste Figur dieser Geschichte. Vielleicht ist dies der Moment, um Ihnen zu sagen, obwohl Sie sie in dieser Anhäufung von schlechten Eigenschaften nicht wiedererkannt haben, Sie kennen sie auf jeden Fall. Sie haben von ihr gehört, gelesen, Sie haben sie im Fernsehen gesehen und ihren Kampf beklatscht. Ich selbst würde sie nicht wiedererkennen, wenn ich ihrer Verwandlung nicht beigewohnt und mit eigenen Augen gesehen hätte, wie sie alterte und von Licht erfüllt wurde. Sie war es, die mir in Kamtschatka einen Großteil der Geschichte erzählte, die ich gerade wiedergegeben habe. Meine Großmutter, die mir sagte, warum sie meiner Mutter keine Mutter hat sein können, war die Tochter meiner Mutter und als solche von ihr geboren. Sie war es, die mir sagte, Mama habe ihr das Leben gerettet.

Und ich möchte festhalten, dass sie damit nicht den Sonntag meinte, an dem der Zwerg sie fast umgebracht hätte.

38. Tödliche Überraschung

Sonntag gegen Mittag hatten Papa und Mama sich bereits geschlagen gegeben. Es war klar, dass die Großmutter unter keinen Umständen akzeptieren würde, in diesem Landhaus zu bleiben, das ihr so unwirtlich erschien wie der Urwald am Amazonas. Und sie gingen auch nicht davon aus, dass sie uns in ihrem Haus voller Vasen, Glastierchen und makelloser Teppiche aufnehmen würde. Was den Zwerg und mich anging, so hatten wir, auch in Unkenntnis ihrer Absichten, unsere eindeutige Meinung über Großmutter Matilde. Wir kamen nur zum Essen mit den Erwachsenen zusammen. Den Rest des Tages hielten wir den Abstand so groß wie möglich.

Es gab ein leichtes Abendessen, und danach sollte Papa Großmutter nach Hause fahren. Ich erinnere mich an ein Gespräch über die allgemeine Lage der Dinge, und ich wunderte mich, da Großmutter äußerst extreme Ansichten vertrat. Wenn es nach ihr ginge, müsste man die Streitkräfte auflösen, die Halsabschneider lynchen und die Reichtümer des Landes gerecht aufteilen (das war die Großmutter von damals, entschlossen, überall den Ton anzugeben, ganz gleich in welchem Kontext: Sie musste die Anarchistischste, die Charmanteste, die Jüngste, die Frivolste sein), nur dass sie in diesem Fall auf den Champagner hätte verzichten müssen, und der Champagner ist doch so köstlich …

Der Zwerg, der schon vorher vom Tisch aufgestanden war, flüsterte mir ins Ohr, das Antisprungbrett wäre wirkungslos; er hätte eine weitere Kröte im Schwimmbecken gesehen. Verdrossen bat ich darum, mich zurückziehen zu dürfen, aber die Bitte wurde mir abgeschlagen. Mama wollte, dass ich ihr beim Abräumen half – etwas, das ebenso gut die Großmutter hätte erledigen können, wenn sie damals eine andere gewesen wäre –, danach hatte ich die Kröten vergessen, und dann fing das Verabschieden an, Großmutter verteilte nach Creme stinkende Küsse, fragte nach ihrer Tasche, und der Zwerg, ein Paradebeispiel an Weltgewandtheit, sagte, ich trage sie dir.

Das Geräusch des Citroën war schon in der Ferne verklungen, als ich zu dem Schwimmbecken ging, doch ich konnte nichts entdecken. Ich schaute noch einmal genau nach, fuhr mit dem Netz durchs Wasser. Da war keine Kröte. Ich rief den Zwerg, um ihm zu sagen, dass er sich getäuscht habe, und er sagte nein, die Kröte sei tot, er selbst habe die Leiche aus dem Wasser geholt.

«Wo hast du sie hingetan? Lass sie uns beerdigen.»

«Das geht nicht.»

«Warum nicht?»

«Weil sie schon weg ist.»

«Hast du sie begraben?»

«Ich habe sie weggepackt.»

«Wie, du hast sie weggepackt?»

Und da erklärte er es mir.

Mama wusch extrem langsam die Teller ab, die Hände in das warme Wasser getaucht, als ob das Zusammenleben mit der Großmutter ihr all ihre Energie geraubt hätte. Sobald sie mich in der Küche entdeckte, bat sie mich, ihr beim Abtrocknen zu helfen, dann würde es schneller gehen. Ich sagte ja, natürlich, aber erst müsste ich ihr etwas erzählen. Es sei dringend.

«Der Zwerg hat Großmutter einen Streich gespielt», sagte ich.

«Ganz schön mutig.»

«Hast du bemerkt, dass hin und wieder eine Kröte im Schwimmbecken ertrinkt?»

Mit dem Rücken zu mir stehend, hörte Mama mit dem Abtrocknen auf.

Der Zwerg hörte uns von der Tür aus zu, er stand mehr draußen als drinnen, im nötigen Sicherheitsabstand.

«Was hat er mit der Kröte gemacht?», fragte Mama in einem Ton, dem der *Eisige Blick* folgen würde.

«Er hat sie in die Tasche der Großmutter gesteckt. Vorhin. Sie hat sie gerade mitgenommen!»

Mama drehte sich zu uns um. Ich spürte, wie der Zwerg

hinter mir auffuhr, er hatte einen ordentlichen Schreck bekommen.

Sie sah uns einen Moment lang an, ihn, mich, dann wieder ihn, und dann brach sie in schallendes Gelächter aus.

«Sie wird einen Herzinfarkt bekommen!», sagte Mama, und die Tränen rannen ihr über die vom Dampf geröteten Wangen.

Ich seufzte erleichtert. Auch der Zwerg spürte, dass die Strafe erlassen war, und erschien in voller Größe im Türrahmen und vollführte diesen albernen Tanz, den er immer machte, wenn er sich für den coolsten Typ der Welt hielt.

«Sie wird einen Herzinfarkt bekommen», wiederholte Mama, während sie sich mit dem Tuch das Gesicht trocknete.

In dem Moment begriff sie das wahre Ausmaß ihrer Worte. Sie dachte an den Bluthochdruck der Großmutter, an das fettige Gulasch, an ihre Phobie vor allen Tieren. Sie dachte daran, dass Großmutter ihre Hausschlüssel immer im Mantel und nie in der Tasche hatte, und so war es wahrscheinlich, dass sie sie nicht aufmachen würde, bis sie allein war und ihre Cremes benötigte. Sie dachte, die Wendung, sie wird einen Herzinfarkt bekommen, könnte zu mehr als zu einem plakativen Synonym von Überraschung werden, zu einer Prophezeiung.

Als sie in das Wohnzimmer stürzte, dachte der Zwerg, es ginge ihm an den Kragen, und er ergriff die Flucht.

Mama versuchte ununterbrochen anzurufen, sie wählte und legte auf, wählte und legte auf. Sie hatte die Hoffnung, Großmutter würde das Telefon beim Hereinkommen gleich hören und rangehen, bevor sie mit der Hand in die Tasche langte.

Der Zwerg war nirgends zu sehen.

Viel später entdeckte ich ihn neben dem Haus, zwischen

einem Baum und dem Zaun, aufgeregt atmend. Und er wollte sich nicht vom Fleck bewegen, bis Mama mit einer weißen Flagge winkte und ihm zum zweiten Mal in seinem kurzen Dasein das Leben schenkte.

39. Notaufnahme

Das Krankenhaus lag wenige Blocks vom Haus der Großmutter entfernt, ein altes, aber gepflegtes Eckgebäude, das in Wirklichkeit gar kein Krankenhaus war. Papa zufolge war es ein Sanatorium.

«In einem Krankenhaus wird jeder umsonst behandelt», sagte Papa schnaufend, während wir durch den Haupteingang eilten und die Stufen hochliefen, mal eine, mal zwei überspringend. «Das ist ein Sanatorium. Sanatorien sind nicht öffentlich, sondern privat. Für eine Kur musst du hier ganz schön bluten.»

Der Zwerg hätte sich über den Ausdruck königlich amüsiert, wenn er nicht in Papas Armen eingeschlafen wäre.

Die Notaufnahme war auf der linken Seite. Es war weniger ein Warteraum als ein überfüllter Flur. Wartende Leute – ich erinnere mich an einen Mann im grauen Hemd, dessen Hand in ein blutverschmiertes Geschirrtuch gehüllt war –, hinderliche Metallgestelle für die Infusionen, irgendwelche Geräte unbekannter Verwendung und herumeilende dicke Krankenschwestern mit unfreundlichen Gesichtern.

Großmutter lag hinten auf einer Trage. Ihre Bluse war auf Brusthöhe geöffnet und gab den Blick auf ihren Bustier frei, ein obszöner Anblick. Sie hing an einem Tropf und einer Reihe von Apparaten, die regelmäßige Piepgeräusche und bunte Signale von sich gaben. Außerdem hatte man ihr eine

Nasensonde gelegt. Ich vermute, die Absicht war, sie dadurch atmen zu lassen, aber Großmutter atmete keuchend durch den offenen Mund.

Irgendetwas war mit ihrer Frisur passiert. Sie hatte noch die gleiche Form, das Volumen, den künstlichen Glanz, aber sie sah verschoben aus, als hätte der Scheitel um einige Grade seine Position verändert, so dass ein Ohr komplett verdeckt war und das andere freilag.

«Was tut ihr hier?», sagte Großmutter, als sie uns kommen sah.

Ich drehte mich um und wollte gehen, aber Papa hielt mich am Hals fest und zog mich zu sich.

Mama überhörte die einschüchternde Frage und nahm Großmutters Hand.

«Was hat der Arzt gesagt?»

«Blödsinn, wie alle Ärzte. Ganz ruhig, Señora. Ihr Zustand ist stabil, Señora. Ich kann Ihnen nichts sagen, bis wir Näheres herausgefunden haben, Señora. Ich verstehe nicht, warum sie mir keinen Schrittmacher einsetzen und mich endlich hier rauslassen!»

Das Ganze hatte sich wohl wie folgt abgespielt: Papa brachte Großmutter bis zur Haustür, wartete, bis sie hineingegangen war, und dann steuerte er den Citroën wieder Richtung Landhaus. Großmutter ist über die Garage ins Haus und in die Küche gegangen, um sich einen Tee mit Honig zu machen, und dann hörte sie das Telefon auf der anderen Seite des Hauses. Sie fragte sich, wer das um diese Zeit sein könnte. Weil sie ihre Tasche immer noch über der Schulter hängen hatte, beschloss sie, auf dem Weg zu ihrem Zimmer die künstlichen Wimpern abzunehmen und in ihr Etui zu legen.

Das Etui befand sich in der Tasche.

Als Mama zum hundertsten Mal wählte und plötzlich besetzt war, wusste sie, dass etwas passiert war. Sie versuchte ihr Glück noch ein paarmal, und dann sagte sie uns, wir sollten zum Zaun gehen und ihr Bescheid sagen, sobald wir in der Ferne den Citroën brummen hörten. Als Papa ankam, zwang sie ihn, ihr das Lenkrad zu überlassen, uns verfrachtete sie wie zwei Kartoffelsäcke ins Auto und raste los zur Großmutter.

Zum Glück war es Sonntagmitternacht, und die Strecke war nicht viel befahren. Was die Besonderheiten der Fahrt angeht, so mag ein Hinweis genügen: Einen Moment lang glaubte ich, die Karosserie würde abfallen und wir würden auf dem nackten Fahrgestell weiterfahren.

Mama hatte eine Kopie von Großmutters Hausschlüssel. Sie stürzte wie der Blitz ins Haus, sah die entzündeten Lichter, die Tasche auf dem Boden, das ausgehängte Telefon und, steif und grün auf dem Teppich, die Tatwaffe. Weil von Großmutter keine Spur zu sehen war, ging sie davon aus, dass sie selbsttätig das Haus verlassen hatte, um ihre Trumpfkarte zu spielen, indem sie in das private Sanatorium ging, an dem sie seit Großvaters Zeiten Teilhaberin war.

Néstor, dem «Botschafter ihres Vertrauens», zufolge, dessen Vorzüge so oft gepriesen wurden, hatte Großmutter ihn angerufen und ihm in zwei Sekunden die Sachlage erklärt. Néstor handelte schnell. Als er das Haus erreichte, stand Großmutter schon in der Tür. Er half ihr, bis zum Empfang des Sanatoriums zu gehen, wo Großmutter in der ihr eigenen Art auf die Theke trommelte und sagte, mal sehen, wann endlich jemand kommt, ich habe einen Infarkt.

Ganz so schlimm war es nicht, aber sie hatte einen Schock. Großmutter blieb auf der Liege unter Beobachtung und wartete auf das Ergebnis der Untersuchung.

Mama übergab Papa die Hausschlüssel und bat ihn, er möge die Lichter löschen und etwas Ordnung schaffen. Es war ein stillschweigender Befehl, und Papa hatte sofort begriffen: Mama wollte, dass er die Tatwaffe an sich nahm, damit Großmutter sie bei ihrer Rückkehr nicht wieder vorfand. Er machte sich sofort mit dem Zwerg auf dem Arm auf den Weg, der immer noch schlief oder so tat, um dem Zorn seiner Eltern zu entgehen.

«Warum geht ihr nicht alle?», fragte Großmutter. «Ich habe Luisa schon Bescheid sagen lassen. Sie muss jeden Augenblick da sein. Ehrlich, das ist mir lieber. Das Landhaus ist weit weg, und bis ihr zurück seid …»

«Ich rühr mich nicht von der Stelle. Wo du in diesem Zustand bist. Unter keinen Umständen», sagte Mama, keinen Widerspruch duldend. «Wie heißt der Arzt, der dich untersucht hat?»

«Es ist der mit dem Gesicht, als würde man ihm gerade einen Einlauf verpassen», sagte die Großmutter.

Mama ging, um mit ihm zu sprechen, und ich blieb bei Großmutter.

Wenn ich mich nicht irre, war es das erste Mal, dass Großmutter und ich allein waren, Auge in Auge, nur wir zwei. Es war nicht gerade die günstigste Situation. Das Umfeld wirkte aggressiv auf mich. Es roch stark nach Desinfektionsmittel und nach eingetrocknetem Schweiß. Alle Geräusche waren metallisch, Instrumente fielen in Schalen; auf einer anderen Liege wurde dem Mann mit dem Küchentuch die Hand genäht. Und die Schlacht, die Großmutter allem Anschein nach verlor, verwirrte mich ebenso. Wie sie so dalag, halb nackt, das Gesicht durch die Sonde verschandelt, verlor sie ganz schnell die Würde, die ihre Krone war, als würde sie verbluten.

«Du bist so ernst», stieß sie keuchend hervor. «Deine Mutter war auch so. Genauso ernst. Sie sah dich an. Als urteilte sie über dich. Das Gewissen der Welt. Was für ein

Mädchen. Ernst sein hilft nichts. Nichts. Du kriegst Falten. Du bist ein Nachdenklicher. Nicht wahr? Jetzt denkst du bestimmt, dass. Dass ich verrückt geworden bin. Kann sein. Was weiß ich, was sie mir geben. In meine Nase. Reinen Sauerstoff. Ich habe Blasen. Im Kopf. Champagner!»

Großmutter versuchte zu lachen, aber sie erstickte fast dabei.

«Du kennst mein Haus», sagte sie, nach Luft schnappend.

Natürlich kannte ich das.

«Findest dorthin? Die Adresse? Kennst du sie?»

Ich kannte die Adresse, und ich würde dorthin finden.

«Gut. Ganz gleich was. Du weißt schon. Ich bin da. Wenn sie draußen sind. All die Schläuche. Ich bin da. Ganz gleich was. Ich warte auf dich.»

Ich nickte wie eine Puppe, wild zustimmend. Ich wollte, dass Großmutter aufhörte zu sprechen. Ich hatte Angst, sie würde ersticken. Mama und der Arzt waren nicht da. Sie waren weggegangen. Ich trug die ganze Verantwortung.

«Kann ich dir etwas sagen? Was ich dir nie gesagt habe?», fragte Großmutter.

Sie hob eine Hand und strich mir über das Haar. Eine Hand mit einer Kanüle.

«Ich hab dich sehr lieb», sagte sie.

Das war meine erste Begegnung mit Großmutter, ausgelöst durch den Humor des Zwergs, das Ungeheuer in der Tasche und eine Überdosis Sauerstoff im Blut.

Als wir uns wiedersahen, war ich bereits in Kamtschatka.

Pause

Ich bin sehr allein und traurig
hier in dieser verlassenen Welt.
Ich habe eine Idee, ich gehe an den Ort,
den ich am meisten liebe.

TANGUITO, *Die Fähre*

Words support like bone.

Peter Gabriel, *Mercy Street*

Dritte Stunde: Sprache

f. Fähigkeit des Menschen, artikulierte Laute
zu verwenden, um sich auszudrücken:
«Die Erfindung der Sprache». / Sprechweise.
2. Landessprache

40. Auftritt Lucas

Lucas kam eines Nachmittags in dem Citroën mit Mama am Steuer. Wir warteten auf ihn. Oder besser gesagt: wir waren auf ihn vorbereitet. In den Tagen vor seiner Ankunft hatten der Zwerg und ich das Landhaus in eine für ihn uneinnehmbare Festung verwandelt.

Mama hatte uns sein Kommen ein paar Tage zuvor angekündigt. Da kommt ein Junge, sagte sie zu mir, einfach so, mir nichts, dir nichts. Er bleibt bei uns.

«Wollt ihr ihn adoptieren?»

«Nein, Dummkopf. Es ist nur für ein paar Tage. Er braucht einen Platz, wo er bleiben kann.»

Aber ich glaubte ihr nicht. Die Information kam schließlich von derselben Person, die vorgegeben hatte, dass der Besuch von Großmutter Matilde rein sozialer Natur war, obwohl es sich in Wahrheit um einen hinterhältigen Plan handelte, der unter anderem wegen der von Gott gesandten Kamikaze-Kröte fehlschlug. Wer sagte mir denn, dass es sich nicht wieder um eine Falle handelte und dass Mama und Papa nicht wieder versuchen würden, uns an die Anwesenheit des Eindringlings zu gewöhnen, um uns später zu beichten, dass sie ihn auf Dauer aufgenommen hatten? Dass dieser «Junge» auftauchte, zeigte doch, dass sie mit uns nicht zufrieden waren. Wir reichten ihnen nicht. Wir erfüllten die Erwartungen nicht. Sie brauchten noch jemanden. Verstehst du, Zwerg? Bestimmt ist er blond, du wirst sehen. Ein anständiger Junge, der immer schön bitte und danke sagt. Wetten, dass er nicht ins Bett pinkelt?

Der Zwerg schwor mir ewige Treue und erbot sich, bei dem Kampf mitzumachen.

Als Erstes verbarrikadierten wir unser Zimmer. Das Ziel war es, den Eindringling daran zu hindern, sich dort niederzulassen. Wenn Mama und Papa ein neues Kind wollten, dann sollten sie es mit zu sich nehmen. Wir bastelten Schilder aus Pappe, damit kein Zweifel aufkam, wem die Dinge gehörten. «Höhle von Harry und dem Heiligen» stand auf der Tür. Die Kopfenden der Betten waren ebenfalls mit Schildern versehen. Und der Schrank, auf der Außenseite der Tür. Zur Sicherheit hatten wir auch den Innenraum aufgeteilt, eine Hälfte für mich und die andere für den Zwerg. (Wir hatten zwar nichts aufzubewahren, aber man weiß ja nie.) Die Schublade wurde mit Stückchen von Scotch-Klebeband verschlossen, was uns ebenfalls daran hinderte, sie zu öffnen, aber es war ein Zeichen. Der Zwerg band seinen Goofy mit einem Bindfaden an das Bett, und immer noch unsicher, bat er mich um ein Schild, das er ihm ankleben wollte. Das letzte Schild hefteten wir an das Fliegengitter des Fensters, nach außen. *Beware of the dog* stand darauf, wie in den Zeichentrickfilmen der Warner Brothers. Unter die Buchstaben klebten wir das Bild des einzigen Hundes, den wir zur Hand hatten: Krypto, Supermans Maskottchen, der sah zwar nicht sonderlich wild aus, aber er hatte besondere Kräfte. Im Notfall, so hatten der Zwerg und ich vereinbart, würden wir unter das Bett kriechen und bellen, um so zu tun, als gäbe es tatsächlich einen Wachhund. Wir haben das sogar ein paarmal geprobt. Der Zwerg klang wie ein Welpe, was er ja auch war.

Die Vorkehrungen wurden auf den Außenbereich des Landhauses ausgedehnt. Wir nahmen die aus den Laponia-Eishölzchen gebastelten Kreuze von den Stellen, wo die Kröten begraben waren; wer weiß, ob der Eindringling nicht sogar ein Grabschänder war. Was das Antisprungbrett betraf, so wollten wir sagen, das hätten wir bereits so vorgefunden und wir wüssten nicht, wofür es da sei. Wir müssten seine Aufmerksamkeit von dem Schwimmbecken ablenken. Unser Rettungsprojekt, das dazu diente, neue Generationen intelligenter Kröten heranwachsen zu lassen, war zu bedeutend, um es irgendeiner Gefahr auszusetzen. Im Falle eines Verhöres würden wir nur die nötigste Information preisgeben: Name, Position und Seriennummer. Vicente, Simón. Internationaler Spion. Nummer 007. (Das war die einzige, die der Zwerg sich leicht merken konnte.)

Die ganze Aktion untergrub, was ich Mama versprochen hatte. Als sie mir die Ankunft des Jungen ankündigte, hatte sie mich gebeten, ihr zu helfen, dem Zwerg das schonend beizubringen. «Du weißt, wie er ist, wie ihn neue Dinge aufregen. Offen gesagt, verkraftet er das ziemlich gut, das arme Dickerchen. Meinst du nicht?» Ich nickte und dachte, dass der Zwerg wieder ins Bett gemacht und mich gebeten hatte, ihn nicht zu verraten. Und um dem Ganzen die Krone aufzusetzen, bombardierte sie mich mit dem *Entwaffnenden Lächeln.* Wie hätte ich mich da weigern können? Deshalb hatte ich keinerlei Gewissensbisse, als ich das Versprechen brach: Es war mir unter Nötigung abgerungen worden.

Als Lucas kam, entpuppten sich unsere Pläne als sinnlos.

Ich wartete in dem Werkzeugschuppen, von dem aus man unbemerkt den Platz überwachen konnte, wo sie den Citroën abstellten (zwischen den Zitronenbäumen, uneinsehbar). Am Eingang postiert, sollte der Zwerg mich vorwarnen und sich danach im Zimmer einschließen, bis ich an die Tür klopfte, dreimal schnell, zweimal langsam, unser verabredetes Zeichen. Wir hatten Proviant gesammelt, um uns so lange dort verschanzen zu können wie nötig: Schinken, Kekse, Käse und natürlich Milch und Nesquick.

Alles lief von Anfang an schief. Der Zwerg wurde es müde, auf seinem Posten zu bleiben, und ging ins Haus, um fernzusehen. Mama versteckte das Auto zwischen den Zitronenbäumen, und ich, anstatt den Feind auszuspionieren und mich ins Haus zu schleichen, blieb sprachlos in dem Schuppen sitzen, bis ich hörte, dass man nach mir rief.

Lucas war der größte Junge der Welt.

41. Das besetzte Haus

Er war gekleidet wie meine Freunde: Jeans, Flecha-Turnschuhe und ein tolles orangenes Hemd mit einem Motorrad auf der Brust und dem Schriftzug *Jawa CZ*, XL. Lucas war ein Riese. Er war über einsachtzig und damit um einiges größer als Papa und Mama. Er hatte eine himmelblaue Tasche mit der Aufschrift *Japan Air Lines* dabei und einen Schlafsack. Er war spindeldürr und hatte so lange Beine wie die Spinnen, von denen ich geträumt hatte, dass sie in dem geheimnisvollen Haus lebten. Er sah aus, als hätte man ihn auf der Streckbank lang gezogen, bevor er zu uns gekommen war, und als hätte er sich noch nicht an seine neuen Maße gewöhnt, denn er ging, als hätte man ihm Sprungfedern unter die Fußsohlen montiert. Und er hatte drei oder vier vereinzelte lächerliche pechschwarze Haare auf dem Kinn. Er war wie Shaggy, der von Scooby-Doo, aber finsterer. Shaggy, besessen von einem bösen Geist, Opfer des Wodu; Shaggy, bereit, deine Augen zu essen und durch die leeren Höhlen dein Hirn auszusaugen.

Mir blieb nichts anderes übrig, als Mamas Ruf zu folgen. Als ich ankam, war die Vorstellungsrunde fast beendet. Alle lächelten, bis auf den Zwerg, der auf allen vieren bis zu

Lucas' Schenkel reichte und mich mit dem Was-machen-wir-jetzt-Gesicht anschaute.

«Das ist Harry», sagte Papa.

Lucas streckte mir die Hand hin und sagte, er fände meinen Namen toll. Alle Besessenen versuchen einen guten Eindruck zu machen. Ich streckte ihm meine hin, damit er glaubte, ich wäre in seine Falle getappt.

«Ich möchte dir Lucas vorstellen», sagte Mama.

«Lucas wer?», fragte der Zwerg.

Papa, Mama und Lucas wechselten ein paar Blicke, und dann sagte Lucas:

«Lucas, nichts weiter.»

Dann sagte Papa, Lucas solle mitkommen, und er zeigte ihm das ganze Haus.

Der Zwerg wollte auch an der Expedition teilnehmen, aber ich hielt ihn mit einer Handbewegung zurück. Wir ließen die Erwachsenen gehen und liefen hinein, im Kampf gegen die Zeit.

In Sekundenschnelle rissen wir die Schilder ab. Der Zwerg verstand den Grund nicht ganz, aber seinem Gehorsamsschwur folgend, erfüllte er meine Befehle, ohne zu murren, während ich versuchte, ihm das Unerklärliche zu erklären.

Man hatte uns getäuscht. Lucas war kein Junge. Er war ein als Junge verkleideter Erwachsener, ein Simulant, ein Wächter, den sie angeheuert hatten, damit er ein Auge auf uns hatte, wenn Papa und Mama weggingen. Hätte es das Attentat auf das Leben von Großmutter Matilde nicht gegeben, hätten wir wenigstens sie dagehabt und gewusst, was uns erwartete. Aber jetzt waren wir einem Unbekannten überlassen. Einem Unbekannten mit Federbeinen und Drahtarmen. Hatten wir je jemanden gesehen, der sich so bewegte? Diese Art zu gehen war nicht menschlich. Schlimmer: sie imitierte das menschliche Verhalten. Womit wir auf den Spuren des Geheimnisses standen, das wir zu lösen hatten. War Lucas, was er zu sein vorgab und was Papa und Mama behaupteten? Oder war er in Wirklichkeit der Gesandte der dunklen Macht, entschlossen, uns zu versklaven, unser persönlicher Invasor?

Durch das Gewicht des Zweifels zum Schweigen verdammt, übergab mir der Zwerg die Schilder, die er abgerissen hatte, und fing an, mit dem Goofy zu spielen. Er warf ihn in das andere Ende des Zimmers. Ihm gefiel das Geräusch, das der Bindfaden machte, mit dem der Goofy immer noch an das Bett gebunden war, wenn er seine maximale Spannung erreichte und den Goofy mitten im Flug stoppte. Aber mir konnte er nichts vormachen. Das Spiel konnte seine Nervosität nicht verbergen.

Als ich darauf eingehen wollte, standen Mama und Lucas auf der Türschwelle.

«Lucas wird hier bei euch schlafen», verkündete sie.

Ich zerknüllte in meinen Händen die Pappkugeln von den Schildern.

«Ich kann im Esszimmer schlafen, wenn du willst», sagte Lucas zu Mama, als er unseren Verdruss bemerkte.

«Auf keinen Fall. Im Esszimmer zieht es wie Hechtsuppe», sagte Mama und verschwand einfach so aus dem Zimmer.

Das war ein Augenblick, der Jahrhunderte dauerte. (Die Zeit geschieht gleichzeitig, glaube ich.) Der Zwerg umarmte den Goofy, Lucas umarmte seinen Schlafsack, und ich zerknüllte die Pappe. Wir spielten Statuen, ohne uns das vorgenommen zu haben.

Der Zwerg brach das Eis. Sein kleiner Kopf ist auf die einzige Möglichkeit gekommen, wie wir Gewissheit erlangen konnten, und er setzte sie sofort um. Er ließ den Goofy auf dem Bett liegen, hob die Hände auf die Höhe seines Gesichtes und beugte immer wieder die kleinen Finger.

Lucas glaubte, es handle sich um einen Gruß. Er ließ den Schlafsack auf den Boden fallen und machte die Geste des Zwerges nach, indem er auch seine kleinen Finger beugte.

«Hallo Simón Vicente.»

«Hallo Lucas Nichtsweiter. Kannst du Nesquick machen? Komm mit, ich zeige es dir.»

Und dann ging er in die Küche mit Lucas im Schlepptau.

In wenigen Sekunden hatte der Zwerg herausgefunden, dass er kein Invasor war, und ihn auf der Seite der Menschen eingeordnet.

Ich war nicht so leichtgläubig. Ich wusste, dass es viele Arten von Invasoren gab.

Ich warf in einem Anfall von Wut die Pappestücke in die Luft und verkroch mich im Schrank.

42. Lob des Wortes

Anfangs dienten die Wörter dazu, zu benennen, was bereits existierte. Mutter. Vater. Wasser. Kälte. In fast allen Sprachen sind die Wörter, die diese Grundbestandteile des Lebens bezeichnen, ähnlich oder haben den gleichen Klang. *Madre* ist *'ummm* auf Arabisch, *Mutter* auf Deutsch, *mat* auf Russisch. (Die ganze Erde ist Erde.) Wörter hingegen, die menschliche Erfahrungen bezeichnen wie die Angst, klingen nirgendwo gleich: *Angst* ist nicht wie das englische *fear* und auch nicht wie das französische *peur*. Mir gefällt der Gedanke, dass wir uns mehr in den guten Erfahrungen als in den schlechten ähneln und dass folglich stärker ist, was uns verbindet, als das, was uns trennt.

Jede Sprache setzt eine Vorstellung von Welt voraus. Das Englische beispielsweise ist genau und scharfsinnig. Das Spanische tendiert zum Barocken. Offenkundig geben sie Antworten auf die Bedürfnisse der Völker, denn sowohl die eine als auch die andere Sprache haben den *test of time* überstanden. Hin und wieder nehmen die Mitglieder der Sprachakademie neue Wörter auf, die sich im täglichen Sprachgebrauch als tauglich erwiesen haben, oder sie akzeptieren Strukturen, die bis dahin als fehlerhaft galten, aber die neuen Wörter sind Blätter an einem dicht belaubten Baum und die Restrukturierungen wie Schnitte, die das Wachstum fördern; der Baum bleibt derselbe.

Trotz des fortgeschrittenen Alters der menschlichen Sprache kenne ich Dinge, die existieren und keine Bezeichnung haben. Es gibt zum Beispiel ein Wort, das die Angst vor dem Eingeschlossensein bezeichnet: Klaustrophobie. Aber es gibt kein Wort für die Liebe zum Eingeschlossensein. Klaustrophilie? Waren die Mönche von Kildare klaustrophil, deren Kopiertätigkeit einen Großteil der westlichen Kultur vor der Zerstörung rettete? Ist ein Minenarbeiter oder ein Unterseetaucher klaustrophil?

Meine Familie behauptet, ich sei klaustrophil, seit ich krabbeln kann. Ich habe immer kleine dunkle Plätze gesucht, um dort hineinzuschlüpfen. Hundehütten. Anrichten. Kofferräume. Weil ich nie weinte, blieb ich dort, bis sie sich über meine Abwesenheit wunderten und mich suchten. Wenn ich eingeschlafen war, was meistens der Fall war, konnte die Suche Stunden dauern. Wenn ich noch wach war, fanden sie mich sofort, weil sie mich lachen hörten. Wie man sieht, gefiel es mir, wenn viele Leute meinen Namen riefen.

Die verbreitetste Erklärung verband meine Klaustrophilie mit den zehn Monaten, die ich im Bauch meiner Mutter verbracht hatte. Gewissermaßen gaben mir diese dunklen Nischen die Sicherheit des mütterlichen Uterus zurück, den ich nie hatte verlassen wollen. Aber es gab noch andere Erklärungen, einige davon rein humoristischer Natur. Eine Zeit lang hieß es, ich wäre selbstmordgefährdet, nachdem sie mich in einem Museum in Los Cocos, Córdoba, aus dem Innern einer alten Kanone gezerrt hatten.

Ich wuchs heran, und die Kanonen waren irgendwann zu klein. Aber hin und wieder, wenn ich sehr gelangweilt oder stinksauer war, zog ich mich gerne in den Frieden eines Schranks zurück. Ich kroch in die Kleiderstapel und hörte zu. In Schränken hört man alles. Sie sind wie ein Resonanzkasten des ganzen Hauses. Man entdeckt Klangschicht für Klangschicht. Den Wasserkasten, das Zischen des Badeofens, weiter weg den Fernseher, den Motor des Kühlschranks, die Bewegungen jedes Bewohners, die Gespräche, die wir nicht hören sollen. An feuchten Tagen kann man sogar das Knacken des Kleiderschrankes selbst hören.

Am Nachmittag, an dem Lucas kam (oder Lucas Nichtsweiter, wie der Zwerg ihn getauft hatte), hörte ich nur mein eigenes Herz klopfen. Es war ein rasender Zug, die Heizkessel kurz vor der Explosion. Mir tat die Brust weh, als ob eine Faust von innen gegen meine Rippen schlagen würde. Ich war wütend! Ich fühlte mich von meinen Eltern getäuscht und vom Zwerg verraten. Ich beschloss, ich würde mich, auch wenn ich ganz allein stand, der Anwesenheit des Fremden widersetzen. Ich wollte nachdenken über das Wie, aber mein Herz störte meine Konzentration. Es schlug so laut.

Fräulein Barbeito sagt, das Herz sei ein Muskel. Er dehnt sich aus und zieht sich zusammen. Wenn er arbeitet, macht er folgendes Geräusch: l-l-lup dup. Nein, nicht lup dup, sondern l-l-lup dup, das l am Anfang klingt länger; wie bei jeder Maschine ist die Anfangsbewegung die schwerste, und deshalb dauert sie am längsten. Fräulein Barbeito zufolge legt die Tatsache, dass es sich um einen Muskel handelt, die Schlussfolgerung nahe, man könne ihn kontrollieren. Aber das Herz ist ein komplizierter Muskel und ausgesprochen schwierig. Die Mehrzahl unserer Muskeln gehorcht unseren direkten, bewussten Befehlen, aber das Herz ist ein Muskel mit Automatikgetriebe wie die amerikanischen Autos. Man muss herausfinden, wie man die Automatik abschaltet und die manuelle Schaltung aktiviert, wenn auch nur für einen Moment. Das ist mühsam, denn man kommt ja nicht mit einem Handbuch aus der Fabrik (was uns so viele Probleme ersparen würde), und wir haben auch keinen Switch, Schlüssel oder Knipsschalter, die es uns erlauben würden, von einem System auf das andere umzuschalten. Es ist wie *Airport*, das Buch, nicht der Film (den Film habe ich nicht gesehen, aber das Buch hat Mama mir geliehen): das Flugzeug hat Probleme, der Pilot ist ohne Bewusstsein, und einer muss sich an das Steuersystem setzen, ohne die geringste Ahnung, wie das geht, angeleitet von der Stimme des Mannes aus dem Tower oder wie in diesem Fall von der (vorgestellten) Stimme von Fräulein Barbeito. Damals waren Bücher über Flugzeuge in Gefahrensituationen in Mode. Zum Beispiel *The President's plane is missing*, in dem der Protagonist an einer Stelle sagt, man soll sich die Mutter seiner Braut genau ansehen, bevor man heiratet, um zu wissen, wie die künftige Ehefrau in vielen Jahren aussieht und ob man den Sprung wagen soll oder nicht. Ich hielt das für eine intelligente Bemerkung, die ich in meinem Buch mit erinnerungswürdigen Notizen aufbewahrt habe, in der Absicht, es auszuprobieren, wenn der Zeitpunkt gekommen ist.

Auf einmal merkte ich, dass mein Herz langsamer schlug. Ich fragte mich, ob es daran lag, dass ich nicht dachte oder, wie in diesem Fall, dass ich an etwas anderes dachte. Man denkt an etwas anderes, schweift ab und wird abgelenkt, und während man abgelenkt wird, vergisst man die Beklemmung, und dadurch, dass man sie vergisst, lässt sie nach. Es ist derselbe Trick, der bei dem Problem mit den Bronchien funktioniert hatte, als es mir die Brust abschnürte und ich dachte, es käme keine Luft mehr in die Lungen. Ich dachte, ich ersticke, ich ersticke, und ich bekam immer weniger Luft. Dann machte ich den Fernseher an, oder ich machte mir einen Milchkaffee und fing an zu lesen und ging nach Oz, Neverland oder Camelot, und nach einer Weile merkte ich, dass ich ganz normal atmete. Man musste so tun, als ob man das Problem ignorierte, damit es verschwand oder sich geschlagen gab. Das hatte bei meinen Lungen funktioniert; und das funktionierte jetzt mit meinem Herz. Gut gemacht, sagte Fräulein Barbeito in meinem Kopf. Die Landung war fast perfekt. Jetzt kannst du aus der Kabine kommen und die Glückwünsche von allen entgegennehmen. Du bist ein Held, Harry. (Sie nannten mich sogar in meiner Fantasie Harry. Papa war in der Hinsicht sehr deutlich gewesen. Unser ursprünglicher Name muss wie in einem Buch mit sieben Siegeln verschlossen bleiben. Jeder kleinste Ausrutscher war gefährlich. Nicht einmal unter uns durften wir unsere Namen verwenden. Papa nannte mich Harry. Mama nannte mich Harry.)

Houdini muss auch klaustrophil gewesen sein. Vielleicht gab es aber auch viele Dinge auf dieser Welt, die ihn wütend machten und ihn zwangen, in Truhen, Tresore und Glassärge zu steigen, wo er an irgendetwas anderes dachte, irgendeinen Blödsinn, bis er sich beruhigte und beschloss, wieder ins Leben hinauszugehen.

43. Lucas hat eine Freundin

In der Nacht stand ich auf, um zu pinkeln (im Vorbeigehen sah ich den Zwerg, aber es war zu spät, er hatte bereits ins Bett gemacht), und bin zu Tode erschrocken. Lucas lag mitten im Weg in seinem Schlafsack. Und weil der Schlafsack zu klein war oder er zu groß, musste er sich darin einrollen wie eine Kugel. Er sah aus wie ein (riesiges) Babykänguru im Beutel seiner (riesigen) Mutter.

Als ich um ihn herumging, bemerkte ich, dass er seine Kleider über den Stuhl gelegt hatte. Im Mondlicht, das durch die Jalousien drang, hatte das T-Shirt einen Glanz, der nicht von dieser Welt war. Ich wagte mich, es anzufassen. Der Teil mit dem Bild von dem Motorrad und der Aufschrift *Jawa CZ* fühlte sich komisch an, anders als der Stoff, gummiartig. Ich hatte noch nie so ein T-Shirt gesehen. Ich versuchte zu entziffern, was in dem Etikett am Hals stand. Es war ein komisches Land, sogar für Leute, die nach Europa reisen. Man reist nach Madrid, nach Paris, London oder Rom, aber Polen? Es wäre mir jedenfalls lieber gewesen, wenn *Made in Transsilvanien* darauf gestanden hätte, denn das hätte für mich Sinn gehabt. Lucas musste ein Renfield sein, ein Schüler von Drakula, der noch nicht in einen Vampir verwandelt worden war. Aber das mit Polen war schlichtweg rätselhaft. Es ließ an Spionage, Doppelagenten und Zithermusik denken, wie die von Anton Karas in *Der dritte Mann*. (Meine Kenntnisse in mitteleuropäischer Geografie waren damals so vage, dass ich Polen mit Österreich verwechselte.) Und was war von der himmelblauen Tasche mit dem Logo *Japan Air Lines* zu halten? Wie konnte Lucas so jung und schon so viel in der Welt herumgekommen sein? Und warum wählte er so außergewöhnliche Ziele? Was für ein komischer Einfall, nach Japan zu reisen. Es fiel mir kein Grund ein, warum jemand nach Japan wollte, es sei denn, er heißt James Bond und M schickt ihn zu einer Mission dorthin und der Roman dazu heißt *Man lebt nur zweimal*. (Großvater hatte alle Bücher von Ian Fleming im Haus in Dorrego, in Ausgaben mit Filmbildern auf dem Einband.) War Lucas ein Geheimagent? Und wussten das Papa und Mama, oder waren sie genauso getäuscht worden, wie man mich zu täuschen versuchte?

Ich musste mehr herausfinden.

Da war Lucas' Geldbörse; sie schaute aus der Gesäßtasche seiner Jeans heraus.

Ich wartete ein paar Sekunden (nicht sehr viele, denn ich machte mir fast in die Hose), um sicherzustellen, dass Lucas fest schlief. Vorsichtig zog ich die Geldbörse aus der Tasche.

Wenig Geld. Kein Ausweis. Das war zu erwarten: Lucas schützte seine wahre Identität und wollte nicht, dass irgendjemand herausfand, dass sein wahrer Name nicht Lucas Nichtsweiter oder Lucas Wasauchimmer war. Da waren ein paar Bustickets und das Programm eines Kinos in der Calle Lavalle. Das Programm war aus dem Jahr 1973. Warum bewahrte Lucas ein so altes Programm auf? Die Antwort gab der Film: *Leben und sterben lassen*, mit Roger Moore, Yaphet Kotto und Jane Seymour. Der erste Film, in dem Roger Moore den James Bond spielte! Lucas bewahrte das Dokument auf, das belegte, wann er seine Berufung zum Spion entdeckt hatte; er hatte eine sentimentale Ader.

In dem Moment bewegte er sich, aufgewühlt von einem Traum, und ich versteckte die Geldbörse hinter meinem Rücken. Wenn man kurz davor ist, entdeckt zu werden, und schnell eine Erklärung erfinden muss, fällt einem nie etwas Gescheites ein. Auch mir fiel nur Unsinn ein, wie etwa ihm zu sagen, ich hätte seine Jeans waschen wollen, als Willkommensgruß, oder ich hätte einen großen Geldschein wechseln wollen (um drei Uhr morgens!), aber zum Glück war es nicht nötig. Lucas schlief weiter.

Da fand ich das Foto. Das Mädchen hatte einen weißen Minirock an und eine schwarze Bluse, die sie mit beiden Händen aufhielt, um ihre Brüste zu zeigen, und lächelte liebevoll. Wenn ich nach einem Hinweis gesucht hatte, um meine Zweifel zu zerstreuen, dass Lucas ein sentimentaler Spion war, da hatte ich ihn. Dieses Mädchen hätte das Bond-Girl in allen Filmen sein können. Lucas wollte bei seinen Missionen an sie denken, und dafür hatte er zu einer List gegriffen, die es ihm erlaubte, seine Romanze geheim zu halten; das Foto war auf der Rückseite eines Kalenders aus dem Jahr 1976 mit der Aufschrift Kiosko Pepe, Santa Fe und Ecuador. Einfach und brillant. Die Erwachsenen tun die merkwürdigsten Dinge, um ihr Liebesleben zu verbergen. Tito, Mamas Cousin, zum Beispiel versteckte Ausgaben von *Adam* und *Playboy* im Stapel von *Hot Rod* und importierten Auto-Magazinen. Und Papa, der nur Rechtsbücher, Zeitungen und die *Palermo Rosa* las, wo er nach Tipps für die Pferderennen suchte, hatte in seiner Kanzlei ein Exemplar von *Lady Chatterleys Liebhaber*. Hätte nicht Bertuccio mit seinem Faible für Erwachsenenbücher mich darauf gebracht, wäre mir dieses pikante Buch zwischen den Gesetzbüchern überhaupt nicht aufgefallen.

Ich steckte die Geldbörse an ihren Platz zurück und eilte flugs ins Bad. Ich korrigiere: ich kämpfte eine Ewigkeit mit der Versuchung, das Foto an mich zu nehmen, aber ich entschied, es wäre besser, wenn Lucas nichts Auffälliges bemerkte (ich konnte es ihm ja in irgendeiner anderen Nacht abnehmen), und steckte dann die Geldbörse in die Tasche zurück. Es war besser so. Lucas wusste nicht, dass ich es wusste; jetzt war ich im Vorteil.

Jemand hätte höhenverstellbare Toiletten erfinden sollen. Die Frauen beschweren sich immer, wenn etwas danebengeht, aber genau hineinzuzielen ist schwieriger, als es aussieht.

44. Ich komme groß raus

Papa und Mama verließen das Haus früh am Morgen. Um uns für ihre Abwesenheit zu entschädigen, versprachen sie, zu Hause vorbeizufahren und uns ein paar von unseren Sachen mitzubringen. Wir bestürmten sie mit Forderungen. Wir wollten alles und noch ein wenig mehr. Mama versuchte uns Grenzen zu setzen, aber Papa griff ein und machte das «Fels»-Gesicht, damit sie weich würde; er machte es versteckt, aber ich habe es gesehen. Als sie kapitulierte, rüttelten wir vor lauter Freude am Auto. Wenn Sie noch Zweifel haben, was den Wahrheitsgehalt meiner Beschreibung des Citroën angeht, dann kommt hier der schlagende Beweis: Er gehört zu den Autos, die ein Zehnjähriger (und ein Fünfjähriger) wie einen Cocktail-Shaker schütteln kann. Aber nicht einmal diese Freude konnte aus meinem Gemüt das Gefühl auslöschen, dass wir verlassen wurden und in der Hand des Feindes waren.

Der Plan war, sich von Lucas fern zu halten. Anfangs war das einfach, weil wir Dinge zu erledigen hatten. Während Mama duschte, hatte ich in einem diskreten Manöver die Bettdecke des Zwergs herausgelegt, damit sie in der Sonne trocknen konnte. Mama merkte es trotzdem und fragte nach, aber wir sagten, wir hätten sie rausgeholt, weil wir Purzelbäume machen wollten. Sie machte ein misstrauisches Gesicht, aber sie ließ es durchgehen. Ich sagte zum Zwerg,

Mama würde schon Lunte riechen und wir müssten die Vorsichtsmaßnahmen verstärken. Ab sofort dürfe er abends nichts mehr trinken. Nicht einen Tropfen. Keine Cola, sagte der Zwerg. Keine Cola, bestätigte ich. Kein Wasser? Weder Wasser noch Soda, sagte ich. Keine Milch? Weder pur noch mit Nesquick, sagte ich und glaubte, alle Getränke durchzuhaben, die der Zwerg zu sich nahm. Ich erklärte ihm, das sei kein Witz, Mama sei uns auf der Spur, und wenn er nicht aufpasste, wäre er bald Opfer des *Eisigen Blicks*, des *Lähmenden Schreis* und des *Fatalen Zwickens*. Deswegen sagte er keinen Mucks, als ich ihm befahl, die Laken zu waschen, er wollte alle Spuren seines Vergehens auslöschen.

Ich meinerseits hatte mir ein intensives Körpertraining vorgenommen. Ich wollte so schnell wie möglich in Form sein, um meine Laufbahn als Entfesselungskünstler zu beginnen. Das klingt leicht, aber für mich war das eine wahre Heldentat. Ich war nie sehr sportlich, um es mal so zu sagen. Wenn man mich in der Schule zum Laufen zwang, verengten sich oft meine Bronchien, und ich bekam keine Luft; bei jedem Atemzug kam ein Pfeifton aus meiner Brust, es hörte sich an, als hätte ich die Pfeife eines Zuges verschluckt. Ich hatte nicht einmal für Fußball etwas übrig, von dem die ganze Nation besessen ist. Meine Beziehung zum Ball wurde früh beendet. Einmal dribbelte ich einen aus Gummi über die Straße, da schnitt ich mir an einer kaputten Flasche den Knöchel auf, sechs unauslöschliche Stiche. Wenige Monate später, in Santa Rosa de Calamuchita, kickte ich einen aus Leder nach oben und traf einen Ast mit einem Wespennest. Da versiegte mein Interesse am Sport, und zur gleichen Zeit baute ich eine unverbrüchliche, innige Beziehung zu den Zeichentrickfiguren auf, die in Schluchten fielen, Klaviere mit dem Kopf aufhielten und von Schwärmen wilder Bienen verfolgt wurden: Von da an zog ich Coyote Correcaminos,

Silvester Tweety und Lucas Bugs vor. Wenn man mir wieder Vorträge über den Wert des Sports hielt, dachte ich an mein vergossenes Blut und die Stiche und sagte mir, Sport mag so gesund sein, wie er will, aber meine Klaustrophilie ist das Gesündeste überhaupt.

Der Aktionsplan sah einige Runden laufen im Garten, Arm- und Bauchbeugen vor. Um mich ein wenig selbst zu zwingen, hatte ich Tabellen gemalt: Vertikal wurden die Übungen aufgelistet und horizontal das Datum, beginnend mit diesem Tag. In die Kästchen musste ich dann nur noch die Anzahl Einheiten eintragen.

Die erste Runde ertrug ich ziemlich gut. Als ich zum Schwimmbecken kam, sah ich den Zwerg das Laken waschen, genau an der Stelle, wo der Fleck war, ernst und konzentriert, wie es sich gehört.

In der zweiten Runde ging mir die Puste aus. Der Zwerg seifte immer noch dieselbe Stelle ein.

Die dritte Runde habe ich nie beendet. Zu sehen, dass auch der Zwerg aufgegeben hatte, war ein erbärmlicher Trost, aber immerhin ein Trost. Ich spülte das Laken fast freudig aus.

Lucas briet ein paar Steaks und ließ uns bei laufendem Fernseher essen. Offen gesagt, waren seine Steaks besser als die von Mama. Sogar der Fettrand war ab.

Nachmittags beschloss ich, das Übungsprogramm wieder aufzunehmen, aber ich hatte den Glauben schon verloren. Ich schämte mich, in die Kästchen die Anzahl einzutragen, die ich wirklich gemacht hatte. Zwei und irgendwas Runden im Garten? Acht Liegestütze? Ein Wurm war in besserer Form als ich, und er hatte bei den Armbeugen bessere Perspektiven. Ich war erhitzt, aufgepeitscht, mein ganzer Körper tat weh und juckte; mies gelaunt ging ich ins Haus zurück.

Und dort saß Lucas und las in meinem Buch über Houdini.

Ich muss ein ziemlich böses Gesicht gemacht haben, denn er klappte es sofort taktvoll zu und legte es langsam auf den Tisch, als handelte es sich um ein Nitroglyzerinfläschchen oder eines dieser Glastierchen, die Großmutter Matilde hütete wie ihren Augapfel.

«Gefällt dir die Zauberei?», fragte er, sich hinter seinem Interesse verschanzend.

«Houdini war kein Zauberer. Er war Entfesselungskünstler. Zauberer sind Lügner. Sie tun, als hätten sie besondere Kräfte, aber sie haben sie nicht», erwiderte ich, während ich das Buch mit zorniger Miene an mich nahm. Aber wie man sieht, genügte mir das als Erwiderung nicht, denn obwohl ich schon die halbe Strecke bis zu meinem Zimmer zurückgelegt hatte, drehte ich mich noch einmal um und sagte: «Du heißt überhaupt nicht Lucas, nicht wahr?»

In dem darauf folgenden Schweigen ließ Lucas die Unschuldsmiene fallen, die er aufgesetzt hatte, als er mit mir sprach, wie jemand eine Maske absetzt. Da war ein neues, verschlagenes Funkeln in seinen Augen. Bis zu diesem Moment war er mir vorgekommen wie ein Junge, der in einem viel zu großen Körper steckte. Jetzt wirkte er wie ein alter Mann, der in einem nagelneuen, unbenutzten Körper steckte.

«Nein, ich heiße nicht Lucas», sagte er. Ich dachte, er würde mir seine wahre Identität enthüllen. Der Moment der Wahrheit war gekommen, wie im Melodrama. Ich irrte mich. «Und du heißt auch nicht Harry, oder?»

Ich zog mich in mein Zimmer zurück, ohne ihm eine Antwort zu geben. In Wahrheit war ich wütend auf mich selbst. Ich hatte meinen Vorteil durch die Untersuchung des Geldbeutels verschenkt und mich von ihm überrumpeln lassen. Wie konnte er wissen, dass auch ich eine geheime Identität hatte? Ich musste ein Pokergesicht aufsetzen und alles abstreiten. Aber ich wusste nicht wie. Ich warf die Tür zu und verkroch mich in mein Bett.

Ich wurde von einem lauten Geräusch geweckt, als regnete es, und dann hörte ich den Zwerg schreien. Regen konnte es nicht sein, die Sonne schien noch durch das Fenster. Und die Schreie des Zwergs waren Freudenschreie, die in den Fluren des Hauses widerhallten.

Als ich die Tür aufmachte, sah ich ihn im Wasser tanzen wie Gene Kelly in *Singing in the rain*. Das Haus stand kurz vor der Überflutung. Der Flur war voll Wasser, das aus dem Gitter am Badezimmerboden strömte. Das Gefälle im Haus trug dazu bei, dass es Richtung Esszimmer floss.

Der Tank war voll, und Lucas wusste nicht, wie er das Wasser abstellen sollte. Papa und Mama hatten sich die Mühe gemacht, mir zu erklären, wie es funktioniert, weil ich noch klein war und so etwas nicht wissen konnte, aber sie hatten nicht bedacht, dass Lucas, unabhängig von seinem unproportionierten Körper, auch nicht unbedingt alles wissen musste, was gewöhnlich Erwachsene wissen. Der Tank war übergelaufen (daher das «Regengeräusch»), und Lucas lief aus dem Haus und drehte draußen an allen möglichen Hähnen, da hörte er den Zwerg schreien, Überschwemmung, Überschwemmung, er ging ins Haus zurück und wollte das Gitter mit einem Lumpen zustopfen, aber sogleich kam das Wasser aus dem Waschbecken. Verzweifelt kehrte Lucas zu den Hähnen zurück, um weiter sein Glück zu versuchen, und der Zwerg fing an, die Vorteile der Sache zu genießen, *what a glorious feeling / I'm happy again*, da trat ich auf den Plan.

Ich drehte den entsprechenden Hahn zu, und der Wasserstrom versiegte. Dann ging ich mit dem Zwerg zum

Schwimmbecken, um zu kontrollieren, wie das Antisprung-brett funktioniert hatte (keine toten Kröten, das ließ hoffen), während Lucas das ganze Haus trocken wischte.

Das Leben ist ungerecht, aber es hat seine Momente.

Der Abend war gar nicht so schlecht. Papa und Mama brachten mir meinen Zeichenblock und die Zeitschrift von Dennis Martin, die ich an dem letzten Abend nicht hatte lesen können. Dennis Martin gehörte zur Zunft von James Bond, aber ich fand ihn sympathischer. Er war Ire, hatte langes Haar, schenkte den Mädchen gerne gelbe Rosen und konnte teuflisch genau Messer werfen. Der Zwerg konnte seinen weichen Goofy wieder in die Arme schließen, er bekam den roten Plastikbecher mit Schnabel wieder (den er nicht benutzen durfte, zumindest nicht abends, er hatte es versprochen) und den Pyjama, von dem er sagte, er beschere ihm schöne Träume. Kein Wort über den Zustand der Wohnung, was nahelegte, dass alles in Ordnung war, obwohl ich Papa dabei erwischte, wie er zu Lucas sagte, es hätte überall Straßenkontrollen gegeben und sie hätten ständig die Route ändern müssen.

Während des Abendessens haben wir sehr über die Geschichte mit dem Wassertank gelacht. Der Zwerg übertrieb und sagte, so weit stand das Wasser, er sei geschwommen und so. Lucas wurde rot wie eine Tomate und gestand halb beschämt und halb amüsiert, ich hätte ihm das Leben gerettet. Dann wollte er nach der Salatschüssel greifen, aber ich war schneller.

45. Wo ich einem Kannibalenstamm
übergeben werde

Vielleicht aus Angst, es könnte wieder eine Überschwemmung geben, vielleicht weil sie befürchteten, wir könnten das nächste Mal das Haus anzünden, entschieden Papa und Mama, dass wir in die Schule zurück sollten. Das hätte mich sehr gefreut, wenn sie nicht vorgehabt hätten, uns in eine andere Schule zu stecken.

Ihr Argument, gegen das ich vergeblich ankämpfte, war, sie wollten nicht, dass wir den Anschluss verlören. «Na bombig», sagte ich (was dem Zwerg gefiel, der dabei sofort an eine Bombe dachte), «dann will ich in meine Schule, in meine Klasse zurück». «Das geht noch nicht», sagten sie, «es ist noch zu gefährlich». «Für mich ist es nicht gefährlich», sagte ich, «ich habe ja nichts getan». «Roberto hat auch nichts getan, und sieh, was ihm passiert ist», erwiderte Papa, «dieser Psychopath».

Es war ein langer Kampf, den ich natürlich verlor. Ich versprach, für mich allein in dem Landhaus zu lernen, nichts zu machen. Ich schrie, ich heulte, nichts zu machen. Ich strafte sie mit Schweigen, nichts zu machen. Wenn sie sich in etwas einig waren, waren sie unerschütterlich, eine Mauer ohne Risse. Sie waren entschlossen, uns nicht verwildern zu lassen.

Das San Roque war zu allem Überfluss eine kirchliche Schule. Das Wochenende vor dem unseligen Montag verbrachten wir mit einem Intensivkurs zum Thema Christentum. Es war eine Sache, in einer Messe Theater zu spielen, die, auch wenn sie ewig dauerte, nur sonntags stattfand, und eine ganze andere, es über viele Stunden von Montag bis Freitag tun zu müssen. In der ersten Stunde am Samstag wiederholten wir die Gebete, die wir schon gelernt hatten, und dann erklärte Mama uns im Großen und Ganzen, worum es ging.

«Gott erschuf die Erde in sechs Tagen, und am siebten ruhte er.»

«Wie kann er müde werden, wenn er Gott ist?», wollte der Zwerg wissen.

«Dann schuf er Adam, den ersten Menschen. Er formte ihn aus Lehm.»

«Wäre Kunststoff nicht besser gewesen?»

«Er stieß einen magischen Hauch über ihm aus, und Adam lebte. Aber weil Gott nicht wollte, dass er allein blieb, beschloss er, ihm eine Gefährtin zu geben.»

«Er nahm ihn mit zu *Ich möchte heiraten, und Sie?*»

«Hör mit dem Blödsinn auf. Ich meine, dann schuf er Eva.»

«Evita Perón!»

Bis zum Nachmittag hatten wir eine ungefähre Ahnung von einer langen Reihe von Geschichten, die aus zweitklassigen Filmfestspielen zu stammen schienen: Samson und Dalila, David und Goliath, Die zehn Gebote. Dem Zwerg gefiel der Teil, in dem Moses Kröten regnen ließ, und er bedrängte Mama mit der Geschichte der Arche, bis sie akzeptierte, dass, wenn es stimmte, dass Gott zwei Tiere jeder Art retten wollte, Noah einen harten und einen weichen Goofy an Bord hätte aufnehmen müssen.

Am Sonntag gingen wir zur Messe, und wir verstanden, alles, was wir gehört hatten, war Teil eines ersten Buches mit Namen Altes Testament. Dann kam das Neue Testament, das weit weniger unterhaltsam war als das Alte (mordende Brüder!, Catch mit den Engeln!, sprechende Büsche!, prophetische Träume!, Sintfluten, Meere, die sich teilen, und andere Spezialeffekte!), aber anrührender. Jesus war der

Sohn eines Zimmermanns und predigte die Liebe, den Frieden und das Verstehen unter den Menschen. Er war gegen Gewalt, und er verachtete das Geld, da die Welt ihm alles Nötige bot, um sich zu ernähren, zu kleiden und gut zu leben; es war nur eine Frage, sich zu organisieren und zu teilen. Seine Vorstellungen machten die Männer mit der politischen, wirtschaftlichen und religiösen Macht nervös, denn sie spürten, dass Jesus ihre Autorität nicht anerkannte und die Leute so dazu brachte, sie zu verachten und ihnen nicht mehr zu gehorchen. Da töteten sie ihn. Auf schreckliche Weise. Wie auf dem Bild aus *Anteojito*, das ich angezündet habe. Und vergeblich, was noch schlimmer ist, denn was Jesus sagte, hatte auch nach seinem Tod immer noch Bedeutung.

Die übrigen Sachen, die man Christus zuschrieb, waren gekünstelt, wenn nicht gar willkürlich. Dass die Priester wichtiger seien als die Nonnen zum Beispiel (den Zwerg beschäftigte es, warum es unter den Geistlichen nur Brüder und Beichtväter und keine Cousins oder Onkel gab). Dass man ihnen verbot zu heiraten. Dass sie Reichtum jetzt nicht mehr störte. Und das Problem mit der Hostie: Jedes Mal, wenn du sie zu dir nimmst, isst du den Leib von Christus, und das grenzt schon haarscharf an Kannibalismus. Ich weiß schon, dass es eine Geste oder ein Symbol ist, Mama hat es mir tausendmal erklärt, aber ich muss dabei trotzdem immer an die primitiven Krieger denken, die das Herz ihrer Opfer gegessen haben, in der Hoffnung, so ihre Weisheit zu erlangen; eine viel zu grobe Vereinfachung für meinen Geschmack. Großvater sagte, nichts würde länger dauern als die Weisheit. Die Weisheit und der Telefonanschluss.

Mama bügelte die neuen Kittel (meiner war blau wie die Karten des TEG), Papa und Lucas gingen Pizza kaufen, und der Zwerg und ich, wir standen am Rand des Schwimmbeckens und beobachteten eine Kröte, die von hier nach da strampelte, ohne, wie konnte man so dumm sein, die rettende Nähe des Antisprungbretts wahrzunehmen. Wir hätten uns nicht einmischen sollen, denn der Grundgedanke war ja, dass die Kröten alleine lernen sollten, aber es rührte uns zu sehen, wie sie sich abquälte. Am Ende schoben wir sie mit dem Netz zu dem Brett.

Manchmal ist es nötig, dass dir jemand eine Hand reicht.

46. Unter den wilden Tieren

Wir kamen sehr früh an. Papa und Mama stellten uns Pater Ruiz vor, dem Schuldirektor. Er machte einen sympathischen Eindruck, und den dicken Brillengläsern nach zu urteilen, war er ziemlich kurzsichtig. Er trug eine dicke Jacke, obwohl es nicht kalt war, und trotz der frühen Stunde stank er bereits nach Schweiß. Er führte uns auf den Hof und bat uns dort zu warten, bis die Glocke läutete. Der Zwerg schaute sich die Mauer von San Roque an, ich setzte mich auf eine Betonbank, Papa und Mama entfernten sich ein paar Meter, um mit dem Priester zu sprechen. Dank meines durch die vielen Stunden im Schrank trainierten Gehörs bekam ich Bruchstücke des Gesprächs mit; Padre Ruiz erklärte ihnen, wir würden eine offizielle Anmeldung und all das bekommen und in den täglichen Listen auftauchen, aber in keinem Dokument, das sie an das Kultusministerium schicken würden, sie bräuchten sich also keine Sorgen zu machen.

Als die Glocke ertönte, nahm Pater Ruiz den Zwerg mit, und Mama setzte sich neben mich. Sie zündete eine Jockey an, die letzte aus dem Päckchen; wieder ganz «der Fels», fragte sie mich: «Wer bist du?»

«Vicente», antwortete ich leise.

«Und warum kommst du jetzt in diese Schule?»

«Weil wir gerade in dieses Viertel gezogen sind.»

«Und was macht dein Vater?»

«Er ist Architekt. Er arbeitet für eine bedeutende Bau-
firma, Campbell und Partner.»

«Und ich?»

«Hausfrau.»

Mama stieß einen großen Rauchballon aus. Sie sah müde
aus. Sie ist noch nie gerne früh aufgestanden. Als sie wieder
das Wort an mich richtete, klang sie nicht mehr wie «der
Fels»: «Denk, dass es nicht so schlimm ist. Du kannst neue
Freunde finden.»

«Ich will keine neuen Freunde. Ich will die alten, die du
mir weggenommen hast!»

In dem Moment erschien Pater Ruiz wieder, und ich
stand auf. Während ich auf ihn zuging, hörte ich, wie Mama
das Jockey-Päckchen zu einer Kugel zerknüllte.

Als Pater Ruiz die Tür zu meiner neuen Klasse öffnete,
saß kein einziger meiner Klassenkameraden auf seinem
Stuhl. Sie standen alle vor der Tafel, versammelt wie nach
einem gewonnenen Punkt, und lachten sich tot. Pater Ruiz
schob sich wie ein Bulldozer dazwischen, wiederholte unermüdlich «Setzen!» und stach ihnen mit den Fingern in die
Rippen; man sah, dass er es gewohnt war, auf diese Weise
Mengen auseinander zu treiben. Er hatte Erfolg, bis nur
noch einer übrig war, ein verfrorener Junge mit Jacke, grün
gestreiftem Schal und Mütze, der keine Anstalten machte,
sich von der Stelle zu rühren; Pater Ruiz forderte ihn ein-
dringlich auf, sich hinzusetzen, hast du mich nicht gehört?,
und erntete nichts als Gelächter der Gruppe.

Der Junge war das Skelett der Schule, in die Klamotten
meiner Klassenkameraden gepackt. Zumindest war es ein

Skelett, das war eindeutig; ich fragte mich, wie weit der Kannibalismus dieser Katholiken ging.

Pater Ruiz wurde rot und lachte schließlich. (Seine Kurzsichtigkeit war schwerwiegender, als ich gedacht hatte.) Er zog dem Skelett bis auf den Schal die Sachen aus und dankte meinen Klassenkameraden für die großzügige Kleiderspende, die er unter den Arm packte. Die Mehrheit buhte ihn aus. Andere, offenkundig die Besitzer der Kleidungsstücke, wurden nur blass.

Er stellte mich vor die Klasse und sagte, ich sei ein neuer Mitschüler. Er hielt eine Willkommensrede und betonte, wie unwohl sich jemand fühlt, wenn er an einen neuen Ort kommt, wo alle sich kennen, und er bat sie, mich herzlich aufzunehmen. Seine Worte wurden mit respektvollem Schweigen aufgenommen. Pater Ruiz war ein guter Mann, Direktor hin oder her, und alle, die mit ihm zu tun hatten, wussten das. Aber das Klima, das zu schaffen ihm gelungen war, zerplatzte wie eine Seifenblase, als er seine Rede beendete.

«Ich möchte euch Haroldo Vicente vorstellen.»

«Haroldo!», ertönte es sogleich aus den hinteren Rängen.

Ich schloss die Augen und wollte am liebsten sterben.

Ich hatte nicht vorhergesehen, dass meine Eltern aus Respekt meinem Willen gegenüber, von dem ich mir gewünscht hätte, er wäre in anderen Bereichen genauso ausgeprägt, versucht hatten, den Harry in meinem neuen schulischen Umfeld beizubehalten. Harry ist der Diminutiv von Harold, und Harold ist auf Spanisch Haroldo, und Haroldo ist eines von diesen seltsamen Wörtern, die, auch wenn es nicht auf -ein, -illi oder -ans endet, auf natürliche Weise zum Reimen einladen. Haroldo, das klang banal, wie Arnoldo, nach Fettpo, wie ein anderer von irgendwo aus dem Raum rief, dreißig blaue Tierchen, die Blue Meanies aus dem Yellow Submarine, die über mich lachten, der Harry sein wollte, aber niemals Haroldo, und der als Haroldo alle mit derselben Reimkrankheit ansteckte; auf einmal war sogar Vicente Zielscheibe des Spotts, Vicente, excelente!, und Vicente, lahme Ente, und dann, Padre Ruiz, wie steht's mit 'nem Piss?, und alles wurde zu einem Musical ohne Musik, bei dem ausschließlich in Versform gesprochen wurde, es fehlte nur noch, dass das Skelett wie Fred Astaire über Decke und Wände tanzte, bis jemand an seinem grün gestreiften Schal zog und es zur Räson brachte.

47. Ich lerne zu atmen

Ich fühlte mich wie eine dieser Comicstrip-Gestalten, über deren Kopf eine schwarze Wolke hängt, die sie überallhin verfolgt und hin und wieder einen Blitz auf sie niedergehen lässt. Den ganzen Tag tat ich nichts anderes, als mit mir selbst Galgenmann zu spielen, ohne irgendetwas von dem aufzuschreiben, was im Unterricht erzählt wurde. Ich war immer ein guter Schüler gewesen, aber jetzt war ich zum totalen Boykott bereit: Ich wollte ein rundes Ungenügend in allen Fächern, damit Papa und Mama nichts anderes übrig blieb, als mich von der Schule zu nehmen. Das mit dem Galgenmann erweckte die Aufmerksamkeit meines Banknachbarn, eines Jungen namens Denucci, der offensichtlich die Regeln nicht verstand (wie schaffte ich es, falsche Buchstaben bei einem Wort auszuwählen, das ich schon kannte?), aber noch weniger meinen zwanghaften Trieb, mich Spiel für Spiel selbst zu erhängen.

Am Ausgang warteten Papa und Mama auf uns. Wir kehrten zu Fuß in das Landhaus zurück, weil sie uns den Weg zeigen wollten. Der Zwerg ruinierte meine perfekte schlechte Laune, indem er von seiner Erfahrung berichtete; er war begeistert von der neuen Schule.

«Meine Lehrerin sagt, ich hätte schönes Haar. Außerdem hat sie gesagt, ich sei nett. Und sie findet den Namen Simón sehr schön. Sandra ist schön. Meine neue Lehrerin heißt Sandra. Warum hast du dich nicht Sandra genannt, Mama? San Roque hat einen Hund, hast du gesehen? Kann ich auch einen Hund haben?»

Papa, der guten Mutes war, sagte, San Roque hätte auch Wunden an den Beinen gehabt, und er fragte ihn, ob er auch Wunden haben wolle.

«Nein, weil der Hund sie mir dann ableckt wie bei San Roque, und dann muss ich gegen Tollwut geimpft werden. Wenn ich groß bin, will ich ein Heiliger sein, aber ein gesunder Heiliger.»

«Wie San Atorium», sagte Papa.

«Klar!», sagte der Zwerg.

Lucas kam erst spät in das Landhaus zurück, wir waren schon fast fertig mit dem Abendessen. Ihm fiel nichts Besseres ein, als mich zu fragen, wie denn der erste Tag in der Schule gewesen sei. Es war der ideale Vorwand, um aufzustehen und mit einem Türenknallen in den Garten hinauszugehen. Das Gras war noch feucht von dem kurzen, heftigen Regen am Nachmittag. Als der Wind die Zweige schüttelte, fielen Tropfen herab, die mich im Gesicht piekten.

Die Schule brachte meinen Stundenplan durcheinander, aber ich wollte mein Programm zur körperlichen Ertüchtigung nicht vernachlässigen. Trotz der Müdigkeit, der Wut und dem vollen Bauch startete ich zu einer Runde im Garten. Diesmal schaffte ich nur knapp eine Runde, und dann ließ ich mich auf Höhe des Küchenfensters auf die Wiese fallen. Ich keuchte. Von drinnen kam lautstark Musik, eine näselnde Männerstimme, die sang, *was führein stakes Geifühl / an das Gästörn zu denkein / als alles in Veneidig von dier sprach*. Ich glaubte Mama in der Küche zu sehen. Um meinen peinlichen Zustand zu verbergen, versuchte ich mein Glück mit Liegestützen. Ich machte zwei, nicht mehr. Zwei. Meine Brust pfiff, als ich die Tür zuschlagen hörte. Es war Lucas. Er lief. Durch den Garten. Allein.

Das Seltsame war nicht, dass er so schnell zum Laufen hinauskam, obwohl er gerade erst Mamas Angebot angenommen hatte, etwas zu essen. Das Seltsame war, wie harmonisch er sich beim Laufen bewegte. Der stelzbeinige Lucas, der wie Groucho Marx ging und in seiner Ungeschicklichkeit alles mit den Ellenbogen umstieß, lief mit gleichmäßigen, anmutigen Bewegungen, als wäre er für die Schnelligkeit wie geschaffen. Und um noch mehr Salz auf meine Wunden zu streuen, musste ich mit ansehen, dass er drei Runden lief, ohne ins Schwitzen zu kommen.

«Das Geheimnis liegt im Rhythmus», sagte er zu mir, als er am Ende der vierten Runde auf der Stelle trabte. «Er muss immer gleichmäßig sein. Du läufst im selben Rhythmus. Du atmest im selben Rhythmus. Du atmest durch die Nase ein. Du füllst den Bauch mit Luft und atmest aus. Nicht die Brust, den Bauch. Wenn du das machst, wirst du nie müde.»

«Nie?»

«Willst du sehen, wie ich noch vier Runden laufe?»

«Kann ich mit dir laufen?»

Lucas passte sich meinem Rhythmus an. Wir trabten langsam dahin, ich ahmte die Bewegung seiner Arme nach, regelmäßig, jedes Einatmen vier Takte, jedes Ausatmen vier Takte, bis zu dem einen Ende des Gartens, die Ligusterhecken entlang, zurück zum Haus und wieder los, gleichmäßig vier ein, vier aus. Als ich mich darauf konzentrierte, merkte ich, dass das Pfeifen in meiner Brust aufgehört hatte. So zu laufen brachte den automatischen Tank meiner Lungen wieder in Schwung: Sie funktionierten, wie sie es einmal getan hatten, im Einklang mit meinem Organismus und ohne meine linkische Einmischung.

Ich fragte ihn, ob er immer so gelaufen sei, von klein auf.

Er sagte nein, er hätte es lernen müssen. Alles Gute würde man lernen.

Ich sagte, einige Dinge könnten wir von Geburt an.

«Aber wir müssen lernen, sie gut zu machen», erwiderte er. «Jeder atmet beispielsweise, aber es gibt sehr viele Leute, die schlecht atmen.» Die Babys hätten zum Beispiel von Geburt an den Atemreflex, aber er müsse sich weiterentwickeln. Sie könnten sich auch bewegen, aber ungeschickt: ihre Motorik bedürfe einer Feinabstimmung. Und so sei es mit vielen Dingen. Wir kämen gut ausgerüstet auf die Welt, aber ohne das nötige Wissen, niemand könnte diese Ausrüstung von Geburt an bedienen.

Daran hätte ich noch nie gedacht, sagte ich. «Was müssen wir noch lernen?»

«Wir stoßen Laute aus, aber sprechen lernen wir.»

«Und singen.»

«Klar. Und denken.»

«Und fühlen.»

«Fühlen ist wichtig», sagte Lucas.

Plötzlich stellte ich fest, dass wir schon drei Runden gelaufen waren.

Wir liefen auf das Haus zu. Die Musik war ohrenbetäubend. Matt Munro sang *No puedo quitar los ojos de ti* in seinem lächerlichen Spanisch.

Wir gingen schwitzend und zufrieden in das Esszimmer

und sahen, dass Papa und Mama tanzten und der Zwerg zwischen ihren Beinen herumwuselte. Kaum hatte er mich gesehen, wollte er mich auch dorthin zerren, damit ich mit ihm tanzte, und Mama forderte Lucas auf, der mit dem Mund voller Brot sagte, nein, nein, nein, und, auf die Tanzfläche gezerrt, wieder die gewohnte Ungeschicklichkeit an den Tag legte (auch tanzen musste man lernen), während Papa sich am Kopf kratzte, das leere Glas anstarrte, das er auf die Anlage gestellt hatte, und fragte, he, wer hat meinen Wein ausgetrunken?

48. Ein verstümmeltes Lied

Wir hören auch schon von klein auf, aber das aufmerksame Hören müssen wir lernen.

Meine Erfahrung als Schrankmatrose hat mich früh darauf vorbereitet, Geräusche bewerten zu können. Ich merkte sehr bald, wie leicht ich mich täuschte, wenn ich ein bestimmtes Geräusch hörte und glaubte, es zuordnen zu können; überrascht stellte ich fest, dass das, was ich für das Tippeln von Insektenbeinchen auf Holz hielt, in Wahrheit von meiner den Boden fegenden Mutter kam und auch nicht aus dem Inneren des Schranks, wie ich geglaubt hatte, sondern aus der fernen Küche.

Was wir hören, hängt von der Schärfe des Gehörs ab, und es ist durch eine Reihe von Tests messbar, die im Allgemeinem bei jedem funktionieren. Was wir verstehen, hängt hingegen von unserer Form des Hörens ab, die immer persönlich und nicht übertragbar ist. Wir hören ausgehend von Erfahrung, Furcht und Begehren, von der tiefsten Tiefe unseres Unbewussten. Und wir hören ausgehend von der

Sprache, die einerseits für alle in einer Sprachgemeinschaft gleich ist, andererseits aber auch eine private Sprache: Wenn fünf Millionen Menschen Spanisch sprechen, heißt das, es gibt fünf Millionen persönliche Versionen des Spanischen, mit eigenem Vokabular, eigenen Strukturen, Fehlern und Formen des Schweigens; jeder Monolog identifiziert den Sprecher mit der Präzision von Fingerabdrücken.

An wenigen Stellen treten die Tücken der Wahrnehmung so deutlich zutage wie bei Liedertexten. Eingehüllt in Musik, tanzen die Worte. Manchmal fallen sie uns in die Arme, und manchmal huschen sie davon, um eine Runde zu drehen, und lassen uns mit ausgestreckter Hand stehen. Und dann verstehen wir nicht mehr, was sie sagen, sondern was wir uns vorstellen. Einer meiner Klassenkameraden am San Roque, der kleine Rigou, lachte in jeder Messe an derselben Stelle desselben Liedes, weil er nicht hörte *por nosotros Él se dio (für uns hat er sich hingegeben)*, was Jesus' Opferbereitschaft unterstreichen sollte, sondern *por nosotros el cedió (für uns hat er kapituliert)*, und er sah Jesus in einem Trupp vor sich mit Kreuz und all das. Ein anderes, das lautete *el hoy nos llama (das Heute ruft uns)*, schien uns auf unseren Lehrer Eloy gemünzt zu sein. Und die patriotischen Lieder waren für jeden Sänger wie ein Rorschachbild. Ottone, der riesengroß war und auf der Toilette rauchte, sang aus vollem Hals *Subín culos rompió (Subín riss Ärsche auf)*, ohne dass er sich je gefragt hätte, wer dieser geheimnisvolle Subín war, und deshalb nie erfuhr, dass die Originalzeile lautete *con valor sus vínculos rompió (mutig hat sie ihre Fesseln gesprengt)*.

Der Zwerg war unbeleckt, was die argentinische Geschichte anging. Er hatte eine vage Idee, wer Sarmiento war (der Kahlkopf), San Martín (der Langnasige) und Belgrano (der eng anliegende Hosen trägt), und er konnte sich nicht an Zeilen aus patriotischen Liedern erinnern wie die «Pfeil-spitze, dem güldenen Antlitz gleich». Aber er nahm die Energie der Hymnen und Märsche wahr; sie gefielen ihm, auch wenn er kein Wort verstand. Das passiert auch den Älteren: in *Gilda*, dem Film mit Rita Hayworth, der in ei-nem argentinischen Kasino spielt, fängt die Menge, die das Ende des Zweiten Weltkrieges feiert, an, *La Marcha den San Lorenzo* zu singen, und ehrt damit das Heer der Verbünde-ten und Sargento Cabral. Entscheidend waren nicht die Worte, sondern der Geist, es klang fröhlich und nach Sieg, und das war alles, was man wollte. Der Zwerg tat unbewusst dasselbe. Wenn er vergnügt war, sang er gern die National-hymne.

Und an jenem Abend war er sehr vergnügt, zum Teil durch das Tanzen und zum Teil durch das Glas Wein, das er, halb tot vor Durst wegen des Trinkverbots, das ich ihm auf-erlegt hatte, damit er im Schlaf nicht ins Bett machte, ge-trunken hatte. Wir hörten auf zu tanzen, räumten den Tisch ab, putzten uns die Zähne, sagten gute Nacht, gingen schla-fen, und der Zwerg sang immer noch: *Sterbliche! Hört den heiligen Schrei: Freiheit, Freiheit, Freiheit!* Es störte mich nicht, denn ich war damit beschäftigt, aus Lucas ein paar Informationen herauszuholen. Solange er mich mit meiner Befragung fortfahren ließ, konnte der Zwerg singen und auf dem Bett rumspringen, soviel er wollte. Im Halbdunkel des Zimmers luden die ausgebreiteten Laken, Pyjamas und Schlafsäcke zu Vertraulichkeit ein.

«Wie alt bist du?»

«Achtzehn.»

«Wo kommst du her?»

«Hast du deinen Vater nicht gehört? Je weniger du von mir weißt, umso besser.»

Mögen die Lorbeeren ewig währen.

«Buenos Aires Stadt oder Provinz?»

«Weder noch.»

«Du bist Pole.»

«Wie kommst du darauf?»

«Dein T-Shirt ist aus Polen.»

«Das haben mir meine Großeltern mitgebracht.»

«Und die Tasche aus Japan auch.»

«Ja, die auch.»

Die wir zu erringen wussten.

«Du hast Großeltern. Hast du auch Eltern?»

«Ja, habe ich.»

«Leben sie hier oder in Polen?»

«Hier.»

«Wo?»

«Unzulässige Frage.»

«Wo, sag schon.»

«In La Plata. Aber es reicht jetzt.»

«Lebst du bei ihnen?»

«Unzulässige Frage.»

Die wir zu erringen wussten.

«Sie haben dich rausgeworfen.»

«Du spinnst.»

«Und was machst du dann hier?»

«Ich bin hier in geheimer Mission.»

«Lügner.»

«Siehst du? Wenn ich dir die Wahrheit sage, glaubst du mir nicht.»

«Du bist zu deiner Freundin gezogen.»

«Welche Freundin.»

«Spiel nicht den Dummen. Ich habe sie gesehen.»

«Du hast sie gesehen?»

«Auf dem Foto. Du hast eine Freundin, und ich hab ihre Titten gesehen!»

Mögen wir gekrönt durch Herrlichkeit …

Bonk.

Als wir uns umdrehten, war der Zwerg nicht mehr da. Man sah nur noch sein von der Springerei zerwühltes Bett, aber er selbst war wie vom Erdboden verschluckt. Als wäre er das Opfer einer spontanen Verbrennung geworden, wie die Herzogin Cornelia de Bandi Cesnenate in Verona Anfang des 18. Jahrhunderts: sie fing von allein Feuer, puff, durch ihre eigene Hitze, und verglühte sofort. Ich fragte mich, ob das wohl der Grund war, warum es Kindern verboten ist, Wein zu trinken.

Aber der Zwerg hatte sich nicht aufgelöst. Sein Kopf tauchte auf der anderen Seite in dem Hohlraum zwischen Wand und Bett auf, das sich durch die Hopserei verschoben hatte. Er kratzte sich an der von dem Aufschlag schmerzenden Stelle am Kopf, und es sah aus, als wollte er jeden Moment anfangen zu heulen. Lucas und ich müssen wohl einen sehr lustigen Gesichtsausdruck gehabt haben, zwischen Besorgnis und Erstaunen, denn sofort lachte er und sagte, ich hab mich umgebracht. Und dann kletterte er auf das Bett und fing wieder an zu springen und eine ganz persönliche Version der Hymne von einer Gloria Muñiz zu schmettern.

In dem Moment platzten, alarmiert durch den Schlag, Papa und Mama herein. Das Spektakel machte sie sprachlos. Ich sagte ihnen, der Zwerg sei betrunken, Papa fragte, was das zu bedeuten habe, Mama wollte wissen, wer *Gloria Muñiz* war (im Telefonbuch gibt es eine Gladys, aber keine einzige Gloria), und am Ende sangen wir alle die Hymne und lachten uns kaputt, Mama überschüttete den Zwerg mit Küssen und erklärte ihm, die Zeile laute *o juremos con Gloria morir*, aber Papa unterbrach sie und sagte, lass nur, diese Version ist doch genial, und zu Recht, denke ich, mit fünf ist es besser, von irgendeiner Gloria Muñiz zu singen, als davon, mit Glanz und Gloria zu sterben, denn mit fünf ist man noch zu klein, um manche Dinge zu verstehen.

49. Wo ich entdecke,
dass ein sehr geliebter Mensch
nicht vollkommen ist

Lucas wurde mein Trainer. Unsere Trainingseinheiten fanden unregelmäßig statt, weil er das Landhaus immer öfter verließ und manchmal sehr spät zurückkehrte, aber für diese Fälle ließ er mir einen Plan da, den ich dann allein ausführen sollte. Wenn er wiederkam, bat er mich als Erstes um das, was er einen «mündlichen Bericht» nannte: ob ich den Plan ausgeführt hatte, ob ganz oder nur teilweise, welche Übungen ich ausgelassen hatte. Ich erzählte ihm alles haarklein. Lucas hingegen sagte nie, wo er hinging. Immer, wenn ich ihn fragte, bremste er mich mit einem «unzulässige Frage» aus, das keinen Widerspruch zu dulden schien. Manchmal kehrte er erschöpft zurück und legte sich in seinen Schlafsack, ohne zu Abend zu essen; der Zwerg und ich schlichen auf Zehenspitzen ins Zimmer und wachten über seinen Schlaf. Hin und wieder bat er Mama, Papa oder beide um ein Gespräch, das auf sichere Entfernung von unseren Ohren stattfand. Aber ihre Körpersprache verriet, dass sie konspirierten. Damals war mir klar, dass Papa und Mama von Lucas' geheimer Mission wussten und dass sie ihn in irgendeiner Form berieten oder unterstützten.

Lucas' Idee war, ich sollte erst meinen Körper ein wenig auf Vordermann bringen, bevor ich richtig in die Entfesselungskunst einstieg. Houdini war mir gegenüber im Vorteil, weil er von klein auf gelaufen und geschwommen war, und ich musste diesen Abstand aufholen. Während ich trainierte, schlug Lucas vor, könnten wir uns gemeinsam Entfesselungsübungen mit ansteigendem Schwierigkeitsgrad ausdenken.

Damit er darüber nachdenken konnte, gewährte ich ihm uneingeschränkten Zugang zu meinem Houdini-Buch. Das erste Mal nahm er es fast feierlich entgegen, und das zeigte, dass er verstand, wie viel mir das Buch bedeutete. Er las es schnell durch und gab es mir mit den Worten zurück, ich solle die wichtigsten Aspekte und die Fragen aufschreiben, die durch das Buch nicht beantwortet würden. Wichtig war zum Beispiel, durch gezielte Übungen die Lungenkapazität zu verbessern. Houdini konnte vier Minuten unter Wasser aushalten, ohne zu atmen. Vier Minuten! Da schrieb ich auf ein Zettelchen *Houdini hält vier Minuten aus* und schob es zwischen die Buchseiten.

Die Fragen betrafen das, was ich herausfinden musste. Ein Thema war zum Beispiel das Studium des Mechanismus der Schlösser, von den einfachen bis hin zu den komplizierten, natürlich auch der Vorhängeschlösser. Ein anderes war das, was Mama mir erklärt hatte, nämlich genau zu berechnen, wie lange ich brauchte, um mich von den Fesseln zu befreien, damit ich wusste, wie viel Luft ich in der Kiste brauchte. Das Zettelchen, das ich davon aufhob, lautete: *Wie viel Zeit?*

Manchmal ertappte ich mich dabei, wie ich vor Lucas beschämende Dinge tat, die ich gewöhnlich nur machte, wenn ich mit Bertuccio zusammen war: den Finger in die Nase stecken und den Popel auf die nächstbeste Stelle kleben oder das Foto eines Mädchens im Bikini ansehen, als könnte ich sie mit Blicken ausziehen. Ich verlor die Fähigkeit der Selbstzensur, vielleicht weil Lucas ein so freundliches Wesen hatte oder weil ich ihn so oft, wenn ich nach Hause kam, mit dem Zwerg vor *Scooby-Doo* gesehen hatte, beide in ein Glas Nesquick pustend. Manchmal brachte er mich durcheinander, zum Beispiel, wenn er sich täglich rasierte (eine sinnlose Handlung, denn er hatte nur ein paar wenige Stoppeln am Kinn, die nach wenigen Stunden ohnehin wieder schwarz hervorsprossen) oder wenn er aufmerksam die Zeitung las. Es waren Züge eines Erwachsenen, aber er tat diese Dinge so natürlich, wie er meine Dennis-Martin-Zeitschrift las: Lucas baute nie eine Distanz zwischen ihm und uns auf, außer wenn wir ihn mit unbequemen Fragen bedrängten.

Aber tröpfchenweise verriet er doch etwas. Die Erzählungen über die Großeltern stimmten. Sie waren nach Europa und Japan gereist und hatten ihm die Tasche und das T-Shirt geschenkt und viele Dinge mehr. Wenn er über sie sprach, klang seine Stimme höher, als hätte er Helium eingeatmet. Sein Papa und seine Mama lebten nach wie vor in La Plata, aber er konnte sie nicht besuchen. Als er die Frage, die meine Lippen nicht aussprachen, in meinen Augen blitzen sah, gab er mir dieselbe Erklärung wie Papa, als er verbot, Bertuccio in das Landhaus einzuladen: Er besuchte seine Eltern nicht, um sie nicht in Gefahr zu bringen.

Er war in der Studentenvereinigung, aber nicht sehr aktiv. Wenn all das zu Ende war, wollte er Medizin studieren und Kinderarzt werden. Er hatte Angebote von ein paar Klubs bekommen, um bei Sportwettkämpfen mitzumachen, aber sein Talent war für ihn keine Verpflichtung: Er nahm es leicht, als wollte er nicht der Sklave einer Begabung sein, um die er nicht gebeten hatte.

Ich machte meine täglichen Übungen und verblüffte meine Familie durch meinen freiwilligen Verzicht auf Limonade und meine neue Begeisterung für Obst. (Gesund zu essen war ein Teil des Planes.) Aber Lucas merkte, dass mir der schrittweise Prozess zu lange dauerte, und zog einige Tricks vor. Er zeigte mir ein paar Knoten und erklärte mir eine Technik, mit der ich mich von Fesseln befreien konnte. Die Knoten hatte er bei einem seiner vielen Zelturlaube gelernt. Die Techniken hatte er im Fernsehen kennen gelernt und dann erfolgreich umgesetzt. Es ging darum, im Moment der Fesselung die Körperhaltung zu kontrollieren. Wenn das Seil um die Handgelenke geschlungen wird, muss man sie ganz steif machen, und man darf dem Druck des Knotens nicht nachgeben. Sind die Fesseln angelegt, kann man die Handgelenke entspannen und die Hand aus der Schlinge ziehen. Genauso funktioniert es mit den Knöcheln und sogar mit dem Oberkörper: am besten streckt man die Brust raus und hält die Luft an, während man gefesselt wird, und dann atmet man aus, damit der Körperumfang geringer und das Seil lockerer wird.

Lucas erbot sich, es mir vorzuführen. Im Geräteschuppen war ein altes Seil. Ich fesselte ihm die Hände auf dem Rücken und zog mit aller Kraft, bis ich Angst hatte, ich könnte ihm wehtun. Er gab keinen Klagelaut von sich. Als ich fertig war, drehte er sich um und ging zwei Schritte zurück, die Hände außerhalb meines Blickfelds.

«Wie kann es sein, dass dir Superman gefällt?», fragte er.

Ich erstarrte. Der Gedanke, dass es jemanden gäbe, dem Superman nicht gefiel, wäre mir nie in den Sinn gekommen.

«Warum fragst du? Gefällt er dir denn nicht?»

«Ehrlich gesagt … nein.»

«Was ist schlecht an ihm?», sagte ich, eine reine Verteidigungsreaktion. Es war eine rhetorische Frage, aber Lucas nahm sie ernst.

«Die Farbzusammenstellung des Anzugs ist lächerlich», sagte er, mit dem Schwung von jemandem, der anfängt, eine lange Liste herunterzubeten. «Eine rote Hose? Ich bitte

dich! ... Das mit dem Doppelleben entbehrt jeder Grundlage, es ist überflüssig, warum ist er nicht den ganzen Tag
Superman und tut doppelt so viel Gutes, wie er behauptet,
dass er es tut? Die Bösewichte sind fade, du willst doch Lex
Luthor nicht mit Joker, Catwoman, Pinguin oder Two-Face
vergleichen ...!»

«Ich hab's gewusst», mein zitternder Finger zeigte ankla-
gend auf ihn. «Du stehst auf Batman!»

«Er ist tausendmal besser!»

«Aber er hat keine übersinnlichen Kräfte!»

«Das ist ja gerade der Witz. Supermans Kräfte sind vom
Himmel gefallen. Er ist immer gleich, flach, er lernt nichts
dazu. Batman ist wie du und ich. Er hat als Kind ein Un-
glück erlebt und sich darauf vorbereitet, zu sein, wer er ist,
das ist verdienstvoll. Und außerdem ist er viel intelligenter.
Und kreativer. Und er hat ein tolles Auto. Und die Batman-
höhle ist genial.»

«Superman hat die Festung der Einsamkeit.»

«Umsonst, er benutzt sie ja nie.»

«Und ob er sie nutzt!»

«Wann?»

«...»

«Wann, sag schon?»

Es fiel mir keine Antwort ein. Vielleicht weil ich nicht genug Zeit hatte.

Noch bevor ich den Mund aufmachen konnte, warf er
mir das Seil vor die Füße, das er soeben abgestreift hatte.

50. Ein Skandal

Ob aus Resignation oder eher, weil ich mich an den neuen Rhythmus gewöhnte, den man mir aufgezwungen hatte, jedenfalls war meine Anwesenheit im San Roque nicht mehr länger so eine Tortur wie am Anfang. Die Schule war gar nicht so schlecht. Es war interessant, die Unterschiede zu der Schule im Viertel Flores zu beobachten, «meiner» Schule: das allmorgendliche Gebet, der Religionsunterricht, für jedes Fach einen eigenen Lehrer anstelle der einen Lehrerin, die alles unterrichtet, und unter all den Lehrern war keine einzige Frau. Viele Lehrer waren zugleich Geistliche, einige Priester und andere Ordensbrüder, eine Unterscheidung, die ich und der Zwerg nie ganz begriffen haben. Ein Bruder ist wie ein Arzt, der seine Approbation hat, sich aber nicht niederlassen will: Er hat den Titel, aber er kann nicht praktizieren.

Bald ließ ich den selbst erklärten Boykott gegenüber dem Wissen fallen. Anfangs registrierte ich nur das Allernötigste, um mir Probleme zu ersparen; wir Vicentes mussten diskret sein, und es gab kein besseres Versteck als das akademische Mittelmaß. Aber der Enthusiasmus der Lehrer war ansteckend, und die stets heitere Atmosphäre lud zum Mitmachen ein. Irgendwann ertappte ich mich dabei, dass ich die Hand hob, um eine Frage zu stellen. Der Lehrer lobte meine Neugier und hielt mich an, so oft Fragen zu stellen, wie ich wollte. Von da an blieb Galgenmann auf die Pausen beschränkt, wenn Haroldo Vicente das Schattendasein suchte und sich wieder in sein Schweigegelübde einschloss.

Das Personal der Schule war ein bunter Haufen. Sekretär González ging inmitten einer Wolke aus Kreidestaub herum, die er auszuspeien schien wie der Drache das Feuer. Er kam stets als Erster und ging als Letzter, wenn er überhaupt ging; sein Leben spielte sich im San Roque ab. (Einmal fragte ihn ein Siebtklässler nach der Marke des Aufnahmegeräts im Sekretariat, und er sagte «Autostop».) Der Naturkundelehrer, der uns aufforderte, ihn Don Francisco zu nennen, hatte eine anthropologische Sichtweise, die sich in dem Satz zusammenfassen lässt: der Mensch ist ein Rohr, das Nahrung aufnimmt und sich entleert. Der Mathematiklehrer, Llamas, war immer gleich angezogen: ein weißer Kittel und darunter lediglich ein Muskelshirt, sogar an den frostigen Morgen; ich weiß nicht, ob er tatsächlich Llamas hieß oder ob das mit den Flammen eine Anspielung auf seine persönliche Temperatur war. Señor Andrés, der Sprachlehrer, hatte eine ganz besondere Form zu unterrichten. Erst mussten wir alle aufstehen und uns an der Wand entlang aufstellen, über den ganzen Raum. Dann stellte er eine Frage, und wenn du nur einen Moment zögertest, sagte er, «der Nächste», und gab den Ball an den Nachbarn weiter, während du mit gesenktem Kopf auf deinen Platz zurückkehrtest. Das war eine intellektuelle Variante des Frage-Antwort-Spiels, niederschmetternd, aber zugleich unterhaltsam.

Er war der jüngste von allen Lehrern und der intelligenteste. Die meisten Leute benutzen ihre Befähigung wie eine Waffe, nicht aber Señor Andrés, der seine Ziele ganz hoch hätte stecken können, aber ein einfaches Leben vorzog. Folglich war er immer gut gelaunt, es machte ihm Spaß, uns mit allerlei kuriosen Informationen, Denkspielen und rätselhaften Geschichten zu überraschen, die er in unseren Köpfen gären ließ. Er sagte, die Sprache sei das Sieb der menschlichen Erfahrung und wir würden etwas nur verstehen, wenn wir es in Worten ausgedrückt hätten. Jetzt, wo ich diese Geschichte erzähle, bin ich versucht, ihm zu glauben. Was mich an Señor Andrés am meisten irritierte, war die

Art, wie er mich ansah, so als wüsste er mehr über mich als ich selbst. Dabei schloss er die Augen halb und lächelte komplizenhaft. Damals glaubte ich, Señor Andrés würde mein Geheimnis kennen und dieser Blick wäre seine Art, mir das mitzuteilen – für ihn auf eine seltsam nonverbale Art. Die Tatsache, dass er mein anscheinendes Desinteresse tolerierte, schien meinen Verdacht zu bestätigen: Señor Andrés wusste, dass ich unter außergewöhnlichen Bedingungen lebte, deswegen forderte er von mir nicht so viel wie von den anderen. Jetzt, da meine Geschichte erzählt wird, wo ich sie in Worte fasse und ich sie selbst sprechen höre, frage ich mich, ob nicht auch Señor Andrés wusste, dass die Zeit gleichzeitig geschieht, als er mich ansah und nicht nur verstand, wer ich damals war, sondern auch, wer ich sein würde; ob er nicht nur Haroldo, sondern auch Kamtschatka sah.

Zu anderen Zeiten wurden die Lehrer verehrt. Die Leute pilgerten von den entferntesten Orten zu ihnen, um ihren Reden zuzuhören, auf der Suche nach Wissen über die sie umgebende natürliche Welt und die Gesetze der Logik, über die Körpersäfte und die Himmelssphäre, die Zyklen der Natur und die alte Geschichte, und sie hüteten jedes Wort wie einen Schatz, mit dem Eifer desjenigen, der begreift, dass im Unterschied zur weltlichen Macht die Weisheit nicht mit der Zeit zerfällt. Andere Lehrer, wie die Mönche von Kildare, kümmerten sich um die Bewahrung des Wissens, mit der Gewissheit, dass niemand ein Gebäude errichten kann, wenn er die Grundfesten verliert, und sie kopierten jeden Gedanken und jede Intuition ihrer Vorfahren, ob heilig oder heidnisch, in Bücher, die sie mit auserlesenen Anmerkungen füllten. (Die Zirkulation des Wissens in dunklen Zeiten, von den griechischen Lehrern zu den arabischen und von den arabischen zu den mittelalterlichen Kopisten, sagt etwas aus über die Toleranz zwischen Menschen, Zeiten und Kulturen, das verdient Beachtung.) Andere brachten in missionarischem Eifer ihre Lehren auf Esel, Schiff oder Kutsche an die Orte, von denen sie glaubten, sie könnten dort von Nutzen sein, wie jemand das Geschenk des Feuers in ein Land bringt, das nur Kälte kennt. Viele begleiteten Kolonisierungsunternehmungen, aber man kann sie nicht für die Zerstörung verantwortlich machen; es wäre ungerecht, Aristoteles für die Eroberungszüge seines Schülers Alexander des Großen anzuklagen.

Mein Geburtsland, Argentinien, durchlebt sein Mittelalter. Das Land ist in den Händen von Feudalherren, die den Löwenanteil behalten und ihren Zehnten an einen fernen König entrichten. Die Straßen werden von Banditen beherrscht, die auf der Suche nach Lebensnotwendigem sind, und von den Soldaten, die vorgeben, uns zu schützen. Die Städte sind schmutzig und stinken, und in den dunkelsten Winkeln nisten die Keime künftiger Epidemien. Ein ganzes Heer von Armen durchwühlt die Abfälle auf der Suche nach einem Happen zu essen und einem Gegenstand, der für den Tauschhandel taugt. Hunderttausende von Kindern essen wenig und schlecht und haben eine schwache Konstitution, ihre Gehirne ermüden früh, während auf den anderen Seiten der Zäune die Körner geerntet werden, die ferne Mäuler stopfen.

In diesen Tagen denke ich oft an die Lehrer des San Roque. Sie waren eher unscheinbar, aber sie errichteten wirkungsvolle Barrikaden gegen die Gewalt der Welt draußen, die nie die Schwelle der Schule überschritt; ich weiß von Zeitzeugen, dass es in der damaligen Zeit an anderen Schulen brutal zuging, das ist die einzige Sprache, in der Macht sich auszudrücken versteht. Ich bin sicher, keiner dieser Lehrer (vielleicht Señor Andrés, aber beschwören würde ich das nicht) hat eine Ahnung, welchen Einfluss er auf mich hatte. Aber ich erinnere mich an sie, und ich sehe sie in den heutigen Lehrern, deren Barrikaden die Spuren eines größeren und heimtückischeren Angriffs aufweisen. Die Tatsache, dass sie Tag für Tag weiterarbeiten, ist ein Affront gegen die Mächte dieser Welt, die die Unwissenheit der Massen fördern, weil sie wissen, dies ist die Bedingung für ihr Überleben: Sie brauchen uns linkisch, abgestumpft, zahm. Ich glaube, der Hauptgrund, warum man heutzutage gegen die Lehrer mit miserablen Löhnen und diffusen Aufgaben kämpft, ist ein anderer, noch erbärmlicherer und deshalb uneingestandener. Ein Lehrer ist jemand, der sich entschieden hat, sein Leben darauf zu verwenden, in anderen den Funken zu entzünden, den man früher als Kind in ihnen entzündet hat; das empfangene Gute weiterzugeben und es dadurch zu vermehren. Für die Mächtigen dieser Welt, die von Kind auf alles bekamen und jetzt alles an sich reißen, ist die Logik dieser Entscheidung obszön, ein Spiegel, in dem sie sich nicht sehen wollen, und deshalb zerstören sie ihn auf der Flucht vor dem Skandal.

51. Wo ich zu einem geheimnisvollen Mann werde

Anfangs haben meine neuen Klassenkameraden mich ignoriert. Die Rede von Pater Ruiz hatte ein unumstößliches Prinzip bei dieser Art von Kindergesellschaften nicht berücksichtigt: der neu Hinzugekommene, der «Frischling» (als wäre er gerade geboren), ist immer ein Bürger zweiter Klasse, zumindest, bis er das Gegenteil beweist. Nicht aus Böswilligkeit, sondern aus Respekt gegenüber diesem ungeschriebenen Gesetz tuschelten meine Kameraden hinter meinem Rücken und lachten. In der Pause bildeten sie kleine Grüppchen und schrien lauthals hinaus, welche Spiele sie jetzt spielen wollten, ohne mich aufzufordern mitzumachen. Am Anfang eines jeden Tages, wenn die Anwesenheit überprüft wurde, wartete einer von ihnen (immer ein anderer, sogar bis zu dem Punkt waren sie organisiert), bis der Lehrer sagte, Vicente, Haroldo, um mich sogleich im Flüsterton zu fragen: Haroldo Vicente und weiter? Eine Frage, die mir zeigen sollte, dass ich zwei Vornamen, aber keinen Nachnamen hatte.

Mein Schweigen sorgte dafür, dass die Scharade nicht aufging. Der Witz dieser Spiele liegt darin, dass der «Frischling» verzweifelt darum ringt, akzeptiert zu werden, was normalerweise auch der Fall ist. Aber ich hatte viele Gründe, mich nicht für diese Gesellschaft zu interessieren. Einerseits lasteten die Verbote von Papa und Mama auf mir: Ich durfte keinen Hinweis geben, der dazu geführt hätte, dass man entdeckte, wer wir wirklich waren, und so waren fast alle Gesprächsthemen, auf die ich spontan kam, untersagt. Selbst Superman konnte sie auf die Spur zu mir führen, wenn sie Fernández befragten, den Kioskbesitzer bei mir an der Ecke, der meinen pünktlichen vierzehntägigen Kauf bestätigen konnte. Ich fühlte mich so fern von meinen neuen Kameraden wie die Mystiker und die Superhelden vom Rest der Menschheit. Ich vermisste meine alten Freunde, die ich viel cleverer fand. Ich dachte, keiner der Jungen vom San Roque konnte Bertuccio das Wasser reichen, und innerlich verglich ich sie die ganze Zeit. Bertuccio würde so einen Blödsinn niemals machen. Bertuccio konnte besser kaspern. Bertuccio hätte nie zugelassen, dass man ihn aus dem Unterricht warf, zumindest nicht, ohne zu protestieren, bis der Pedell ihn hinausschleppte.

Der stärkste Grund für mein Desinteresse wurde mir bald

darauf klar: Wer würde die Freundschaft eines zehnjährigen Jungen haben wollen, wenn er die eines Achtzehnjährigen genießt? Wenn Lucas da war, kamen mir all meine Kameraden wie ängstliche, einfältige Säuglinge vor. Lucas war meine grüne Laterne, meine Sonne, meine radioaktive Spinne: der wahre Quell all meiner Kräfte. Während sie auf der Straße Fußball spielten, übte ich Seemannsknoten. Während sie sich den Bauch mit Pommes frites voll stopften, drehte ich vier Runden im Garten. Während sie fernsahen, übte ich Luftanhalten in der vollen Badewanne. (Mama war Houdini dankbar, dass er etwas erreicht hatte, was ihr nie gelungen war: dass ich mich täglich badete.)

Bald hörten das Getuschel, das Gelächter und die Theaterspielerei auf. Es war offensichtlich, dass sie mich damit nicht beeindruckten. Ich hatte nicht ein einziges Mal versucht, auf sie zuzugehen, ich hatte nicht einmal gelächelt. Ich hatte mir sogar den Luxus gegönnt, eine Einladung von Denucci zum Bildchentauschen auszuschlagen. Und dann begannen die Mutmaßungen über meine wahre Identität. Warum vergaß ich hin und wieder, «anwesend» zu sagen, wenn der Lehrer die Anwesenheitsliste durchging und mein Name aufgerufen wurde? Warum hatte Señor Andrés damals darüber hinweggesehen, dass ich die Antwort nicht wusste, und anstelle von «der Nächste» mir jedes Wort aus der Nase gezogen? Warum sonderte ich mich in den Pausen ab und ließ immer sofort das Zettelchen verschwinden, auf das ich schrieb, wenn jemand in meine Nähe kam? War hinter all den Zeichen nicht ein Geheimnis verborgen?

Man bot mir Kaugummi und Bonbons an. Man bot mir an, Bildchen zu tauschen.

Ich sagte immer nein. Anfangs aus Vorsicht und später aus Vergnügen. Es gibt nichts Amüsanteres, als ein geheimnisvoller Mann zu sein.

52. Señor Globulito

Eine Gesellschaft akzeptierte ich damals jedoch, ohne zu murren. Don Francisco trug mir auf, mich um Globulito, das Skelett der Schule, zu kümmern. Meine Aufgabe bestand darin, sicherzustellen, dass es zu Beginn des Naturkundeunterrichtes im Klassenraum war, und es danach an seinen Platz in einer staubigen Ecke des Sekretariats zurückzubringen. Weil das Sekretariat am einen Ende des Schulhofes lag und mein Klassenraum am anderen, musste ich es hin- und herschieben, und die ungeölten Räder seines Holzständers quietschten auf dem Mosaikboden, und die Knochen schlugen aneinander, dass es sich anhörte wie ein Vibrafon.

Auch bei Regen war ich meiner Pflicht nicht entbunden. Dann musste ich auf einen alten Regenschirm zurückgreifen, der ebenfalls im Sekretariat aufbewahrt wurde. Weil es sehr schwierig war, mit einer Hand den Schirm zu halten und mit der anderen zu schieben, steckte ich ihn fast immer Globulito zu – ich hakte den Knauf an seinem Arm ein und legte den aufgespannten Schirm auf seinen Schädel –, und so bewegten wir uns fort, mitten durch das Unwetter, damit er nicht zu spät zu seinem Auftritt kam.

Das Gute war, dass der Naturkundeunterricht nicht mit einer Pause endete, sondern danach der Unterricht von Señor Andrés anschloss. Da ich Globulito auf seiner Heimreise begleiten musste, hatte ich die Erlaubnis, den Unterricht zu verlassen und folglich wertvolle Minuten des Sprachunterrichtes zu verpassen; so rettete ich mich bei mehreren Gelegenheiten davor, mit dem Rest der Klasse nach vorne gerufen und über Plusquamperfekt und unbestimmte Zukunft ausgefragt zu werden.

Unser Rückweg in das Sekretariat wurde immer langsamer. Häufig schützte ich Erschöpfung vor und setzte mich auf der Hälfte des Weges auf die Betonbank, die um den ganzen Innenhof herumging. Globulito beklagte sich nie. Er schien genau wie ich für eine Verschnaufpause dankbar zu sein, für den Augenblick der Kontemplation, bevor er wieder zwischen den Karten, den riesigen Kompassen und den Kreideschachteln abgestellt wurde. Wir waren ein seltsames Paar, ich sitzend und er stehend, in dieselbe Richtung blickend. Mit der Zeit wurden wir vertrauter, und ich ertappte mich dabei, wie ich mit ihm sprach, nichts Besonderes, Bemerkungen über den Unterricht, den wir eben zusammen verbracht hatten (ich hatte keinen großen Respekt vor Don Francisco, aber ich hatte ihn gern), Anekdoten über Bertuccio, solche Sachen. In seiner Gesellschaft fühlte ich mich nie allein: er war ein Meister des beredten Schweigens.

Einen Großteil meines Exils in Kamtschatka habe ich in der Einsamkeit verbracht, isoliert durch ewiges Eis. Eines Tages ertappst du dich dabei, wie du laut Worte aussprichst, die vorher nur in deinem Kopf herumspukten, was für ein Scheißkühlschrank, ich muss Deodorant kaufen, wer sollte um diese Zeit anrufen?, um am Ende zu akzeptieren, dass die Partitur des Schweigens das Solo der eigenen Stimme erlaubt. In diesen Jahren habe ich oft das Gefühl gehabt, nicht mit mir selbst, sondern mit Globulito zu sprechen, den ich irgendwo in der Dunkelheit meiner Hütte wähnte, wo er mir mit der ihm eigenen Geduld zuhörte und warme Kompressen auf meine Verzweiflung legte, mit diesem Blick aus den leeren Augenhöhlen, die alles gesehen haben.

Lucas meinte, ich würde einen Fehler machen. Ich würde etwas verpassen. Wenn das Leben mir diese Schule schenkte, warum versuchte ich dann nicht die guten Seiten der Schule zu sehen? Ich sagte, da wäre nichts Gutes, denn meine Kameraden seien alle Idioten. Aber er widersprach, das sei unmöglich, es müsste wenigstens einen netten Jungen geben, und wenn es nur wegen des Gesetzes der Wahrscheinlichkeit wäre: einer von dreißig, das war doch nicht zu viel verlangt. Ich dachte, selbst in diesem Fall wäre es angebracht, weiter auf mich allein gestellt zu bleiben, denn welchen Sinn hatte es, sich mit jemandem anzufreunden, den du von jetzt auf nachher verlassen musst und nie mehr wiedersiehst? Das mit Bertuccio ärgerte mich schon genug, auch wenn ich die Hoffnung hatte, ihn bald wiederzusehen. Lucas verstand das, aber er sagte, meine Argumentation sei falsch. Schloss man denn keine Freundschaften in den Ferien mit Leuten, die in Salta oder in Bariloche lebten und von denen man genau wusste, dass man sie nicht mehr sehen würde, wenn man wieder nach Hause fuhr? Ist es nicht trotzdem schön, obwohl man weiß, dass alles endet? Als Abschluss seiner Argumentation legte er den schlagendsten Beweis vor. Wenn ich recht hatte und es in Zeiten des Übergangs und der Ungewissheit nicht angebracht war, neue Bindungen einzugehen oder Freundschaften zu schließen, was täten wir beide denn gerade, am Fuße der Pappel, während wir in der schwachen Wintersonne Seemannsknoten übten?

Es war unmöglich, mit Lucas zu streiten. Lucas ging der Konfrontation aus dem Weg, die eher mein Stil war. Aber nicht aus Feigheit oder mangelnder Überzeugung, nein, er hatte nur eine andere Art, mit den Dingen umzugehen. Lucas verstand es zuzuhören, und wenn er glaubte, dass er an der Reihe war, machte er seine Sichtweise mit Feingefühl deutlich. Er wurde nie sauer oder aggressiv, weder wenn er in einer schwächeren Position war, noch wenn er offensichtlich im Vorteil war, wie in diesem Fall. Und selbst wenn er ein unanfechtbares Argument nach dem anderen brachte und noch eins draufsetzte, ließ er seinem Gegenüber immer ein Türchen für einen würdigen Rückzug offen. Ich zum Beispiel nutzte diese Tür und sagte, das wäre nicht dasselbe, er wäre mein Trainer und ich sein Zögling, Meister und Schüler. Lucas sei mein Kung-Fu-Lehrmeister und ich sein kleiner Grashüpfer; diese Art von Beziehung sei sehr wohl in Zeiten des Übergangs und der Unsicherheit erlaubt. Da lächelte er, seine Finger machten sich unablässig an dem Seil zu schaffen, und sagte, die Beziehung ginge in jedem Fall ihrem Ende entgegen, denn dieser Knoten, den er Tuchknoten nannte, wäre der letzte, den er auf Lager hätte.

Von jetzt an wären wir auf dem gleichen Stand. Und alles, was wir erlebten, ganz egal wie lange es dauerte, würden wir gemeinsam erleben.

Meine ersten Versuche als Entfesselungskünstler waren ein Desaster. Anfangs, noch ganz mutig, bat ich Lucas, das Seil um meine Handgelenke etwas fester zu ziehen. Folglich war nach wenigen Minuten die Blutzufuhr unterbrochen, und meine Arme schliefen ein; es war, als hätte ich keine Arme mehr, sie fühlten sich an wie an den Seiten herunterhängende Sandsäcke. Dann merkte ich, dass es gar nicht so klug war, Widerstand gegen das Seil zu leisten. Kaum ließ ich etwas nach, wurde auch die Spannung weniger, aber da fing ich an, wie wild gegen die Fessel zu kämpfen und zu ziehen, sie schnitt in meine Haut, und das Einzige, was ich erreichte, waren noch mehr Knoten. Der Trick war, sich wieder zu entspannen. Als ich aufhörte, wie ein Irrer an den Fesseln zu zerren, hörte mein Herz auf zu rasen, und mein Blut staute sich nicht länger in den Händen, ich machte mich nicht mehr steif, ich war beweglich, und ganz langsam kam ich frei. Lucas schlug vor, ich sollte ein Lied oder ein Gedicht auswählen oder etwas, das ich mir während des Prozesses vorsagen konnte und das es mir ermöglichte, meine Aufmerksamkeit von den Knoten abzulenken. Ich versprach, darüber nachzudenken, aber da ich nicht allein in einer Kiste auf dem Meeresgrund lag, würde ich es bis dahin vorziehen, mich mit ihm zu unterhalten, was denselben Effekt hatte.

An eines dieser Gespräche kann ich mich lebhaft erinnern. Wir waren im Garten, so um fünf, um die Zeit, wenn es im Winter dunkel wird. Papa und Mama waren aus dem Dschungel von Buenos Aires noch nicht zurückgekehrt, der Zwerg war im Haus, ihn hörte man nicht, aber den Fernseher, und das war beruhigend. Lucas fesselte meine Hände, und ich versuchte die Armmuskeln anzuspannen, um größtmöglichen Widerstand zu leisten.

«Wenn du dich in einer Minute befreist, bist du Houdini», sagte er, als er den letzten Knoten machte. «Wenn du dich in zwei befreist, bist du Mediokrini. Und wenn du länger brauchst, Desastrini.»

Ich bat ihn, auf der anderen Seite des Baumes zu warten. Ich wollte nicht, dass er sah, wie ich mich abmühte und gegen die Knoten kämpfte.

Es war der Moment, in dem ich mich hätte entspannen sollen, damit das Seil weniger Druck auf meine weichen Muskeln ausübt; der Moment, in dem das Gespräch mir helfen sollte, den Kelch der von meinem despotischen Bewusstsein heraufbeschworenen Nervosität an mir vorüberziehen zu lassen. Gezwungen, ein Gesprächsthema zu finden, wähl-

te ich eines, das die letzten Tage immer wieder aufgekom-
men war. Ich hatte verzweifelt nach Argumenten gesucht,
um Supermans Überlegenheit zu beweisen. Lucas' Angriff
hatte mich kalt erwischt, und seit dem Zeitpunkt bereitete
ich den Gegenschlag vor.

«Superman kann mehr Leute in weniger Zeit retten.»

«Klar», sagte Lucas hinter dem Stamm. Es war, als spräche der Baum selbst zu mir. «Aber meistens ist er damit beschäftigt, Lois Lane und Jimmy Olsen zu retten.»

«Superman kann die ganze Welt erreichen. In Sekunden
kann er an jedem beliebigen Ort der Erde sein!»

«Das stimmt. Aber du hast ihn nie ein Problem außerhalb
der Vereinigten Staaten lösen sehen, oder? Hast du je einen
Armen in der Geschichte gesehen? Oder einen Schwarzen?
Hast du ihn je gegen einen lateinamerikanischen Diktator
kämpfen sehen? Und dabei arbeitet er bei einer Zeitung!»

Ich hatte bei der Auswahl des Themas einen Fehler gemacht: Lucas versetzte mir einen Hieb nach dem anderen,
und zu wissen, dass ich hinten lag, ärgerte mich, und durch
den Ärger war ich angespannt, und durch die Anspannung
fraß sich das Seil in meine Handgelenke wie ein tollwütiger
Hund. Zu allem Überfluss sagte er die erste Minute an. Ich
würde nicht Houdini sein. Mit ein wenig Glück würde es für
Mediokrini reichen.

«Außerdem hat die Geschichte einen Fehler im Aufbau»,
sagte Lucas unbarmherzig.

«Hä?»

«Superman hat Überschallgeschwindigkeit, nicht wahr?
Und wenn er mit tausend Sachen um die Erde fegt, kann er
in der Zeit zurückkreisen.»

Ich überlegte und gab ihm recht:

«Einmal starb Lois Lane, und Superman reiste in die
Vergangenheit und verhinderte, dass sie getötet wurde.»

«Und wenn er das kann, warum geht er nicht noch ein paar Jahre zurück und verhindert, dass Krypton zerstört wird und seine Eltern sterben?»

Ich war platt. So hatte ich das noch nie gesehen. War Superman, wie Lucas mir nahelegte, ein herzloser Sohn und ein schlechter Kryptonianer? Wenn Lucas recht hatte, war dann Superman ein Idiot, der nie über diese Möglichkeit nachgedacht hatte … oder ein unsensibler, selbstverliebter Kerl, der sich dazu entschlossen hatte, mit der Vergangenheit zu brechen, um ein Übermensch unter Schafen zu sein?

«Zwanzig Sekunden, du bist Desastrini.»

Ein Gedanke fiel vom Himmel und grub sich in mein Hirn; eine Lanze, die das Land für den Sieg forderte. Fragen Sie mich nicht wie, aber plötzlich hatte ich die Antwort auf das Rätsel, das Argument, das zeigte, dass Superman ein guter Mensch und der beste aller Superhelden war und ich somit recht hatte und nicht Lucas. Ich öffnete den Mund, um es in die Welt hinauszuschreien. Fast hätte ich die Stimme nicht erkannt, die aus meiner Kehle kam: sie klang näselnd, nach klebrigem Schleim, als wäre das Seil meine Arme hochgeklettert und hätte sich um meinen Hals gelegt.

«Superman kann in der Zeit zurückreisen, hier in unserem Sonnensystem, denn es ist unsere Sonne, die ihm seine Kräfte verleiht. Wenn er in das Sonnensystem von Krypton reisen würde, würde er sie verlieren, und dann könnte er nichts mehr tun. Nicht, dass er seine Eltern nicht retten will. Er kann es nicht! Er kann sie nicht retten, verstehst du? Er kann nicht!»

Ich hörte auf zu krächzen und sank auf die Knie. Ich war erschöpft.

Meine Stimme hatte auch Lucas erschreckt, der aus seinem Versteck kam und neben mir niederkniete, um mir die Fesseln abzunehmen.

«Ich spüre nichts», sagte ich leise.

Lucas rieb so schnell meine Unterarme, dass es brannte. Er war fast so schnell wie Superman.

«Und wenn sie nicht zurückkommen?», hauchte ich. «Papa und Mama. Wenn sie nicht zurückkommen?»

Er nahm mich in seine Arme und rieb meinen Rücken, als wäre auch der eingeschlafen. Wir verharrten so eine ganze Weile. Irgendwann merkten wir, dass es nahezu stockfinster war und die Kälte uns in die Nase zwickte.

Es war kein verlorener Abend. Zumindest verstanden wir, warum Superman hin und wieder in die Arktis flog und sich in der Festung der Einsamkeit einschloss.

54. This year's model

Die Worte existieren auch in der Zeit. Einige werden ungebräuchlich und bleiben in Büchern eingeschlossen, die niemand besucht, wie die Alten in den Pflegeheimen. Andere verändern sich im Verlauf ihres Lebens, sie verlieren Bedeutungen und gewinnen andere hinzu. Das Wort Vater zum Beispiel. Die Definition im Wörterbuch ist kurz und gründet sich auf das Biologische (Mann oder männliches Tier im Verhältnis zu seinen Nachkommen), aber die Eigenschaften, die wir damit assoziieren, haben sich verändert. Keiner von uns denkt, dass Vater nur ein männliches Tier ist; das Wort verbinden wir mit der Figur eines liebevollen Mannes, der im Leben seiner Kinder als Spender von Schutz und Liebe und Leitfigur präsent ist. Aber diese Definition, so alltäglich wie das Wasser, ist neuer, als wir denken. Mag sein, dass sie älter ist als das Automobil, aber auch so ist sie jünger als die Druckpresse und definitiv jünger als die Vorstellung der romantischen Liebe. Oder haben Romeo und Julia etwa gezögert, die väterliche Autorität zu ignorieren und einem Gefühl zu folgen, das sie für heiliger hielten als den blinden Gehorsam?

Was wir unter Vater verstehen, unterscheidet sich sehr von dem, was dieses Wort jahrhundertelang bedeutete. Das Buch Genesis sagt nichts darüber, wie Adam und Eva zu ihren Kindern waren. Es ist nicht einmal ihre Reaktion auf die Tötung Abels durch Kain verzeichnet; das Schweigen des Textes löst eher Verblüffung als Schmerz aus. Ähnlich fatalistisch opferte Abraham den sehnlichst erwünschten Sohn Isaac, eben dem Gott, den er jahrzehntelang angerufen hatte, der ihm und Sarah im hohen Alter den Kinderwunsch erfüllte. Dieser Jahwe, Vater der ganzen Menschheit, hatte gegenüber seinen Geschöpfen eine ambivalente Haltung: zweimal war er kurz davor, sie vom Antlitz der Erde verschwinden zu lassen (bei der Sintflut und als das Volk, das Moses folgte, Götzendienst trieb), und zweimal änderte er im letzten Moment seine Meinung. Nur einmal umarmt er die Spezies bedingungslos, überwältigt von seiner Liebe für David, seinen Liebling; es ist wohl das erste Mal, dass er sich selbst als Vater des Menschen bezeichnet.

In anderen Traditionen ist die Gestalt des liebenden Vaters auch Gegenstand eines allmählichen Destillationsprozesses. Die griechischen Götter schaffen Gottheiten und Helden, wo man hinschaut, aber sie scheinen für ihre Nachkommen nicht viel mehr zu empfinden als ein vages Verantwortungsgefühl; viele zeigen mehr Sympathie für bestimmte Sterbliche als für ihre eigenen Geschöpfe. Saturn, das hatte Goya mir gezeigt, geht sogar so weit, seine Nachkommen zu verschlingen. Laios will Ödipus auch töten, auch wenn er geschlagen wird. Das erste große Bild einer Vaterbeziehung liefert die *Odyssee*, aber das ist nicht das Verdienst von Ödipus, sondern von Telemachos, der das Bild seines Erzeugers während der langen Abwesenheit durch den Trojanischen Krieg sublimierte. Homer zeigt uns Telemachos im Palast von Ithaka, wie er wach träumt, ganz im Bann seines Schmerzes: «Sah im Geiste den edlen Vater, ob er wohl kam irgendwoher.»

König Artus wird Uther nie kennen lernen, der ihn zeugte. Als er durch eine Prophezeiung erfuhr, dass sein eigener Sohn ihn vom Thron stürzen würde, tut Artus dasselbe wie Herodes und lässt alle Neugeborenen im Reich töten; Mordred wird diesmal gerettet, aber als Erwachsener wird er doch von der Lanze seines Vaters aufgespießt. Bei Shakespeare sind immer die Kinder die Ergebenen (Cordelia ist es und auch Hamlet, der Telemachos so viel zu verdanken hat), sie zeugen von einer Ergebenheit, die ihre Väter nicht wertschätzen. Dickens' beste Gestalten sind Waisen. Copperfield, Pip, Twist und Esther Summerson, die bei einer strengen Tante aufwächst, die laut den Tag verflucht, an dem das Mädchen geboren wurde. Wir wissen nichts über Ahabs Vater und nichts über den von Alicia, und auch nichts über den von Jekyll; sie scheinen so auf diese Welt gekommen zu sein, wie wir sie kennen, wie Venus aus der Muschel.

Das heißt nicht, das Modell Vater, so wie wir es heute verstehen, hätte es nicht schon früher gegeben. Aller Anfang war schon in der Parabel angelegt, die das Neue Testament dem verlorenen Sohn widmet: Vater ist der, der die Großzügigkeit besitzt, das Beste von sich seinen Kindern zu geben, und die Weisheit, ihnen freien Lauf zu lassen, damit sie ihre eigenen Erfahrungen machen, und die Geduld zu warten, bis sie Reife erlangt haben, und die Güte, sie bei ihrer Rückkehr mit offenen Armen zu empfangen und sie wieder an den Tisch einzuladen. Diese Vatervorstellung korrigiert die des autoritären, olympischen Vaters des Alten Testaments, nach dessen Ebenbild sich alle Patriarchen geformt haben, angefangen bei Lear bis hin zu Adam Trask in Steinbecks *Jenseits von Eden*. Im Verlauf eines einzigen Buches verändert sich das Kräfteverhältnis dramatisch. Am Anfang der Bibel ist Vaterschaft Macht, aber am Ende ist sie ganz auf die Liebe ausgerichtet.

Bis vor nicht allzu vielen Jahren wurden die Kinder in eine Welt geboren, in der alles gegeben und felsenfest schien. Ihre Väter waren, was sie waren, Hirten oder Soldaten, Jäger oder Minenarbeiter, und sie waren es bis zum Tag ihres Todes; in ihre Stände und Kasten gezwängt, waren sie der Beweis für ein gesellschaftlich starres System, und sie ertrugen es, ohne sich auch nur zu fragen, ob es einen anderen Platz für sie geben könnte. Sie mussten zwangsläufig strenge, distanzierte Väter sein. Sie kümmerten sich um ihre Kinder, wie es ein Wolf tut, sie gaben ihnen Nahrung und Wärme und schützten sie vor anderen Raubtieren. Sobald die Kleinen gehen konnten, brachten sie ihnen bei, sich über die Sprache zu verständigen und ihre Hände geschickt am Pflug, an der Lanze oder den Drucktypen zum Einsatz zu bringen, die ihre Kinder, so dachten sie, bis zu dem Moment nutzen würden, in dem sie ihre eigenen Kinder einweisen konnten. Das war alles, und es war viel.

Diese Welt gibt es nicht mehr. Mein Großvater gehörte zur letzten Vätergeneration der klassischen Art: er entschied sich in sehr jungem Alter für eine Lebensform und hielt an ihr bis zum Ende fest. Er kämpfte gegen Stürme, Brände und Dürre (ich wähle diese Bilder, weil es mir schwerfällt, meinen Großvater von der Erde zu trennen, die er bearbeitete), aber er hatte nie eine Identitätskrise. Mein Vater hingegen machte zum ersten Mal die Augen in einer Welt auf, die alle Gewissheiten verspielt hatte. Also musste er uns gegenüber nicht streng sein (denn alle Grenzen waren instabil geworden) und auch nicht distanziert (denn diese neue Welt hatte die Distanzen abgeschafft), was gut war. Aber gleichzeitig hat er vor unseren Augen die Hauptrolle im Abenteuer seines Lebens gespielt, das weit davon entfernt war, gelöst zu sein; ich möchte glauben, dass auch das am Ende zu etwas gut sein wird, aber es ist noch zu früh, um das sagen zu können.

Mein Großvater war eine einzigartige, eindeutige Gestalt. Mein Vater war Tölpel und politischer Aktivist, Eseltreiber und Fan von *Invasion von der Wega*, witziger Vater und rebellischer Sohn, Erlöser und Liebhaber, professioneller Anwalt und Verteidiger aussichtsloser Fälle. Ich sage nicht, diese Elemente seien nicht vereinbar; ich sage nur, sie lebten in einer ständigen Spannung in meinem Vater, einer Spannung, die er immer auflösen wollte, und nie mehr als ab März 1976, als das Land, das er zu verkörpern glaubte, sich unter seinen Füßen auflöste. Man möchte leicht auf den Gedanken kommen, meine Mutter hätte nicht unter solchen Spannungen gelitten, denn sie hatte sich eine Maske geschaffen, die perfekt auf ihr Gesicht passte. Aber es war offensichtlich, dass auch sie sich mit einem schrecklichen Schatten herumschlug, dem meiner Großmutter Matilde, einer weiteren Vertreterin der Generation, die nie eingestanden hatte, gezweifelt zu haben – zumindest bis es zu spät war.

55. Ich finde mich in einem
3-D-Film wieder

Nach der Schlappe der ersten Tage bekam unser Aufenthalt in dem Landhaus den Anstrich einer gewissen Normalität. Vordergründig sah es so aus, als wäre die einzig reale Veränderung die Kulisse. Jeder spielte die gleiche Rolle wie immer, nur auf einer anders gestalteten Bühne. Der Zwerg und ich gingen in die Schule. Papa und Mama arbeiteten. Und sogar die Anwesenheit von Lucas, eigentlich ein Fremdkörper im Schoß der Familie, war etwas Alltägliches geworden. Er war ein Kind mehr, eingegliedert in die durch jahrelanges Zusammenleben entstandene Dynamik. Während des Abendessens konnte er die Nachrichten mit Papa und Mama kommentieren und dabei mit einem Ball aus Brotkrumen spielen und auf das Tor zielen, das ich mit meinen Händen machte; Lucas war zu einem Element perfekten Gleichgewichts geworden. Er stellte sogar seine Zahnbürste in das Glas, in dem die anderen standen.

Auf den ersten Blick bedeutete die Tatsache, dass unser neues Leben in Fluss gekommen war, einen Sieg über die Phobien des Zwergs. Man hatte ihn in eine Spezialrakete gesteckt, nur mit seinem Lieblingspyjama bekleidet, den Plüschgoofy unter dem Arm und der Schnabeltasse in der anderen Hand, und dann hatte man ihn nach einem (ungewöhnlich kurzen) Countdown auf einen anderen Planeten geschossen. Ein solcher Schnitt wäre für jedes Kind in seinem Alter traumatisch gewesen, und wenn man seine Liebe zu Ritualen und Gegenständen bedenkt, die das Rückgrat seiner Welt bildeten, musste so ein Sprung noch brutaler sein. In der Kapsel war kein Platz für sein Bett, seine Schule und seine Kacheln; da war kein Platz für mein Spielzeug, das seine Raubtiergelüste nährte; da war kein Platz für den Sessel, auf dem er jedes Mal Freudentänze vollführte, wenn der Sprecher ankündigte, *und im Anschluss sehen Sie «The Saint»*; da war kein Platz für das blaurote Dreirad, auf dem er kaum noch fahren konnte. Und doch bewegte sich der Zwerg in der nicht vorhandenen Schwerkraft bei unserer Weltraumreise wie ein sehr erfahrener Astronaut. Da war die kleine Sache mit seiner Inkontinenz, aber das war unser Geheimnis, und wir arbeiteten daran. Papa und Mama wussten nichts davon; in ihren Augen ging der Zwerg mit all den vielen fremden Kräften perfekt um.

In gewisser Weise versuchten wir alle das Gleiche zu tun. Man muss die gute Seite der Dinge sehen, wie Manolito von Mafalda argumentiert, als er Guilles aufziehbares Auto kaputtmacht und ihn tröstet, indem er ein Stück aus dem Mechanismus wie einen Kreisel drehen lässt; es ging darum, die kleinen Gewinne in den großen Verlusten zu sehen.

Zugleich wusste ich, dass diese neue Normalität etwas Künstliches hatte, aber damals war dieses Wissen mehr eine Intuition. Ich wusste zum Bespiel nicht, dass die Entscheidung meiner Eltern, uns in die Schule zu schicken, der Grundstein des Gebäudes war. Sie glaubten, unabhängig von der unterschiedlichen Ausführung, dass die Partitur der Kittel, der Unterricht und die Pausen in unseren Ohren bekannte Klänge waren, eine Musik, die man der Stille der Außenwelt gegenüberstellen konnte, in der wir dahintrieben. Wer weiß, was für Ängste sie ausgestanden haben, um die Fetische des Zwergs, meine Zeitschrift beizuschaffen; das werden wir nie erfahren, aber das Risiko dieser Exkursion zeigt, wie viel sie zu tun bereit waren, um unser Fremdheitsgefühl zu lindern. Noch auf der Flucht sollten wir etwas Ähnliches wie ein Leben haben.

Vor uns gaben sie sich alle Mühe, so zu sein wie immer. Sie arbeiteten tapfer daran, die Illusion zu nähren. Gelegentlich entschlüpfte ihnen etwas, das ihre Erschöpfung aufdeckte, vor lauter So-tun-als-ob im Dienste der perfekten Fiktion: Passagen, in denen sie ihre Sorglosigkeit überbetonten, zu schrilles Lachen, Kommentare, die beiläufig klingen sollten, aber die dahinter liegende Absicht deutlich machten, wie bei unerfahrenen Schauspielern. Ich bemerkte es und machte weiter, wie es meiner Rolle entsprach. Aber manchmal geschahen Dinge, die mich befremdeten.

In Momenten besonderer Ruhe löste sich irgendein beliebiges Element von ihnen und übertrug sich auf mich, und ich sah wie durch diese Brille, die man im Kino bei *House of wax* bekam. So schwebte zum Beispiel Papas Schnäuzer, der ihn älter und ernster machte, in der Mitte des Wohnzimmers, nachdem die zuschlagende Tür sein Weggehen angekündigt hatte; genau wie das Grinsen der Katze von Cheshire. Oder die damenhaften Sachen, die Mama jetzt trug, wenn sie das Haus verließ; die Jeans und die bunten Farben trug sie nur noch im Haus. Plötzlich sah ich einen Rock und eine Bluse in der Türschwelle, Schuhe an einem unsichtbaren Körper, wenn der Citroën schwor, dass Mama längst losgefahren war.

Mein Vorstellungsvermögen spielte mir Streiche. Und sein Humor brachte zutage, was wir so sorgfältig zu verbergen trachteten: Wir versuchten andere zu sein, indem wir ein geliehenes Leben lebten, während wir an einem immer düstereren, immer unentzifferbareren Himmel schwebten. Ich wusste, dass jemand oder etwas da draußen meine Mutter dazu gedrängt hatte, sich an der Universität beurlauben zu lassen, auch wenn sie ihren Arbeitsplatz im Labor noch hatte. Ich wusste, dass jemand da draußen Papas Kanzlei übernommen hatte, der in jenen Tagen in ständig wechselnden Bars und Cafés arbeitete, um seine Verfolger abzuschütteln. Einmal traf er sich mit Ligia, seiner Sekretärin, unter einer schmutzigen Brücke. Da waren Leute, die im Abfall herumwühlten, und dann kam noch ein Streifenbeamter vorbei, und sie mussten sich verstecken, aber das Einzige, was Ligia störte, war, dass Papa ihr seine Akten mit Abdrücken von Kaffeetassen gab.

Diese und andere, stets fragmentarische Informationsstücke erreichten mich wie Teile eines Puzzles, das zusammenzusetzen mir nicht gelang. Meine Verdrängung war so groß, dass ich nicht einmal Alpträume hatte. Lange Zeit glaubte ich, ich hätte diese Dinge erfahren, weil meine Eltern dachten, ich würde den globalen Sinn dessen nicht verstehen, was sie andeuteten oder verschwiegen. Jetzt glaube ich, sie haben sich bewusst so verhalten, weil sie wussten, wenn es mir gelänge, die Teile zusammenzusetzen und die Figur auf dem Puzzle zu erkennen, befände ich mich in Sicherheit, in einer klugen Distanz zu der Gefahr, von der wir damals alle umgeben waren.

56. Die schlechten Nachrichten
reißen nicht ab

Ich hatte das Haus noch nicht ganz betreten, da wusste ich, ich war nicht allein. Mit der üblichen Trägheit nach der Rückkehr aus der Schule bewegte ich mich weiter (ich warf die Schultasche auf einen Sessel und ließ die Finger unruhig auf dem obersten Knopf des Kittels ruhen), aber die offenkundige Tatsache überzeugte mich mit der Gewalt der Ohrfeigen, mit denen die Mütter uns aus unseren Launen reißen. Das Haus hatte immer nach Staub, schmutzigen Strümpfen und dem Essen des Vorabends gerochen; jetzt roch es nach etwas anderem, ein eher süßlicher und natürlicher Geruch. Auf dem Tisch entdeckte ich eine Fernsehzeitschrift. Wir kauften solche Zeitschriften nie. Sie war aufgeschlagen und hatte blaue Linien, mit denen eine Hand ihre Vorlieben unterstrichen hatte. Im Rest des Wohnzimmers verwirrte mich mehr, was nicht da war, als das, was noch da war: Jemand hatte alle Anzeichen unserer Anwesenheit weggefegt, die

Pantoffeln, die immer herumlagen, die halb leeren Keks-schachteln, unsere Zeitschriften und die Zeichnungen des Zwergs, bei denen seit neuestem alle Figuren Sprechblasen hatten. Die Kühe hatten Sprechblasen. La Superadilla und Morocco Topo hatten Sprechblasen.

Mein erster Gedanke war, ich muss den Zwerg war-nen. Der Zwerg war draußen geblieben und suchte das Schwimmbecken nach toten Kröten ab. Vielleicht war es für mich zu spät, aber ich hatte immer noch genug Zeit, ihn zu warnen, ich musste nur schreien, rette du dich, denn in dramatischen Momenten erlebt man in der Fantasie alles, als wäre es eine mexikanische Fernsehserie. Dann würde der Zwerg zu den Ligustersträuchern und von dort über das Schlupfloch auf die Straße fliehen, das Papa uns gezeigt hatte, als er uns auf das Gefecht vorbereitet hatte. Wenn es hieß, Klarmachen zum Gefecht, dann lauteten die Instruk-tionen, ins Dorf laufen und Zuflucht bei Pater Ruiz suchen, der uns vielleicht in der Kapelle verstecken würde, getreu der Tradition, dass ein Flüchtender in einer Kirche Asyl fin-den kann und diese zum Heiligtum erklärt wird.

«Hallo, Schatz. Bist du da?»

Mama kam mit einer Schale wilder Blumen aus der Küche.

«Was machst du hier?», sagte ich mit aller Kraft, um das laute l-l-lup dup meines Herzens zu übertönen.

«Ich bin heute etwas früher dran. Und der Dicke?»

In dem Moment kam als Antwort auf die Frage der Zwerg herein. Mama schaffte es gerade noch, die Schale auf den Tisch zu stellen, bevor der Zwerg sie umarmte und schüt-telte.

«Hallo, mein Kleiner. Wie ist es dir ergangen?»

«*Ichbrchsf*», erwiderte der Zwerg, der sein Gesicht immer noch tief in Mamas Bauch vergraben hatte.

«Wie bitte?»

«Ich brauche ein Stück Seife. Wir wollen Figuren aus Seife machen!»

«Wie schön. Ich habe Milch gekauft!»

Das waren Zauberworte. Der Zwerg vollführte die Kurzversion seines Freudentanzes und lief in die Küche.

«Warte, ich mache sie auf! Und wie war's bei dir?», sagte Mama, ihre Aufmerksamkeit auf mich richtend.

Ich zuckte die Achseln und ging hinter ihr her, die dem Zwerg folgte.

«Und meine Superman-Zeitschrift?»

«Liegt in deinem Zimmer, wo sie hingehört.»

«Und meine Pantoffeln?»

«Hast du schon in den Wandschrank geschaut?»

«Sie sind nie im Wandschrank.»

«Jetzt schon.»

Mama nahm dem Zwerg die Milchtüte aus der Hand und riss eine Ecke mit den Zähnen ab und spuckte das Stück Plastik in das Spülbecken. Das beruhigte mich. Einen Moment lang hatte ich geglaubt, man hätte sie durch einen Invasor ersetzt, eine äußerlich identische Kopie, aber begeistert von typisch mütterlichen Tätigkeiten wie das Haus putzen, die Dinge an ihren Platz legen und es mit Blumen dekorieren.

«Es kommt ein Spielfilm, von dem ich möchte, dass du ihn dir ansiehst. Am Montag. Im Fernsehen», sagte sie, während sie die Milchtüte in den Plastikbehälter stellte und so dem Zwerg übergab.

«Was für ein Film? *The Sound of Music*?»

Unzulässige Frage. Mama hatte sich noch nicht von der Enttäuschung erholt, als sie mich mit ins Kino nahm, um ihn anzuschauen. Ich schlief ein. Na und, was soll's.

«Nesquick macht man so», sagte der Zwerg, der es liebte,

den Vorgang während der Zubereitung zu erläutern, als wären wir Neulinge auf dem Gebiet.

«Ein Horrorfilm?», fragte ich weiter. Das letzte Mal, dass Mama mir einen Film im Fernsehen gezeigt hatte, war es *Das große Geheimnis des Marcelino* gewesen.

«Nein, Dummkopf.»

«Du nimmst drei Löffel», sagte der Zwerg und füllte den Becher mit dem braunen Pulver.

«Er heißt *Picknick*.»

Ein Film über ein Picknick. Kann man sich etwas Langweiligeres vorstellen?

«Er ist nicht langweilig», sagte Mama, die meine Gedanken lesen konnte oder zumindest in meinem Gesicht. «Er hat eine wunderschöne Musik. Und es gibt Kämpfe, so wie du es magst.»

«Und dann gießt du die Milch von hier oben ein.»

«Spielt jemand Bekanntes mit?»

«William Holden. Der aus *Die Brücke am Kwai*.»

Die Brücke am Kwai war langweilig. (Damals war er es. Später wurde er besser.) Außerdem endete er schlecht (das änderte sich nicht), und ich mag keine Geschichten, die schlecht enden. (Darin habe auch ich mich nicht geändert.)

«*Stalag 17*», sagte Mama, die nicht schnell resignierte.

Stalag 17 war gut. Es ging um ein paar Typen, die aus einem Konzentrationslager flohen. Ich mag Befreiungsgeschichten.

«Und dann rührst du um, aber nicht zu sehr, denn sonst verschwinden die Klümpchen. Und die Klümpchen sind das Beste», sagte der Zwerg und nahm den ersten Schluck.

«Wo ist Lucas?»

«Er kommt so um sieben. Man hat mich heute aus dem Labor geworfen. Willst du ein Glas haben?»

Ich nickte mechanisch.

Mama holte ein Glas aus dem Wandschrank und stellte es vor mich hin.

«Es wäre schön, wenn wir zum Geburtstag deines Großvaters aufs Land fahren würden. Was meinst du?», sagte sie, während sie in einer Schublade nach einem Löffelchen suchte. Der Zwerg gab seins nie her. Er trank das Nesquick gern mit dem Löffel drin.

«Will Papa das denn?», fragte ich misstrauisch.

«Ich kann ihn überreden. Es ist schließlich sein Vater. Da kann er sich nicht wie ein Idiot benehmen.»

«Du hast Idiot gesagt», bemerkte der Zwerg.

«Ich darf das sagen, weil ich ich bin», sagte Mama und lieferte eine pädagogische Meisterleistung.

«Du darfst Idiot sagen, weil du erwachsen bist.»

«Und du darfst nicht Idiot sagen, auch nicht, wenn du nur wiederholst, was ich gesagt habe. Spiel hier nicht den Schlaumeier.»

«Wieso hat man dich rausgeworfen?»

Mama sah mich schräg an, mit einer Mischung aus Groll und Bewunderung, und verschanzte sich hinter einem Rauchschleier. Sie mochte es nicht, wenn ich sie zwang, über ein Thema zu sprechen, das sie vermeiden wollte, aber sie erkannte meine Geschicklichkeit an. Weil sie gerade zum Zwerg gesagt hatte, er solle nicht den Schlaumeier spielen, hatte ich sie mit meiner Frage in die Enge getrieben; sie war jetzt gezwungen, nicht auch einen auf Schlaumeier zu machen.

«Man hat mich rausgeworfen, Punkt.»

«Warum? Warst du eine Niete im Labor?»

«Ich bin Spitze im Labor. Ich bin auch eine Spitzendozentin, so wie ich eine Spitzenmutter bin.»

Der Zucker knirschte zwischen den Zähnen des Zwergs; eine Form der Zustimmung.

«In der Küche bist du eine Niete.»

«Niemand kann alles gleich gut.»

«Also warum?»

«Politik.»

In diesem Moment ging ein Engel vorbei. Großmutter Matilde sagt, wenn für einen Moment Schweigen entsteht, geht ein Engel vorbei. Und der Zwerg schrie: «Schau mal, Mama, schau mal!»

Und er zeigte ihr seinen Becher. Der Schnabel war abgegangen und nur durch einen dünnen Plastikfaden mit dem Becher verbunden.

«Weil du so viel darauf rumkaust, du Idiot», sagte ich.

«Jetzt spiel dich nicht so auf.»

«Er hat Idiot zu mir gesagt!»

«Du sollst das nicht wiederholen!», tadelte ihn Mama, aber ohne Überzeugung. Der Zwerg war wirklich getroffen, und sie wollte die Situation nicht noch verschlimmern.

So standen wir drei da und sahen das Glas an, der Zwerg umarmte Mama, und ich lehnte auf beiden, die Säule des Tempels, die gegen eine Mauer gestürzt ist. Es gab nicht viel zu sagen. Ihn zu reparieren war unmöglich. Und einen anderen zu kaufen, selbst wenn er haargenau gleich aussah, undenkbar. Mein Bruder hätte das Prinzip der Fließbandproduktion nie akzeptiert. Für ihn gab es keine zwei gleichen Gegenstände. Normalerweise vermieden wir es, ihm die Entscheidung bei einem Kauf zu überlassen, denn er konnte eine halbe Stunde lang Tic-Tacs vergleichen, die für uns völlig gleich aussahen. Wir gaben ihm auf alle möglichen Arten zu verstehen, er solle es nicht so umständlich machen, die Tic-Tacs wären alle gleich, aber er bestand darauf, dass dem nicht so war. Das Witzigste war, dass Mama unter vier Augen zugestand, dass der Zwerg recht hat. Die Wissenschaft war auf seiner Seite. Obwohl es auf den ersten

Blick so aussieht, gibt es keine zwei genau gleichen Becher. Und keine zwei genau gleichen Autos. Es gibt weder zwei genau gleiche Lampen noch zwei genau gleiche Gitter, noch zwei genau gleiche Augenblicke.

57. Eine der schlechten Nachrichten wird zu einer guten

An den folgenden Tagen erlebten wir als privilegierte Zeugen und als Versuchskaninchen das Phänomen Mama als Hausfrau.

Mama war nie zuvor Hausfrau gewesen. Mama war eine Niete im Haushalt. Ob die erste Aussage die Folge der zweiten Aussage war oder die zweite die Folge der ersten, ist eine Frage von so ungreifbarem philosophischem Gehalt wie die von der Henne und dem Ei.

Aber mein Urteil in der Hinsicht ist objektiv. Ich habe Hunderte von Beweisen, die das stützen.

Einmal schob sie ein Hähnchen in den Ofen, ohne die Tüte mit den Eingeweiden herauszuholen.

Einmal bügelte sie ein Nylonshirt auf höchster Stufe, und es klebte am Bügeleisen fest.

Einmal wollte sie mein Zimmer streichen und pinselte über die Tapete hinaus.

Einmal stopfte sie die Waschmaschine voll, und da ging sie in Flammen auf.

Einmal machte sie den Ofen an, ohne ihn vorher zu leeren, und verbrannte dabei das Schneidebrett.

Einmal zog sie dem Zwerg halb verschlafen den Kittel an, ohne vorher den Bügel rauszunehmen, und schickte ihn so in die Schule.

Papa ertrug diese Situationen ritterlich, zum Teil, weil er verliebt war, und zum Teil, weil Mama alles andere tadellos machte, und zum Teil, weil auch er als Hausmann eine Niete war (einmal verbrachten wir sechs Tage mit einem verstopften Ausguss, und am Ende machte ich den Stöpsel weg und hatte den ganzen Siff an den Händen, weil Papa davon Magenkrämpfe bekam, was ihn daran hinderte, die Hand zu heben und den Stein wegzunehmen).

Aber all diese Missgeschicke waren der Mama, wie wir sie kannten, unterlaufen, die sich immer nur flüchtig im Haus aufhielt oder sich den Verrichtungen widmete, die ihr Spaß machten, wie Filme anzuschauen, Kreuzworträtsel zu lösen oder stundenlang in der Badewanne zu lesen.

Jetzt war das anders. Ohne Fakultät und Labor blieb Mama nichts anderes übrig, als in dem Landhaus zu bleiben. Wie viele Filme pro Tag konnte sie sich anschauen? Wie viele Kreuzworträtsel würde sie lösen? Wie viele Stunden würde sie auf der Toilette verbringen und *Thermodynamische Theorie von Struktur, Stabilität und Fluktuation* lesen?

Ein paar Wochenenden lang konnte ich entdecken, was sie so alles trieb, während ich in der Schule war. Der Sherlock Holmes in mir hatte es leicht: Man musste nur den Aschespuren folgen. Die Asche vor der Stereoanlage verriet, dass sie während der Arbeit Musik aufgelegt hatte. Die Asche auf dem Marmor in der Küche verriet, dass sie beim Geschirrspülen eine Zigarette im Mund gehabt hatte. Die Asche auf dem Becken verriet, dass sie trotz der Kälte Wäsche mit der Hand gewaschen hatte. Die Asche auf dem Gitter auf dem Boden im Bad verriet, dass sie lange genug auf dem Thron gesessen hatte, um die Reste der Zigarette entsorgen zu müssen; ich hob den Deckel an, und da sah ich die Kippe im Wasser schwimmen.

Andere Indizien waren subtiler. Einmal beispielsweise

keimte in mir der Verdacht, dass der Abdruck der Zigarette auf dem Fensterbrett tiefer wurde. Legte Mama ihre angezündete Zigarette dorthin, wo ein anderer Bewohner, eine andere Mama zuvor die ihrige abgelegt hatte? Gab es Momente, in denen Mama aufhörte, dieser Reinigungswirbelwind zu sein, wie man sie in so vielen Werbespots sieht, um gedankenverloren den Park zu betrachten, während die Zigarette neben ihr verglühte? Was betrachtete sie dort? (Das Panorama war angenehm, eine Augenweide, aber es bot nichts Besonderes.) Oder was hatten all die anderen Raucher betrachtet, die kurzzeitig in diesem Haus lebten?

Ich dachte, vielleicht ergriff das Haus Besitz von Mama. Solche Sachen passieren, besonders in den Filmen und den Romanen von Stephen King. Der Mann mit der ersten Zigarette (für mich war es ein Mann; reine Intuition) hatte eine tragische Geschichte gehabt. Bestimmt hatte es etwas mit Pedro zu tun, denn Pedro konnte es natürlich nicht gewesen sein: Pedro war ein kleiner Junge, so wie ich, und kleine Jungen rauchen nicht. Ich stellte ihn mir als Onkel von Pedro vor, einen heißgeliebten Onkel – es wäre eigentlich logischer gewesen, dass es sein Vater war, aber ich sah über die Möglichkeit hinweg –, dessen Tod ihn in eine Traurigkeit versetzt hatte, aus der China und Beba ihn durch die Verabreichung von Havanna-Gewürzkuchen herausholen wollten. Fakt ist, dass die Tragödie dieses abgeschnittenen Lebens einen ruhelosen Geist hervorgebracht hat. Man weiß ja: Wenn ein Mensch verraten oder ermordet wird, ruht sein Geist nicht, sondern er wandert umher und wartet auf Gerechtigkeit. (Manche Geister fordern Rache wie Hamlets Vater, der nicht verstand, dass man Sünden nicht büßen kann, indem man die Begehung von anderen fordert; Gerechtigkeit und Rache sind zwei unterschiedliche

Dinge.) Und der Geist von Pedros Onkel wanderte durch das Haus und zeigte sich dem Menschen, der am meisten Zeit in diesen vier Wänden verbrachte, eindeutig Mama, die, ohne es zu merken, immer mehr Verhaltensweisen des Toten annahm, wie am selben Fenster zu rauchen und das Opfer desselben Tagtraums zu sein. Ich hatte außerdem den Gedanken, Pedros Onkel könnte dort in dem Landhaus begraben sein, ohne dass ein Kreuz oder ein Stein die genaue Stelle markierte. Eines Tages würde ich mit dem Zwerg eine weitere Kröte begraben und auf das Skelett stoßen, die Kleider zerfressen, in der Tasche ein halb aufgerauchtes Päckchen Jockey.

(Das ist das Einzige, was dagegen spricht, sich abzulenken und an etwas anderes zu denken. Im ersten Moment funktioniert es, aber man kehrt am Ende in anderer, gesteigerter Form immer zu dem zurück, von dem wir uns ablenken wollten.)

Als der Zwerg und ich eines Nachmittags aus der Schule kamen, stellten wir fest, dass der Reinigungswirbelwind alles zurückgegeben hatte, was er mit sich fortgenommen hatte. Die Teller vom Abend standen noch auf dem Tisch, und die Pantoffeln und die schmutzige Wäsche lagen dort, wo wir sie liegen gelassen hatten, die Aschenbecher quollen über, und in Kaffeeresten schwammen Kippen. Mama hing im Sessel, eine Zigarette in der Hand, die Füße auf dem Tischchen, die Nesquick-Dose zwischen den Knöcheln, und schaute fern.

«Was ich nicht verstehe», sagte sie ohne ein Hallo oder guten Tag, «ist diese Geschichte mit dem steifen kleinen Finger. Eine so fortschrittliche Zivilisation mit Raumschiffen soll es nicht schaffen, die kleinen Finger zu beugen?»

«Es ist ein Fabrikationsfehler», sagte ich und setzte mich neben sie. «Das kommt auch bei den Besten vor. Achill hatte eine verletzliche Ferse, weil die Mama ihn am Fuß packte, als sie ihn in den Styx tauchte.»

«Wo ist ein sauberes Glas?», fragte der Zwerg, der mit der Milchtüte aus der Küche kam.

«Es gibt keins mehr. Schütte die Milch in die Dose, es ist sowieso kaum noch Nesquick da», sagte Mama, ohne die Augen von *Invasion von der Wega* abzuwenden.

Und so bekamen wir Mama zurück. Nachdem sie es viele Tage lang versucht hatte, hatte sie sich in ihr Schicksal ergeben: sie war physisch genauso unfähig, Haushaltsarbeit gut zu machen, wie der Zwerg, einen Gegenstand in die Hand zu nehmen, ohne ihn kaputtzumachen. Mit Labor oder ohne, mit Gespenst oder ohne, Mama war immer noch Mama.

Was, falls es nicht angekommen sein sollte, die gute Nachricht war.

58. Ein Picknick im Regen

«Wo willst du hin?», fragte mich Mama an dem besagten Abend. Überrascht blieb ich stehen, das Buch unter dem Arm. Was war das für eine Frage? Es war schon fast zehn, und wir hatten bereits gegessen. Ich hatte ein Buch bei mir (eines über König Artus, das ich in der Schulbibliothek ausgeliehen hatte), und mein Körper wandte sich dem Flur zu, der zu den Zimmern führte. Wo sollte ich denn hingehen, wenn nicht ins Bett? Da dämmerte es mir: Montag. Mama hatte den Tisch erstaunlich emsig abgeräumt. Sie hatte einen Teller mit Keksen in der Hand, und ihr Körper zeigte eindeutig Richtung Wohnzimmer, aus dem die Melodie zu hören war, die das Filmprogramm einleitet. An dem Abend kam *Picknick*. Unsere Verabredung. Ich saß in der Falle.

Es ist nicht so, dass ich die Vorteile der Situation nicht sah. Es war eine der seltenen Gelegenheiten, Mama für mich allein zu haben. Bei einem romantischen Film floh Papa aus dem Wohnzimmer wie die Küchenschaben, wenn du das Licht anmachst. Der Zwerg wusste, wenn Mama nicht dabei war, ließ Papa ihn auf dem großen Bett rumspringen, bis er vor Müdigkeit umfiel oder sich den Kopf aufschlug. Also waren Mama und ich alleine. Und die Kekse (sie heißen «Damenmund», köstlich).

Aber es gab auch Nachteile. Mamas Kinogeschmack zum Beispiel. Wenn ich aus der Erfahrung gelernt hatte, dann war ich zu zwei Stunden Leiden verurteilt. Oder mehr als zwei Stunden wie im Fall *The Sound of Music*.

Normalerweise ließen mich die von Mama geliebten Filme kalt, oder noch schlimmer. Was die Angelegenheit so kompliziert machte, war die Art der Beziehung, die Mama zum Kino hatte. Jeder mag gern Filme, aber nicht so sehr, dass er sich gleich ein Bild von Montgomery Clift auf den Nachttisch stellt. Im Kino benahm sich Mama genauso wie der Zwerg in der Kirche. Ihre Gefühle schäumten über. Sie sog alles mit großen, gierigen Augen auf.

Manchmal merkte sie es nicht, aber sie hatte den Mund offen; im Dunkeln machte es ihr nichts aus, blöd zu wirken. Folglich verhielt sie sich mir gegenüber wie ein Missionar: Sie wollte mich von ihrem Glauben überzeugen, mich mit ihrer Begeisterung für diese Religion anstecken, die aus jedem Messdiener einen Filmvorführer machte, sie erklärte mir, die Tatsache, mit anderen in einem dunklen Raum zu sitzen und auf das Licht zu starren, habe einen höheren Sinn. Und wie die Missionare erreichte sie, dass ich mich unwohl fühlte. Ich konnte die Dimension ihres Glaubens nicht verdauen. Für mich war das mit dem Kino ja ganz in Ordnung, aber die Erdnüsse mit Schokolade, die am Eingang verkauft wurden, waren genauso wichtig wie der eigentliche Film.

Jeder Kinobesuch mit Mama wurde also zu einer Feuerprobe. Einerseits musste ich um jeden Preis verhindern, dass ich einschlief. *The Sound of Music* endete in einer der besten Siestas meines Lebens, aber zu einem hohen Preis. Mama gab mir das Gefühl, ich hätte einen Verrat begangen. Es war, als hätte ich ihre eigene Familie beleidigt. (Waren wir womöglich über sieben Ecken mit den Trapps verwandt, und niemand hatte mir etwas davon gesagt?) Andererseits musste ich mit meinen Einschätzungen diplomatisch sein. Sie hatte mir gesagt, *Das große Geheimnis des Marcelino* sei wunderbar, und sie hat es nicht gut aufgenommen, als ich sagte, für mich wäre das der schrecklichste Film, den ich je im Leben gesehen hatte. Später versuchte ich ihr zu erklären, dass ich schrecklich gesagt hatte, weil er etwas zeigte, das ich schrecklich fand, und nicht, weil er so schlecht sei, aber da war der Schaden schon angerichtet. Sie sagte mir kühl gute Nacht. Ich schlief bei brennendem Licht, aber trotzdem träumte ich, ein Christus aus Holz würde mich über endlose Flure verfolgen und versuchen, mich an sein Kreuz zu fesseln, damit er frei sein kann.

Trotz meiner Voreingenommenheit war *Picknick* gar nicht so schlecht. Der Film spielte in einem kleinen Dorf, und dort wohnte ein hübsches kräftiges Mädchen, Kim Novak, die wie die traurigste Frau der Welt wirkte, obwohl sie mit einem reichen Mann verlobt war. Plötzlich tauchte ein fremder Kerl auf, William Holden, der viel sympathischer war als der reiche junge Mann, aber nicht einmal einen Peso für Kaffee hatte. Wie zu erwarten, verliebten sich Kim Novak und William Holden ineinander. Er machte sie glücklich, und ihr gelang es, dass er sich wie der reichste Mann der Welt fühlte. Was mir nicht in den Kopf gehen wollte, war die ständige Betonung ihrer Jugendlichkeit. Für mich waren die beiden überhaupt nicht jung. Sie sahen so alt aus wie meine Eltern oder sogar noch älter.

Während der ersten Pause füllte Mama den Keksvorrat auf. In der zweiten Pause blieb sie neben mir sitzen und machte eine leise Andeutung über den Unterschied zwischen dem Film, den wir sahen, und dem, den sie in Erinnerung hatte. Ich verstand nicht recht, worauf sie hinauswollte, da Mama sich für ihre Verhältnisse wenig klar ausdrückte; ich vermutete, es sei eine Klage darüber, wie schlecht es einem Film tut, wenn er auf einem flackernden Schwarzweiß-Bildschirm und ständig unterbrochen von Gargantini-Wein-Werbung gezeigt wird.

Am Ende kam auch das Picknick von *Picknick*. Alle waren bei der Feier dabei: Kim Novak, ihre Familie, ihr Verlobter, der reiche Vater ihres Verlobten, die unverheiratete Lehrerin, ihr langjähriger Verehrer, und natürlich William Holden. Ich erinnere mich an eine Szene, in der William Holden am Fluss tanzte. Ich fand sie lustig, weil man vermuten sollte, dass er gut tanzte und Kim Novak so verführte, aber ich fand die Tanzerei peinlich, lächerlich für einen erwachsenen Mann, und das amüsierte mich so sehr, dass ich sogar mit dem tollkühnen Gedanken spielte, eine Bemerkung darüber fallen zu lassen. Aber da schaute ich zu Mama und sah, dass sie weinte, aber richtig, das Gesicht so nass, als käme sie gerade aus der Dusche, und ganz still, während ihre Schultern krampfartig zuckten wie die Karosserie des Citroën.

Ich fragte sie, was los sei, Mama, was ist los, geht es dir gut?, sie nickte, aber sie weinte weiter, ohne den Blick vom Fernseher abzuwenden, Mama, ich schwöre dir, mir gefällt der Film, im Ernst, er gefällt mir wirklich. Und da zerreißt die alte Jungfer Rosalind Russell das Hemd von William Holden, und schon ist ihm die Blödeltour vergangen, und ich fragte mich, ob Mama im Voraus weinte, denn manchmal leidet man schon vorher, wenn man bei einem Film oder einem Buch weiß, dass etwas Schlimmes passiert. Mir erging es ähnlich mit Houdini, und das beruhigte mich, während der Weile, in der Mama mich umarmte, ohne ein Wort zu sagen, zumindest bis der Film endete, und er endete gut (warum dann das Weinen?, warum dieser Regen?). Sie gab mir einen feuchten Kuss und sagte gute Nacht, gute Nacht, mein Liebling, und dann ließ sie mich allein in dem Sessel vor einer Nachrichtensendung, die vom Präsidenten das, von den Streitkräften jenes erzählte, und von den neuen Wirtschaftsmaßnahmen, von dem unermüdlichen Kampf gegen die staatsfeindliche Subversion, von besiegten Guerillakämpfern, von Tucumán, dem Dollar; das, was immer kam.

59. Die verräterischste Jahreszeit

Der Winter macht alles komplizierter.

Man muss die leichte Kleidung aus dem Verkehr ziehen und Hemden mit langem Arm, Pyjamas, Schals und Tücher, Wollstrümpfe, Mützen und Parkas entstauben. Diese Kleidungsstücke riechen nach Muff, sie kratzen (auch wenn sie neu sind, wie die, die uns Papa und Mama in einem Geschäft mit dem Namen *Mimito* gekauft haben, wie peinlich!), und sie machen aus einem ein dickes, linkisches Michelin-Männchen. Man muss in die Schränke tauchen und Federbetten und Decken hervorkramen, mit denen man die Betten beschwert, so dass man beim Zudecken das Gefühl hat, man läge unter einem Stein. Man muss die Elektro- oder die Gasöfen anmachen, die bei den ersten Malen immer nach verbrannter Erde riechen. Man muss die Fenster schließen, die Türen sichern, damit der Wind nicht eindringen kann, die Filteranlagen überprüfen und die Fenster und Türen mit Filzstreifen abdichten. Man muss den Kühlschrank herunterstellen, damit die Zähne beim Milchtrinken nicht schmerzen. Das Baden wird zu einer Tortur, wegen der Kälte selbst, wegen der Handtücher, die nie ganz trocken werden, und wegen der Feuchtigkeit, die entsteht, wenn du ein dampfendes Bad nimmst; in diesem Fall kratzt die Kleidung nicht nur, sie klebt am ganzen Körper.

Die Luft wird schlecht, die Luft von gestern, von letzter Woche zirkuliert im Haus, immerfort wie ein Karussellpferd, und trägt den Geruch nach feuchten Strümpfen von unserem Zimmer in den Flur, und den Suppengeruch von der Küche ins Wohnzimmer, und den Geruch nach Erde des Esszimmers in Mamas Zimmer, während die Erkältungen von einem zum anderen Familienmitglied springen, bis, wenn der Letzte daniederliegt, sie ihren Zyklus mit ungebrochener Kraft von neuem beginnen.

Die Außenwelt ist eine Qual. Die Tage sind zu kurz. (Es gibt nichts Deprimierenderes, als in die Schule zu gehen, wenn es noch Nacht ist.) Der Regen sorgt für Schlamm, der die Wege überschwemmt. Wir können uns nicht einmal mit den Pfützen amüsieren, denn die Gummistiefel waren in unserem richtigen Zuhause geblieben, und Papa und Mama schoben die Erfüllung ihres Versprechens von neuem auf. Der Zwerg und ich taten so, als ob der Winter nicht existierte, aber die gefallenen Blätter vermodern und bilden eine übel riechende Masse unter den Füßen, und die Kröten lassen sich nicht mehr blicken, die halbe Zeit verstehe ich nicht, was der Zwerg sagt, das Gesicht in unzählige Lagen Schal gehüllt, der Sohn der schwarzen Mumie.

Dasselbe wie immer. Oder fast. Denn in diesem Winter ist etwas anders.

Die Leute schließen die Türen und Fenster vor der Zeit, sie drehen den Schlüssel zweimal herum, legen Riegel und Schieber und Ketten vor. Sie sagen, in diesem Winter seien viele komische Gestalten unterwegs, viel Gesindel. Die Leute ziehen schmutzige Luft unerwünschtem Lärm vor, die familiären Gerüche den neuen, denn ein neuer Geruch bedeutet neue Organismen, und die neuen Organismen sind unbekannt, und man hat weder die Zeit noch die Energie, sich mit ihnen zu befassen. Es ist Winter, und es sind viele komische Gestalten unterwegs, viel Gesindel. Wenn jemand an die Tür klopft oder klingelt, tun die Leute so, als ob sie nicht da seien, oder antworten hinter geschlossener Türe. Die Briefträger fragen sich, wie lange sie kein bekanntes Gesicht mehr sehen werden. Sogar die Telefongespräche sind kürzer, als hätte man Erbarmen mit den Worten, die über Kabel reisen müssen, die Reif, Hagel und Wasser ausgesetzt sind. In diesem Winter ist reden nicht gesund, denn es sind viele komische Gestalten unterwegs, viel Gesindel, und wenn man spricht, kommt Dampf aus dem Mund. Das ist nicht gut, denn es deckt auf, dass man spricht. Es ist ratsam, im Haus zu sprechen, denn die Luft ist gewärmt, und man atmet keinen Dampf aus. Dann kann man sagen, ich habe Hunger, ich finde mich nicht zurecht oder Ma, was ist das, was sie da im Fernsehen zeigen?, ohne Angst zu haben, dass der Winter uns verrät.

60. Luftanhalten mit himmlischer Hilfe

An diesen toten Nachmittagen legten der Zwerg und ich uns stundenlang in die Badewanne. Ich nutzte das, um Luft anhalten zu üben. Das Ziel war, vier Minuten unter Wasser bleiben zu können, eine der Heldentaten, die aus Houdini eine Legende gemacht hatten. Während ich untertauchte, stoppte der Zwerg die Zeit mit Mamas Uhr. Nicht, dass er schon die Zeit ablesen konnte, aber er sah, wie oft der kleine Zeiger an der Zwölf vorbeiging. Der Zwerg zählte nicht Minuten, sondern Runden.

«Wenn ich groß bin, will ich Heiliger werden», sagte der Zwerg, während er auf dem Toilettendeckel saß und mit der Uhr spielte. Mama hatte ihm ganz klare Bedingungen gestellt: trockene Hände und genügend Sicherheitsabstand zur Badewanne.

«Wie oft soll ich dir das noch sagen? Simon Templar ist kein richtiger Heiliger!», protestierte ich, zwischen zwei tiefen Atemzügen.

«Aber der San Roque schon.»

Ich nickte und atmete aus.

«Es gibt viele Heilige. Neulich in der langen Messe, da haben sie bestimmt tausend Stück erwähnt, erinnerst du dich? San Roque, bete für uns. San José, bete für uns ...»

«Ich bin so weit!»

«Warte, bis der Zeiger auf die Zwölf springt. San Martín, bete für uns. San Pedro, bete für uns ...»

«Junge ...»

«Jetzt!»

Ich tauchte ein. Unter Wasser konnte ich immer noch die Stimme des Zwergs hören, der weitersprach, als könnte ich verstehen, was er sagte.

Ich hatte mit zunehmender Praxis ein paar kleine Tricks eingebaut. Wenn man nervös ist oder Beklemmungen hat, hält man weniger lang aus. Lenkt man sich aber ab – und hört auf, ständig an das zu denken, was man tut –, hält man länger durch. Weil der Boden einer Badewanne keine großen Ablenkungsmöglichkeiten bietet, hatte ich für meine eigene Show gesorgt. Ich hatte zwei Soldaten. Einer war riesig, ungefähr zwanzig Zentimeter groß, ein mittelalterlicher Krieger, von Kopf bis Fuß in Rüstung, der eine Keule schwang, die der Zwerg verloren hatte. Der andere war klein, ich weiß nicht, sechs Zentimeter vielleicht?, von Kopf bis Fuß blau. Es handelte sich um einen Taucher, den Papa in einem dieser Supermärkte gekauft hatte, die überall wie Pilze aus dem Boden schießen, *Gigante* oder *Jumbo*, glaube ich, wo sie sogar Spielzeug verkauften! Dieser hatte die Arme nach vorne gestreckt, weil er einen Unterwassermotor hatte, so ähnlich wie sie ihn in *Feuerball* verwenden, aber den hatte der Zwerg, überflüssig, es zu erwähnen, zerlegt, und er hatte in Froschfüßen endende Beine, die ich selbst durch zu viel Bewegen kaputtgemacht habe. Das Gute an diesen Soldaten war, dass sie in ganz unterschiedlichen Geschichten spielen konnten. Weil der Helm einen Federbusch in der Mitte hatte, konnte der mittelalterliche Krieger auch als Ultraman durchgehen. Und weil er die Arme nach vorne gestreckt hatte, schien der Taucher zu fliegen, also konnte er beispielsweise Superman sein oder …

Zeit aufzutauchen.

«… bete für uns. San Jorge …»

«Wie viel habe ich geschafft?», fragte ich keuchend.

«Der Zeiger ist nicht bis zur Zwölf gekommen. Nur bis hier.»

«Vierzig Sekunden?»

Das war beschämend. Ich musste mich besser vorbereiten. Tief, ganz tief einatmen. Ausatmen …

«San Mateo, bete für uns. Mehr hab ich nicht! Nenn mir mehr Heilige!»

Ich schüttelte den Kopf und übte weiter.

«Sag schon, oder ich höre auf zu zählen!»

«San Felipe.»

«Das ist ein Wein, Dummkopf.»

«Davor war es ein Heiliger.»

«Bete für uns. Noch einen!»

«San Carlos.»

«… de Bariloche, bete für uns!»

«San José.»

«Den hatte ich schon.»

«Dann erfinde doch welche.»

«Was redest du da?»

«Nimm Wörter, die mit San anfangen. San Itäter zum Beispiel. Nimm noch mal die Zeit!»

«Warte, bis er auf der Zwölf steht … San Itäter, bete für uns. San … Dwich. Ist San Dwich gut?»

«Ja, mach.»

«Jetzt!»

Erneutes Eintauchen. Der Zwerg machte mit seinen Litaneien weiter, als sei nichts geschehen.

Superman schwamm bis in die größten Tiefen des Ozeans. Eine Nachricht von Jimmy Olsen hatte ihn in Alarmbereitschaft versetzt: von Lex Luthor gefangen genommen, war Lois Lane in einer unterseeischen Höhle gefangen, deren Ausgang von einem flachen Stein versperrt war, der komischerweise einem riesigen Badewannenstöpsel ähnelte. Er musste sie da rausholen, bevor Lois allen Sauerstoff aufgebraucht hatte und erstickte. Schließlich erreicht Superman die Höhle, und unter Einsatz seiner ungeheuren Kräfte kann er den Stein wegziehen. (All das geschieht natürlich mit Hintergrundmusik: Mein geistiges Orchester ist immer bereit für die großen Ereignisse.) Da begriff er, wie sehr er getäuscht wurde. Keine Spur von Lois, sie war nie dort. Der Stein verschloss nicht den Zugang zu einer Höhle, sondern zu einem Abgrund, der alles verschlingt, eine Art unterseeisches schwarzes Loch, durch das der gesamte Ozean in Minutenschnelle aufgesogen werden kann. Er muss den Zugang wieder verschließen, bevor das Leben des Ozeans vernichtet wird ... und mit ihm Atlantis, das nur wenige Meilen entfernt liegt! (In der Fantasie wird in Meilen gemessen.)

Superman kämpft mit dem ungeheuren Gewicht des Steinstöpsels. Er hat das unterseeische schwarze Loch, genannt Simonianischer Abgrund, dessen Kraft mit jeder Sekunde größer wird, gegen sich. Er ist schon am Verzweifeln, da stellt er fest, dass jemand zu ihm gekommen ist. Es ist Ultraman! Mit neuer Hoffnung bittet er ihn, ihm zu helfen, den Steinstöpsel von der Stelle zu bewegen. Aber er muss feststellen, dass Ultraman von Luthor hypnotisiert wurde und in Wirklichkeit da ist, um ihn daran zu hindern, Atlantis zu retten. Super und Ultra (klingt wie zwei Benzinsorten) verwickeln sich in einen Kampf. Kann Superman ihn rechtzeitig besiegen, um den Steinstöpsel auf seinen Platz zurückzuschieben, und das Leben im Ozean retten? Schafft er es ...?

Zeit aufzutauchen.

«San Baione! San Drini! San Gria!»

«Wie viel?»

«Eine Runde. Noch ein Heiliger, los!»

«San Dokan. San Dale. San Forisiert. Eine ganze Runde!»

Ich sprang aus der Wanne und machte alles nass. (Die Inquisitoren sollten wissen, wenn ich in Begleitung des Zwergs badete, tat ich das immer mit Unterhose, in dem Alter ist der Begriff von Scham schon ausgeprägt entwickelt.) Ich wollte Mama von meiner Heldentat berichten. Ich hatte eine ganze Minute durchgehalten! Jetzt – sagte der ewige Optimist in mir – ging es nur noch darum, weiter zu üben. Wenn ich soundso viel Tage gebraucht hatte, um auf eine Minute zu kommen, dann brauchte ich die doppelte Zeit, um auf zwei zu kommen, und noch mal die doppelte, um das gewünschte Ziel zu erreichen. Reine Logik, wie Mama gern sagte.

Ich öffnete die Badezimmertür. Im Türrahmen sah ich Mama mit dem Telefon in der Hand. Sie sprach mit gesenktem Kopf, als redete sie mit dem Fußboden.

«... also um zehn. Ja, ich kenne sie. Ich bin blond und werde ein ... Physikbuch lesen. Ja: *Thermodynamische Theorie der Struktur*.»

«San Itär», rief der Zwerg hinter mir, inspiriert von seinem Thron.

In dem Moment sah Mama mich. Man sah ihr an, dass der Ausruf sie erschreckt hatte, sie hatte so einen aufgescheuchten Blick.

Ich schloss die Tür und kehrte in die Wanne zurück.

Ein erneutes Eintauchen erlaubte es mir, die Geschichte noch einmal zu wiederholen, wieder bis zu dem Kampf Super gegen Ultra. Auch diesmal erfuhr ich nicht, wie es ausging. Wenn ich mich recht entsinne, habe ich es nie erfahren.

61. Von der Kunst des Schnitzelbratens

Wie das bei einfachen Dingen so ist, es ist schwer, gute Schnitzel zu machen.

Mama machte alles falsch. Es fing damit an, dass sie bei dem Fleisch nicht das Fett und die Sehnen abschnitt, damit war garantiert, dass sie sich in der Pfanne zusammenzogen – Schnitzel Quasimodo waren ihre Spezialität – und folglich ungleich garten. Sie siebte auch das Paniermehl nicht, um die großen Brotkrumen aus dem feinen Mehl zu trennen, was zu Schnitzeln führte, die mit Geröll gemacht schienen. Jeden Moment konntest du auf ein Stück Eierschale beißen, das sie beim Zerschlagen der Eier nicht bemerkt hatte.

«Es ist besser, wenn du das Fleisch weich klopfst», sagte ich und beugte mich über die Schublade mit dem Besteck. Ich hatte dort einen von diesen kleinen Holzhämmern entdeckt, die man ad hoc verwenden kann.

Sie sah mich misstrauisch an, aber sie ließ mich gewähren. Sie war mit der Pfanne, dem Öl und der Kochplatte beschäftigt. In der Küche gab es für Mama keine Abstufungen. Sie schaltete den Herd immer auf Höchststufe.

Ich nahm ein Schneidebrett und machte mich an die Arbeit. Der Grundgedanke ist, das Fleisch zu klopfen, um es zarter zu machen und zu vermeiden, dass man beim Schneiden nur durch die Panade kommt und darunter eine Schuhsohle entdeckt.

Klopf. Klopf. Klopf.

«Sie werden besser, wenn du ein wenig Brühe zu dem Ei gibst», sagte ich, ohne mit dem Klopfen aufzuhören, «denn das gibt ihnen einen guten Geschmack.»

«Warum schlägst du sie?», fragte der Zwerg, der in ein großes weißes Handtuch gehüllt auf der Arbeitsplatte saß; er sah aus wie Humpty-Dumpty. «Siehst du nicht, dass das Schnitzel schon tot ist?»

«Seit wann weißt du so viel?», fragte Mama neugierig. «Hast du Doña Petrona gesehen?»

Der Zwerg lachte. Doña Petrona war eine dicke Frau mit krummen Fingern, die in einer Fernsehsendung kochte. Sie hatte eine Assistentin namens Juanita und eine komische Art zu sprechen: Sie sagte nicht Juanita, sondern Jua-Ni-Ta, jeden einzelnen Vokal betonend.

«Das hab ich von Bertuccios Mutter gelernt.»

«Respekt!»

«Was ist dabei? Seine Mutter ist ein Genie!»

«Nette Vorstellung von Genie, die du da hast. Aristoteles, Galileo und Bertuccios Mutter!»

«Dein Öl brennt gleich an.»

Mama haute das erste Schnitzel in die Pfanne, und es zischte und spritzte höllisch.

«Eine dicke Frau, die keinen Handschlag tut», sagte Mama, in ihrem Stolz gekränkt.

«Erstens ist sie nicht dick. Sie ist dünn. Und zweitens, natürlich tut sie etwas. Zum Beispiel hilft sie Bertuccio bei den Hausaufgaben.»

«Und wieso sollte ich dir helfen, wenn du nie Hilfe brauchst? Ich habe einen sehr klugen Sohn.»

«Und sie ist zu Hause, wenn Bertuccio aus der Schule kommt.»

«Wenn du nach Hause kommst, machst du doch sofort den Fernseher an und kümmerst dich überhaupt nicht um mich. Ich frage dich, wie es war, und du sagst immer dasselbe: gut. Warum willst du mich hier haben?»

«Das Schnitzel brennt an.»

«Oh je!»

Zu spät. Das Schnitzel sah nicht mehr wie Quasimodo aus, sondern vielmehr wie London nach dem großen Brand.

Während Mama ihr erbärmliches Werk ansah, schaltete ich den Herd auf die kleinste Stufe.

«Würdest du weitermachen?», fragte sie. «Ich muss gehen.»

Auf diese Eventualität war ich vorbereitet. Mamas Telefongespräch hatte mich aufhorchen lassen, und ich wollte sie nicht kampflos ziehen lassen.

«Wie, du gehst?»

«Ich muss gehen.»

«Wohin?»

«Zu einem Arbeitstreffen.»

«Was für eine Arbeit? Sie haben dich doch entlassen!»

«Sie haben mich aus dem Labor geworfen. Aber das heißt nicht, dass ich nicht andere Dinge zu tun hätte.»

«Was für Dinge?»

«Dinge eben. Du weißt schon.»

«Die wichtiger sind als wir?»

(Ich war zu allem bereit.)

«Es gibt nichts Wichtigeres als euch.»

«Dann bleib.»

«Ich kann nicht.»

«Bleib doch dieses eine Mal da. Geh bitte an einem anderen Tag!»

Mama nahm die Pfanne vom Herd und legte die Hände auf meine Schulter. Sie sah mir in die Augen, näherte sich (fast wie für einen Eskimokuss, Nase reibt an Nase), so traf mich ihr *Entwaffnendes Lächeln*.

«Du kannst mich nicht um etwas bitten, das schlecht ist. Nicht du.»

Mama eins, Harry null.

Meine Schnitzel wurden sehr gut. Ganz zart. Papa und Lucas lobten mich über die Maßen. Für einmal waren sie von dem faden, fast mineralischen Essen, das die Spezialität meiner Mutter war, befreit. Ich muss wohl viele gegessen haben, denn nach einer Weile bekam ich Bauchschmerzen und musste mich übergeben.

Als ich ins Bett ging, war Mama immer noch nicht zurück.

Sie kam viel später. Papa und Lucas waren noch wach. Ich hörte, wie sie etwas über Straßenkontrollen sagte. Papa erzählte ihr das mit den Bauchschmerzen, und sogleich stand sie in der Tür.

Ich stellte mich schlafend, aber das interessierte sie nicht. Sie sprach, als ob sie wüsste, dass ich schauspielerte, und dabei war ich genial, die Augen geschlossen, regloser Körper, tiefer Atem, nicht die kleinste Geste verriet mich. Sie wollte den Zwerg nicht aufwecken, denn sie flüsterte mir ins Ohr, ein warmer Hauch in meiner Ohrmuschel, der linken, ich weiß es noch gut, ich solle mir keine Sorgen machen, alles würde gut, sie würde immer da sein (an meiner Seite oder in meinem Ohr?), sie würde mich sehr lieben, und von allen Experimenten, die sie in ihrem Leben gemacht habe, sei ich das gelungenste. Es machte ihr nichts aus, dass ich sie so albernes Zeug reden hörte, und auch nicht, dass sie mein Ohr voll sabberte, nicht einmal – sieh einer an –, Bertuccios Mutter ähnlich zu sein.

Vielleicht hat sie es an meinem Lächeln gemerkt.

62. Wir erhalten eine Ankündigung

Niemand, der nicht Mamas Sprachgewalt besitzt, die natürlich in ihrer klugen Argumentation lag, aber genauso in der Macht ihrer Persönlichkeit (einige nannten es scharfsinnig Verführung), hätte Papa überreden können, zum Geburtstag von Großvater zu gehen. Seit die Welt die Welt ist, was in dem Fall gleichbedeutend mit der Gesamtheit meiner Erinnerung ist, waren Papa und der Großvater wie Hund und Katze.

Dieser anhaltende Kriegszustand war ihre Form von Beziehung. Wie die Duellpartner bei Conrad, die das Dauerhafte in einer der Veränderung geweihten Welt repräsentierten, gerieten Papa und Großvater aneinander, ganz gleich wo und wann sie aufeinander trafen, Feste oder Besuche,

Weihnachten oder Taufe, als wäre es ein Ritual. Großmutter beharrte darauf, es sei nicht immer so gewesen, aber immer wenn sie das sagte, tauschten Mama und ich misstrauische Blicke. Sich die beiden in Eintracht vorzustellen, führte uns in die Zeit des Paradieses vor dem Sündenfall zurück. Die letzte aufrichtige Umarmung musste stattgefunden haben, kurz bevor Adam einen Nachtisch wollte und Eva zu ihm sagte, willst du nicht lieber Obst?

Ihre Streitereien hatten verschiedene Auslöser. Das Auto zum Beispiel. Großvater war der Ansicht, der Citroën sei nicht viel mehr als ein Kart mit Karosserie, und das beleidigte Papa tödlich. Ich denke, das lag in dieser atavistischen Sache, dass man Mädchen und Pferd immer verteidigt. Manchmal stritten sie über die Landwirtschaft. Immer wenn der Großvater anfing, über die Ernten zu sprechen, über das neue Vieh, den Dünger, den er ausprobierte, würgte Papa ihn ab und wechselte das Thema, aber auch so gelang es ihm nicht, Großvater davon abzuhalten, die Frage zu stellen, die er von Anfang an im Hinterkopf hatte und die er jedes Mal stellte: Hast du nicht vor, aufs Land zu kommen? Papa antwortete immer mürrisch. Er hatte eine salonfähige Antwort und eine andere, in der das Wort Scheiße vorkam.

Das Thema mit dem meisten Zündstoff war jedoch immer Argentinien. Über den Namen und die Farben der Nationalflagge hinaus waren sie in nichts einer Meinung, was das Land anging. Sie stritten über alles, die Militärs, die Zensur, die Repression, das Öl, während Großmutter seufzte und Mama zu Papa hielt, aber maßvoll, damit Großvater sich nicht überfahren fühlte und der ganze Abend ruiniert war. Mich langweilten diese Diskussionen zu Tode. Grob könnte man sagen, dem Großvater gingen die Peronisten gegen den Strich, Papa fand sie gut, zumindest einige, außer López

Rega natürlich, und Isabelita und Lastiri, der so viele Krawatten besaß, und einem Großteil der Gewerkschaftsleute wie Casildo Herrera, der, der aus Argentinien floh und sagte, *ich habe mich ausgelöscht*. Papa sagte, Großvater sei ein Gorilla, wie man die Antiperonisten nannte, aber der Zwerg hielt dagegen, nein, Großvater sei ein Herr, und Papa sagte, um ihn zu ärgern, Großvater sei ein größerer Gorilla als Maguila, der Affe mit den Schleudern aus dem Zeichentrick. Wenn Papa nicht dabei war, machte der Zwerg oft vor dem Großvater einen Affen nach, der sich darüber amüsierte, ohne die Absicht zu verstehen und auch nicht die Schnelligkeit, mit der der Zwerg das Affengetue einstellte, wenn Papa kam.

Ich hielt Politik nicht für eine ernste Sache. Für mich gehörte sie zu den Themen, die in den Leuten eine künstliche Hitzigkeit hervorriefen, eine ebenso laute wie sinnlose Leidenschaft, genau wie Fußball. Ich weiß, dass Sport mir gleichgültig war, aber auf dem Papier war ich für *River* und Bertuccio für *Boca*, trotzdem verstanden wir uns gut, außer an den Tagen nach den Hauptspielen, das schon, an denen einer den anderen fertig machte. Ab der ersten Pause drehte sich dann alles um wichtigere Dinge, um Bildchen, Geschichten, Titanspielen, das Übliche. Deshalb ahnte ich, dass sich hinter dem Kampf zwischen dem Großvater und Papa etwas anderes verbarg, etwas, das den Citroën, die Landwirtschaft und sogar den Peronismus nahezu unwichtig machte, etwas, das sie vielleicht sogar zu ihrem Bedauern im Morgengrauen ohne Sekundanten die Säbel kreuzen ließ. Vielleicht handelte es sich dabei um eine dieser für Vater und Sohn typischen Begebenheiten, von denen man immer spricht, die auch Papa und ich erleben würden, wenn der Zeitpunkt gekommen wäre, ausgelöst von den Absichten des einen und der Notwendigkeit für den anderen, seine eigene

Identität zu bestimmen. Reibungspunkte, die, wie es heißt, die Zeit glatt schleift, natürlich nur, wenn nichts diesen dynamischen Prozess unterbricht, wenn kein Land dazwischenkommt, keine Hand, kein Säbel.

Papa mochte fühlen, was er wollte, für mich war Großvater der beste Großvater der Welt. Das hat man ihm gleich angesehen: dick, nett, zu Tangofieber neigend *(sag, bei Gott, was hast du mir gegeben, dass ich mich selbst nicht wiederkenn ...)* und immer dazu aufgelegt, mit uns zu spielen. Er trug einen Schnurrbart, so weiß wie sein Haar, das er direkt nach dem Baden mit Pomade kämmte, um die Locken zu bändigen, die sich normalerweise auf seinem Kopf kringeln. Er rauchte keine Zigaretten, aber er mochte Zigarren, Romeo & Julieta, und er schenkte mir die leeren Kisten, damit ich darin meine Bildchen aufbewahren konnte. (Ich glaube, mir gefiel Orson Welles, noch bevor ich einen Film mit ihm gesehen hatte, denn er hatte dieses Aussehen eines rauchenden Bären, das ich so sehr mit meinem Großvater verband.) Immer wenn er mich mit einer Superman-Zeitschrift sah, sagte er, mal sehen, wann du anfängst, andere Sachen zu lesen, du bist jetzt schon groß, und ich sagte, ich würde an dem Tag aufhören, Superman zu lesen, an dem er aufhörte, diese Cowboyheftchen von Silver Kane und Marcial Lafuente Estefanía zu lesen, die man ebenfalls am Kiosk kaufen konnte, und dann lachten wir beide, und am ersten Kiosk schlossen wir Frieden und kauften uns zwei, drei oder auch fünf.

Manchmal ertappte ich ihn bei einem seltsamen Verhalten. Wenn etwas ihn rührte, dann lachte und weinte er zugleich. Ich verstehe, das ist ungewöhnlich; ich versuche zu erklären, was ich meine. Er sah sich zum Beispiel *Sábados Circulares* an, und Mancera stellte einen Chor blinder oder armer Kinder vor, und wenn der Großvater sie wie Engel singen hörte, fing er gleichzeitig an zu lachen und zu weinen. Das ist nicht einfach. Dafür braucht man mehr Übung als für die vier Minuten unter Wasser von Houdini. Der Unterschied ist: Für die vier Minuten musst du dir vornehmen, ernsthaft, wie ein Profi, zu trainieren, und gleichzeitig lachen und weinen zu können, das bringt dir, ohne dass du es merkst, das Leben bei. Wenn das Leben ein Film wäre und jemand nach dem Genre fragen würde, müsste man antworten: es ist ein Film zum Lachen und zum Weinen, wie der Großvater sehr wohl wusste.

Wir werden nie erfahren, was Mama tat, um Papa zu überzeugen, denn die Nachricht von der Fahrt nach Dorrego machte jede Überlegung unnötig. Der Zwerg und ich ließen sofort alle in unseren Köpfen spukenden Fantasien sausen. Dorrego, das bedeutete für uns die Großeltern, die wir seit den Feiertagen am Jahresende nicht gesehen hatten, aber es bedeutete auch das Land, die Pferde, den Traktor, die Tiere, die Bibliothek, Papas alte Spielzeuge, den See, die Boote und, *last but not least*, die Salvatierras, die Kinder des Verwalters, mit denen wir uns immer anlegten. Einmal haben wir ein paar Farbeimer gefunden, und uns kam der Gedanke, dass es Papa bestimmt gefallen würde, wenn er von der Siesta aufwacht und da steht der Citroën, einer, den wir davor hatten, weiß lackiert, hell und proper. Man erlaube mir, an dieser Stelle der Anekdote innezuhalten und ihren Abschluss der Fantasie des Lesers zu überlassen.

In meinem Kopf war ein Gefühl, das ich nicht mit dem Zwerg teilte. Dorrego bedeutete auch, das Landhaus und Buenos Aires zu verlassen. Das wiederum bedeutete, Mama würde nirgends allein hingehen. Und es war letzten Endes eine Form, wieder mit unserer Geschichte in Verbindung zu kommen, die seit dem Tag, an dem Mama uns plötzlich aus der Schule geholt hatte, in einem leblosen Schwebezustand verharrte. Dorrego war nicht unser Zuhause, aber von dem, was uns geblieben war, ähnelte es diesem am meisten. Ein von bekannten und geliebten Menschen bewohnter Ort, mit vertrauten Geräuschen, vertrauten Abläufen, vertrauten Gerüchen und Geschmäcken.

Schade, dass Lucas nicht mitkommen konnte.

63. Korrekte Fragen

Lucas und ich brauchten lange, bis wir an die Grenzen dessen kamen, was wir uns sagen konnten. In der Zeit, die wir teilten, redeten wir bis zur Heiserkeit über alles, was uns im Rahmen der Spielregeln erlaubt war. Wir redeten über die Beatles, unsere vier Evangelisten; es war Lucas, der mich darauf hinwies, dass es für alle Stimmungslagen ein Lied von den Beatles gibt. (Sogar für die ganz verzweifelten, wie *Yer Blues*.)

Wir sprachen über die Nutzlosigkeit der meisten Schulfächer und über die Art und Weise, wie die wertvollen gelehrt werden sollen. Wäre es nicht angebracht, jedem Schüler Gelegenheit zu geben, ein Buch zu finden, das sein Leben verändert? Müsste man nicht die beste Musik hören und singen und dazu tanzen? Sollte man in Geografie nicht damit anfangen, uns beizubringen, allein zu reisen? (Der Kompass wird heutzutage kaum mehr benutzt, als könnten wir uns nicht verlaufen.) Und wäre es nicht klüger, in Geschichte mit der Gegenwart anzufangen? Wenn wir nicht verstehen, was gerade mit uns geschieht, wie sollen wir dann die Erfahrung unserer Vorfahren nutzen?

(Hin und wieder entschlüpften Lucas, wenn er seine Erinnerungen in die Gegenwart holte, Verben im Plural, wir waren, wir liefen, einmal kamen wir, was mich auf den Gedanken brachte, dass auch er wohl einen Bertuccio oder einen Zwerg zurückgelassen hatte, aber natürlich konnte ich ihn nicht danach fragen.)

Wir sprachen über unsere Erfahrungen mit dem weiblichen Geschlecht, die in seinem Fall zahlreich und vielfältig waren – obwohl er immer noch bestritt, dass das Mädchen auf dem Bild seine Freundin war oder gewesen war – und die sich bei mir auf Mara, die aus dem Englischkurs, und die Tochter von Freunden meiner Eltern beschränkten, die in mir einen Zwang weckte, mich lächerlich aufzuführen. Ich denke, ich gab eine jämmerliche Version des intelligenten, sensiblen Mannes ab, und in gewisser Weise bin ich wohl dafür verantwortlich, dass sie einen Polospieler geheiratet hat.

Wir sprachen auch über Geschichten, Serien und Filme. Lucas fragte mich einmal, ob ich *El Eternauta* gelesen hatte. Das würde mir bestimmt gefallen, weil ich ein so großer Fan von *Invasion von der Wega* war. Ich sagte ihm, ich würde danach suchen. Ich erinnere mich, dass ein Mona-Lisa-Lächeln über sein Gesicht huschte, und er sagte, in dieser Zeit am Kiosk nach *El Eternauta* zu fragen, sei auch eine unzulässige Frage.

Alle Wege führten zu einer unzulässigen Frage. Ein paar Tage lang dachten wir, wir seien zum Schweigen verurteilt.

Ich weiß nicht, ob er damit anfing oder ich. Ich denke, ich war es, der Sohn des «Fels», weil ich schon damals unter dem Fieber litt, das mich immer dazu trieb, die mir auferlegten Grenzen zu ignorieren oder sie im besten Houdini-Stil zu sprengen. Ich will nicht darauf beharren, denn ich war völlig blind gegenüber den Konditionierungsversuchen, farbenblind. Da uns die unzulässigen Fragen verboten waren, habe ich mir wohl auf der Suche nach korrekten Fragen das Hirn ausgequetscht, nach Fragen, die wir laut und deutlich am helllichten Tag stellen konnten, denn es gefiel mir nicht, dass man mich daran hinderte, Fragen zu stellen. Da stießen wir auf die Ader. Es gab Fragen, die wirkten elementar, so offenkundig waren sie, aber wir wussten die Antwort nicht. Warum ist der Himmel blau, beispielsweise. Warum haben die Bücher diese Form und keine andere. Warum macht Wasser nass. Warum hat die Natur das Scharfe erschaffen. Wer hat die Stirnlocke erfunden. Warum werden die Blätter im Herbst gelb. Warum bekommt man von Helium so eine hohe Stimme wie Beni, der Kleine aus *Top Cat*. Warum ist die Luft durchsichtig. Wie bewahren die Schallplatten die Musik auf. Warum malt man den Heiligen Heiligenscheine. (Beitrag vom Zwerg.) Warum sind die toten Sprachen ausgestorben. Warum singen wir nicht, anstatt zu sprechen. Wie heiß ist es auf der Sonne, eine Frage, die mitten im Winter eine exquisite Sehnsucht weckte. Wir konnten gar nicht mehr aufhören!

Wir setzten uns ins Gras, den Rücken gegen einen Baumstamm gelehnt, ohne an die Kälte zu denken, und schwiegen eine ganze Weile. Es sah so aus, als täten wir nichts, doch wir waren sehr beschäftigt. Wir spürten die Rillen der Rinde in unserem Rücken trotz der dicken Jacken. Wir stellten fest, wie sanft und feucht die Erde war, auf der wir saßen. Wir atmeten die eiskalte Luft ein, deren Strömen wir in unserem Körper verfolgen konnten, bis sie warm wurde, dann verloren wir dieses Strömen, denn sie war schon Teil von uns. Manchmal kam es mir so vor, als würden die Fensterscheiben flüssig werden. (Die Scheiben sind Flüssigkeiten, die wir im Video unserer Wahrnehmung durch Drücken der Pausetaste angehalten haben.) Und dann stellte einer von uns, ganz gleich wer, die erste Frage, die Haare auf unserem Kopf, sind das unsere Antennen, und der andere brachte seine, warum haben wir fünf Finger an einer Hand und nicht drei oder sieben oder zwölf?, und dann kamen sie wie am Schnürchen, unter Dampfwolken, die uns wie gute Drachen aussehen ließen, denn die guten Drachen, das ist allgemein bekannt, stoßen weißen Rauch aus.

Im Allgemeinen hielten wir uns nicht damit auf, all die Fragen zu beantworten. Größtenteils weil wir sie nicht beantworten konnten, mit Ausnahme der wenigen, die Lucas übernehmen konnte. Er hat mir zum Beispiel von den «Ableitungen» erzählt. Das sind Nischen oder Wasserschichten unter der Erde, ziemlich weit unten, die das Regenwasser sammeln und es irgendwie schaffen, es zum Meer zurückzuleiten; alles ist verbunden. Manchmal kam eine komische oder poetische Antwort dabei raus, die Heiligen haben Heiligenscheine, damit Gott von oben immer ihre Spur verfolgen kann, wenn die Bücher die Form einer Feder hätten, gäbe es keine Vögel, sondern fliegende Bibliotheken, solche Dinge, aber ganz nach Belieben, denn das Spiel bestand in den Fragen und nicht in den Antworten, es bestand darin, die Fragen zu verteidigen, damit klar war, dass es keine falschen Fragen gibt; was es sehr wohl gibt, sind falsche Antworten.

In den Tagen, bevor wir nach Dorrego fuhren, habe ich ihn fast nicht gesehen. An einem Tag ging er, fünf Minuten nachdem ich aus der Schule zurück war, und kam erst zurück, als ich schon im fünften Schlaf lag. An einem anderen Tag kehrte er früh zurück, aber er sagte, er sei sehr müde, und ging sofort ins Bett, ohne zu Abend zu essen. Ich glaube, er wollte mit niemandem sprechen. Er war blass und machte den Eindruck, als wollte er sich nur noch in seinen Schlafsack verkriechen und den Reißverschluss ganz hochziehen, in die Gebärmutter zurückkehren, seine eigenen Gerüche einatmen und sich vergewissern, dass er noch lebte.

Ich war enttäuscht, wegen dieser ameisenhaften Neigung, Gefühle für die Zeiten zu sammeln, wenn sie nicht da sind, ich wollte an diesen Tagen viel Lucas, um das wenig Lucas in Dorrego auszugleichen, man kann viel Gefühl auf den Schultern tragen, riesige Mengen, so überdimensional wie die riesigen Blätter, die die Ameisen auf ihrem mageren Körperchen schleppen. Es konnte nicht sein. Am Freitagabend blieb ich ziemlich lange auf, aber Lucas kehrte nicht rechtzeitig zurück.

Ich sah ihn wenigstens eine Minute am Samstagmorgen. Wir machten so viel Lärm bei den Vorbereitungen für den Aufbruch – insbesondere ich –, dass er aufwachte und kam, um uns zu verabschieden. Der Motor des Citroën lief schon, als er sich plötzlich an etwas zu erinnern schien und mit seinen riesigen Spinnenbeinen auf das Auto zugelaufen kam.

«Neuntausend neunhundertzweiunddreißig Grad Fahrenheit», sagte er, meine Scheibe war beschlagen von seinem Atem.

«Was?»

«Die Temperatur der Sonne.»

«Pass mir auf die Kröten auf, Lucas!», mischte sich der Zwerg ein.

«Keine Sorge! Wir werden uns gegenseitig Gesellschaft leisten.»

Papa und Mama sagten noch einmal auf Wiedersehen, und dann fuhren wir los.

In Dorrego hatte ich wenig Lucas, aber ein bisschen schon. Immer wenn ich an ihn dachte, stellte ich ihn mir in einem Trenchcoat vor, der ihm etwas Geheimnisvolles verlieh, als wäre er in geheimer Mission unterwegs, von Türschwelle zu Türschwelle, von dunklem Winkel zu dunklem Winkel huschend, die Augen klein und klar – wie die Klicker, mit denen wir einmal spielten –, immer auf die mögliche Anwesenheit des Feindes achtend. Lucas versuchte ein dunkles Gebäude zu betreten, ohne entdeckt zu werden. Als er erst mal drinnen war, zog er den Trenchcoat aus, und geschützt durch sein orangefarbenes T-Shirt vergaß er eine Weile seine geheime Mission und die draußen lauernde Gefahr und ging mit Siebenmeilenstiefeln zu der Theke, wo er sagte: Guten Tag, Frau Bibliothekarin, wo kann ich herausfinden, welche Temperatur die Sonne hat?

Pause

Seen a shooting star tonight
And I thought of you.
You were trying to break into another world
A world I never knew.
I always kind of wondered
If you ever made it through.

Bob Dylan, *Shooting Star*

Vierte Stunde: Astronomie

f. Sternenkunde

64. Dorrego

Der Zaun öffnete sich mitten im Nichts. Das sahen meine Kinderaugen: den Weg, der an den endlosen Drahtgeflechten entlangführte, bis man an ein Tor im Zentrum des Unendlichen kam, man fuhr auf die andere Seite des Zaunes, und da war nichts, reines Feld, ein gekrümmter Horizont, ein grünes Meer, über das Christus in Stoffschuhen gegangen wäre. Selbst mit dem Citroën brauchte man ein Weilchen, um irgendwohin zu gelangen. Zuerst sahst du die Olivenbäume, sie waren noch nicht sehr alt und kaum größer als ich. (Der Zwerg und ich spielten dort gerne; wir fühlten uns wie Riesen.) Dann kamen eine Baumpflanzung und noch weiter die Saatäcker und die Hacienda, erst von dort konntest du durch die Windschutzscheibe in der Ferne die Mühle sehen; gleich waren wir am Haus.

Es war schön, aber einfach; ein Ziegeldach auf einem einzigen Stockwerk, ein Wohn-Esszimmer mit riesigen Fenstern und Kamin (vor dem ich, der Legende zufolge, im Alter von einem Jahr einen dicken Käfer halb aufgegessen habe), ein langer Flur, der zu den Zimmern und zu Großvaters Büro führte, und eine so große Küche, dass der Zwerg und ich die hintere Wand als Aufschlagwand beim Pelota-Spiel benutzten. Wir nannten sie die Hahnenrennbahn, seit Papa einmal den Mann vom Land mimen und mit einem Handgriff einem Hahn den Hals umdrehen wollte. Das arme Tier schien tot zu sein und auf dem Mosaikfußboden kalt zu werden, da zuckte es plötzlich und fing an, den Hals um perfekte neunzig Grad gedreht und wild mit den Flügeln schlagend, durch die ganze Küche zu laufen.

Ein Schwimmbad gab es nicht, aber einen australischen Tank, in den wir mit den drei Salvatierra-Kindern baden gingen. Wir zogen ihn dem See vor, der selbst in der größten Sommerhitze noch eiskalt war. Aber wenn es um Abenteuer ging, war der See nicht zu übertreffen: Wir fischten vom Ufer aus, wir ließen Steine springen, wir sammelten Äste, um Flöße zu bauen, die wir nie fertig stellten, und wir patrouillierten am Ufer entlang auf der Suche nach diesen Überraschungen, mit denen die Natur nicht geizt, Eidechsen, tote Fische, abgenagte Knochen, hinter denen wir makabre Geschichten vermuteten. (Ohne die Knochen, schreibt Margaret Atwood, gäbe es keine Geschichten.)

Die Salvatierra-Kinder sahen alle genau gleich aus, nur waren sie in verschiedenen Größen wie die russischen Babuschkas; zwei Jungs und dazwischen ein Mädchen, bei weitem die Mutigste. Still, aber sympathisch, mit einem Lächeln, das wie die Sonne in dem gegerbten Gesicht aufging. Sie hatten einen sechsten Sinn für teuflische Streiche, rochen die günstigen Gelegenheiten, als ginge ihnen Schwefelgeruch voraus. Überall, wo sie etwas anstellen konnten – mit Kalk, der Axt, den Stieren, dem Mutterschwein mit ihren Jungen –, strichen sie herum, den richtigen Augenblick abwartend. Vater Salvatierra zog sie an den Ohren nach Hause. Weil seine zwei Hände nicht ausreichten, musste Lila das Ohr des Jüngsten fassen, und dann gingen sie zu viert aneinander gekettet heimwärts.

Als ich klein war, hatte Vater Salvatierra Lila gebeten, mir das Reiten beizubringen. Ich erinnere mich noch an meine Angst, weil Lilas Pferd ständig gegen meinen Willen losgaloppieren wollte, bis der Schatten auf dem Boden mir den Grund dieser Eile verriet. Hinter mir sitzend, gab Lila ihm die Sporen und trieb es an. Ich zügelte es, und sie neckte es wieder, innerlich lachend.

Aber jenseits des Spiels gab es eine nicht ausgesprochene Spannung zwischen ihnen und mir, da ich aus einer anderen Welt kam und ihr Terrain betrat. Mit fast tierischem Instinkt forderten sie mich auf, mich der Mitgliedschaft im Rudel würdig zu erweisen, und ich nahm die Herausforderung mit derselben Blindheit an, wie ein Stier vor der Muleta, manchmal mit Erfolg und manchmal mit einer kläglichen Niederlage, es endete zwar nie blutig, aber doch mit gebrochenen Knochen. Nicht einmal da unterließen sie es, imaginäre Linien im Staub zu ziehen, die ich unweigerlich überschritt, entschlossen, ihnen zu beweisen, dass ich wie sie sein konnte, koste es, was es wolle, Anranzer, Gips, ganz gleich. Griff ich aber auf meine Städtertricks zurück – Bücher, Soldaten –, blieben sie auf Distanz, als fürchteten sie, der Wirkung von Zauberkräften ausgesetzt zu sein, deren Gesetzmäßigkeiten sie nicht kannten. Sie schlossen sich nur an, wenn sie mich in ein Spiel vertieft sahen, bei dem man in eine Rolle schlüpfen konnte, Cowboy, Robin Hood oder Tarzan. Personen in einer von mir erfundenen Geschichte zu sein, erschien ihnen normal, und sie spielten ihre Rollen mit einer Energie und Inspiration, die meine plumpen Anweisungen bei weitem übertraf, sie waren geborene Schauspieler.

Meine Haut trägt noch Narben von den Mutproben, denen die Salvatierras mich unterzogen. Komischerweise habe ich keine Erinnerung an den Schmerz, aber sehr wohl an die Genugtuung, die ich empfand, als ich das erste Mal ein Rennen gegen Lila gewann – wir ritten barfuß, und der Steigbügel scheuerte mir die Fußsohlen auf – oder als ich die höchste Nuss vom Nussbaum holte und mir dabei die Hände aufriss. Auf der Landkarte meines Körpers markieren diese Male Augenblicke, in denen ich etwas gelernt habe und für die ich dankbar bin. Auf ihre Weise kannten die Salvatierras das Prinzip der Notwendigkeit. Wenn sie nicht die Bedingungen für meine Veränderung geschaffen hätten, wäre ich heute immer noch ein Fremder in Dorrego, ein Eindringling, ein Auswärtiger.

65. Wo wir auf dem Land ankommen und ich zum Reporter von Esso werde

Die Reise war angenehm, da der Zwerg fast die ganze Zeit schlief. Ein Kommentar bezüglich seines Schlafes brachte die Wahrheit ans Licht. In der Nacht hatte Mama ihn dreimal zum Pinkeln geweckt, damit er das Bett nicht wieder nass machte. Das Problem war, dass ich ihn einmal mitgenommen hatte, als ich in aller Herrgottsfrühe aufgewacht war, und Papa ebenfalls zweimal, ohne dass einer von den Strapazen wusste, die die anderen beiden ihm zugemutet hatten. In dieser Nacht machte der Zwerg schlafend mehr Strecke, als er es gewöhnlich im Wachzustand tat.

Kaum kündigte der Citroën mit seinem Getöse unsere Ankunft an, kamen die Großeltern auch schon heraus, um uns zu begrüßen. Großvater war dick wie immer; ich erinnere mich noch an den Vigognestoffponcho, den er über den Schultern trug. Groß und schlank, besaß die Großmutter eine natürliche Eleganz. Sie wirkte wie eine 1 neben der runden 0 des Großvaters; sie beide bildeten das binäre System, auf das sich das Universum gründete.

Wieder erwacht, überreichte der Zwerg Großvater sein erstes Geschenk, eine Schachtel Romeo & Julieta. Ich überreichte ihm das zweite, eine Flasche Johnny Walker *black lable*. Die Geschenke würden auf jeden Fall ankommen, wir wussten, dass Großvater beides mochte. Aber trotzdem schaffte er es, Papa zu reizen.

«Schau mal, Mutti», sagte er zu Großmutter und zeigte ihr die Kiste mit den Zigarren und die Whiskyflasche. «Ich weiß nicht, ob sie mich beschenken oder mich umbringen wollen!»

Papa schaute Mama an, als wollte er sagen: Siehst du, ich habe es doch gewusst.

Zu allem Überfluss betonte Großvater, wie lange wir uns nicht gesehen hatten. Er nannte die Anzahl der Monate, der Tage und der Stunden; er hatte sie ganz genau gezählt, oder zumindest machte er uns das glauben.

«Das ist ganz schön viel!», gestand der Zwerg ein.

Großvater sagte nichts mehr, er war der Ansicht, der Fall läge dem ehrenwerten Gericht jetzt vor.

So oft fuhren wir auch nicht aufs Land. Es sind von Buenos Aires mehr als fünfhundert Kilometer, das ist kein Pappenstiel, zumindest nicht an Bord eines Citroën. Wenn wir die Großeltern allzu lange nicht besucht hatten, kamen sie gewöhnlich zu uns. Aber man merkt, der Streit an den letzten Festtagen war rauer gewesen als gewöhnlich (das ist der Vorteil vom Land, wenn ein Gespräch entgleist, kann man an viele Orte fliehen), und seither waren wir uns nicht mehr begegnet.

Während des üppigen Mittagessens hatte das Gespräch die nötige Leichtigkeit, um keinerlei Zusammenstoß hervorzurufen. Es wurde über die Landwirtschaft geredet, aber diesmal war es Großvater, der schnell das Thema wechselte. Es wurde auch etwas über Argentinien gesagt, aber die beiden waren sich einig, dass Argentinien zu einem Thema wurde, über das man besser nicht mehr sprach. Schließlich zogen der Zwerg und ich die ganze Aufmerksamkeit auf uns, er, indem er sich auf den Stuhl stellte und seine Version der Nationalhymne – unter dem Starauftritt von Gloria Muñiz – zum Besten gab, und ich, indem ich mit Hilfe von zwei Servietten all die Knoten vorführte, die Lucas so freundlich war mir beizubringen.

Schließlich legten sich Papa und Mama zur Siesta hin. Großvater zündete eine Romeo & Julieta im Wohnzimmer an (wenige Dinge laden so zu Wachträumen ein wie der Duft einer guten Zigarre) und setzte sich in seinen Sessel gegenüber den großen Fenstern und betrachtete den Nachmittag. Ein wenig weiter hinten, gegenüber vom Kamin, unterhielt sich der Zwerg mit seinen beiden Goofys. Er erzählte dem harten Goofy, dem jüngsten Familienmitglied, dass ich genau an dieser Stelle einen dicken Käfer gegessen hatte. Der Zwerg hatte von der Großmutter die Erinnerungsmanie geerbt; sie verhielt sich immer wie die Führerin des Museums unserer Glückseligkeit: jeder Ort erweckte eine Erinnerung, die sie mit dem Menschen an ihrer Seite teilen musste, ganz gleich ob der die Anekdote schon tausendmal gehört hatte.

Ich fläzte mich im großen Sessel, um den Augenblick zu genießen, die Anwesenheit der Großeltern, den Duft der Romeo & Julieta, die perfekte Trägheit des Samstagnachmittags, der mir ewig erschien. Aber ich hielt es nicht lange durch. Da war ein Bodensatz an Unruhe in meinem Glas, der mich daran hinderte, es ganz zu leeren.

Vielleicht bin ich immer schon so gewesen, seit sie mich aus dem Bauch meiner Mutter geholt haben, um mich in diese Welt zu katapultieren: Ich weiß, was ich will und folglich was ich suche, aber selbst wenn ich es bekommen habe, ist da ein Teil in mir, der sich weigert, sich zu entspannen, zu genießen, der schon daran denkt, was kommen wird, was mir noch bevorsteht, an das noch Formlose. Jener Nachmittag ist mir in Erinnerung als Augenblick der Erleuchtung, in dem ich mir zum ersten Mal meiner Begrenzung bewusst wurde. Nie lebe ich ganz im Augenblick. Immer ist ein Teil von mir nicht da, wo man mich sieht, wo ich zu sein scheine, sondern in der Zukunft und ruft mir «Klarmachen zum Gefecht» zu.

«Wann zeigst du mir, wie man Traktor fährt?», fragte ich den Großvater, der seinen eigenen Träumereien nachhing. (Wenn man klein ist, hat man keine Vorstellung davon, wie viele Dinge im Kopf eines Erwachsenen sind, der ein völlig ausdrucksloses Gesicht hat.)

Großvater stieß eine graue Wolke aus und erwiderte: «Jetzt.»

Wenn wir auf dem Land waren, nahm Großvater mich gern überall mit hin. Wenn er Traktor fuhr, saß ich neben ihm auf einem Metallgitter. Wenn er reiten musste (er war dick und alles, aber er ritt gut), ließ er immer zwei Pferde satteln. Wenn es ans Tomatenpflücken ging, dann machten wir uns zu zweit auf den Weg, jeder mit seinem Korb. Ich sagte nichts, aber ich war mir sicher, er hatte dasselbe mit Papa getan, als er klein war, und meine Anwesenheit half ihm dabei, eine mehr als zwanzig Jahre währende Leere an seiner Seite zu überspielen.

«Und, wie läuft es so?», fragte er mich mit Unschuldsmiene, während ich bei dem Traktor die Gänge einlegte. «Was ist mit deinem Kumpel, dem Chinesen?»

«Japaner!», korrigierte ich ihn wie immer. Großvater machte gerne alberne Scherze mit mir. Als ich in der ersten oder zweiten Klasse war, sagte er, er sei Hellseher und er würde in seinem Geist sehen, dass ich einen japanischen Kumpel hatte. In dem Moment war ich verblüfft, aber später, als ich einen Teil meiner Gutgläubigkeit eingebüßt hatte, begriff ich, dass es ein Schuss ins Blaue gewesen war. Auf fast allen staatlichen Schulen gab es Chinesen, Japaner und

Koreaner. Die Wahrscheinlichkeit war auf seiner Seite. Jedenfalls habe ich mich immer davor gehütet, seine seherischen Qualitäten in Frage zu stellen.

«Chinese, Japaner …»

«Keine Ahnung. Er ist im vergangenen Jahr von der Schule gegangen.»

«Was du nicht sagst. Und der andere? Wie hieß er noch, Bertolotti, Bergamotti …»

«Bertuccio!»

«Wie geht es diesem Bertuccio?»

Der Gang ging nicht rein. Ich versuchte es mit Gewalt.

«He, he, langsam. Das ist eine Frage der Geschicklichkeit, nicht der Brutalität.»

Großvater merkte, dass etwas mit mir nicht stimmte. Dafür musste man kein Hellseher sein.

«Erzähl mir nicht, dass Bertuccio auch gegangen ist.»

An dieser Stelle sollte ich eigentlich sagen, dass ich die möglichen Folgen meines Handelns lange abwägte, aber dann würde ich lügen. Es war, als hätte man mir zum Mittagessen Sodiumpentathol eingeflößt; ich hätte jede Frage des Großvaters beantwortet, ganz gleich, wie intim oder beschämend die Antwort gewesen wäre.

«Nein. Ich bin von der Schule gegangen. Und der Zwerg auch. Wir gehen jetzt auf eine kirchliche Schule. Der Priester ist Papas Freund. Seit wir dort hingehen, will der Zwerg Heiliger werden. Mama haben sie aus dem Labor geworfen. Papa hat keine Kanzlei mehr. Ein paar Kerle sind gekommen und haben alles verwüstet. Eine Zeit lang hat er in Kneipen und Cafés gearbeitet, aber es gibt jetzt viel Polizei, und er arbeitet zu Hause. Es ist nicht unser Zuhause, ein anderes. Wir leben jetzt in einem Landhaus. Es ist voll mit selbstmörderischen Kröten.»

Großvater war sprachlos. Einen Moment lang dachte

ich, er hätte nichts von dem gehört, was ich zu ihm sagte. Ich fragte mich, wie der Kerl von Reporter Esso darüber berichtet hätte, der Nachrichtensendung, die eine Zeit lang um Mitternacht, vor der Meditation, kam. Er hatte ein finsteres Gesicht und eine ebenso finstere Stimme, er hieß, wenn ich mich recht entsinne, Repetto, Armando Repetto, dunkles à la Lugosi gegeltes Haar. Fast konnte ich seine Baritonstimme hören: *Die Situation der Familie Vicente verschlimmert sich. Zu den Schwierigkeiten des Lebens im Untergrund kommen jetzt noch wirtschaftliche Nöte hinzu. Die Entlassung Flavias und die prekäre Tätigkeit Davids werfen Schatten auf die Zahlungsfähigkeit dieser Menschengruppe. Von der Presse befragt, sagte Davids Vater, das würde ihn nicht überraschen, und er bekundete seine Absicht, Maßnahmen zu ergreifen …*

«Opa, Opa, hast du mich gehört?»

«… Ja, mein Kleiner.»

«Streitet euch nicht. Diesmal nicht.»

66. Die Larven

Es gab mal eine Beutelratte, die Großvater in den Wahnsinn trieb. Sie richtete ständig ein Desaster im Hühnerstall an. Ich habe eine flüchtige Erinnerung an Blut, Federn, kaputte Eier. Großvater legte Fallen aus und verschloss jedes Loch, aber die Beutelratte schlüpfte irgendwie hinein und dezimierte seinen Hühnerbestand. Bis Großvater sagte, es reicht, und wir uns auf die Jagd machten.

Ich war voller Begeisterung mit von der Partie. Der Konflikt hatte etwas von einem Western. Die Beutelratte war ein Viehdieb, Großvater das Gesetz und ich sein Amtsgehilfe;

ich stand neben ihm, als er sein Gewehr vorbereitete, sich die Taschen mit roten Patronen voller Schrot voll stopfte, und dann lief ich zu Salvatierra, als er mich bat, ihn dazuzuholen. Die beiden Jungen schlossen sich uns an. Lila hingegen wollte von alldem nichts wissen. Frauen haben diesen Instinkt.

Wir gingen lange Zeit auf und ab, so unstet, dass ich schon glaubte, die Ratte würde uns an der Nase herumführen. Bis Salvatierra auf die Spur stieß. Er blieb einen Meter vor einem Baum stehen, horchte in das Loch im Stamm und sagte, sie sei da drin. Erst glaubte ich ihm nicht, aber dann steckte er den Lauf des Gewehrs in das Loch und schoss.

Gewehre klingen wie Kanonen. Ich kann mir nicht vorstellen, wie Kanonen klingen.

Dann schob er die Hand hinein und holte sie heraus.

Die Beutelratte ist ein ekelhaftes Tier. Von außen sieht sie aus wie ein beharrtes Kissen, und innen ist sie voller Krallen und Nägel. Salvatierra warf sie auf den Boden und drückte ihr den Gewehrlauf in den Bauch. Das erschien mir überflüssig, denn es war offensichtlich, dass sie tot war, aber da fand Salvatierra seine Vermutung bestätigt.

«Sie hat Junge», sagte er.

Sie hatte mehrere weiße, unbehaarte Tierchen im Beutel, wenig größer als Larven, die sich wanden, als rekelten sie sich.

«Was geschieht jetzt mit ihnen?», fragte ich.

Salvatierra sah Großvater an. Großvater sagte nichts. Er zog es vor, die Patronen aus dem Gewehr zu holen und sie zu dem Vorrat in seinen Taschen zu stopfen.

Manolo, der älteste der Salvatierras, der genau wie ich neben der Beutelratte kniete, sagte:

«Sie werden sterben.»

Ich versetzte ihm einen Ellenbogenstüber, dass er auf dem Boden zu sitzen kam.

«Was redest du da. Wenn ich sie füttere und sie wärme, dann sterben sie nicht», behauptete ich trotzig.

«Sie sind sehr klein», sagte Manolo. «Sie trinken noch an den Zitzen, siehst du das nicht? Schau dir die kleinen Mäulchen an. So kleine Sauger gibt es nicht!»

«Geht nach Hause», entschied Salvatierra mit großer Autorität. Manolo sah ihn verdrossen an. Warum schickte er ihn weg, wenn ich den Blödsinn verzapfte?

Widerstrebend gehorchte er, gefolgt von seinem Bruder. Salvatierra entschuldigte sich und ging ebenfalls. Ich blieb allein zurück, hin und her gerissen zwischen Ekel und Ohnmacht, denn einerseits wollte ich die Larven mitnehmen, aber andererseits hatte ich Angst, sie in meinen Händen zu zerdrücken, ich wusste nicht, wie ich sie fassen, wo ich sie hintun, was ich überhaupt tun sollte, und Großvater sah mich mit einem Ausdruck an, den ich noch nie an ihm gesehen hatte, dieses gequälte Gesicht, das die Großen haben, wenn ihre Kinder und Enkel mit einem Schmerz konfrontiert sind, vor dem sie sie nicht bewahren konnten.

Ich wollte nicht einmal zu Abend essen. Ich blieb am Kamin mit meinem Pappkarton voller als Schlaflager dienender Stoffreste und meinen schläfrigen Larven. Nachdem sie den Zwerg ins Bett gebracht hatte, kam Mama zu mir, setzte sich neben mich, und nach einer Weile sagte sie, ich solle mich auf ihren Schoß setzen, und ich gehorchte und nahm die Schachtel mit. Die Larven waren müde und ich auch.

Am nächsten Morgen wachte ich in meinem Bett auf. Einen Moment lang dachte ich, das wäre alles ein Alptraum gewesen. Aber Mama, die darauf gewartet hatte, dass ich aufwachte, nahm mich hoch – ich war damals sechs oder sieben, und man konnte mich noch gut tragen – und ging mit mir zum Ufer des Sees.

Sie hatte die Larven dort begraben, am Rande des Sumpfes, wo die Binsen wuchsen. Sie sagte, ihre kleinen Körper würden den Binsen helfen, stärker und biegsamer zu werden. Mama erzählte mir, lebende Wesen würden nie ganz gehen, alles, was in der Nähe von einem stürbe, bliebe bei einem, in der Luft, die man atmet, in den Pflanzen, die man isst, in der Erde, auf die man tritt. Ich wusste damals nicht, was ich denken sollte, ich verstand einen Großteil von dem nicht, was sie mir sagte, und ich war auch nicht von dem überzeugt, was ich zu verstehen glaubte. Aber es erleichterte mich zu wissen, dass die Larven in der Nähe waren, an einem Ort, den ich so oft besuchen konnte, wie ich wollte.

Dieses Seeufer war immer etwas Besonderes für mich. Ich verweile immer noch gerne dort, wenn es mir gelingt, mich aus den Klauen der Welt zu befreien. Ich schließe die Augen, höre die Brise durch das Schilf streichen und frage mich, ob meine Mutter so klingt, wenn sie recht hat.

67. Großmutter hat eine Zeitmaschine

Mitten am Nachmittag ließ die Hitze uns glauben, die Sonne hätte sich in der Jahreszeit geirrt. Für diese Eventualität waren wir schlecht ausgerüstet: das Leichteste, das Mama an Kleidung für mich mitgenommen hatte, war das karierte Flanellhemd, das ich anhatte. Aber Großmutter sagte, sie hätte noch alte Sachen von Papa, die ich tragen könnte, ein kurzärmeliges T-Shirt, Bermudas, irgendetwas, das luftiger war als meine Holzfällerverkleidung. Sie sagte, ich solle sie in Papas Zimmer begleiten, das immer abgeschlossen war, damit es nicht dem Zerstörungstalent des Zwergs zum Opfer fiel. Papas Zimmer war ein Universum im Miniaturformat; ein schwarzes Loch hätte ihm irreparablen Schaden zugefügt.

Obwohl es verschlossen war, roch das Zimmer sauber. Wie man sieht, lüftete Großmutter regelmäßig. Papas Teleskop stand aufgebaut am Fenster. Das Bett war sogar überzogen. An der Wand am Kopfende waren Fähnchen mit Heftzwecken befestigt, Erinnerungen an Sportklubs der Region und an diese philanthropischen Klubs, die damals in Mode waren, der Rotary und der Lion's Club. Auf einer Seite stand eine kleine Bibliothek, die einen großen Teil der Robin-Hood-Sammlung beherbergte; durch Verlagswunder des Landes zu anderen Zeiten hatten Papa und ich dieselben Bücher gelesen. Zum Beispiel den *Copperfield* in der Übersetzung einer eleganten Dame namens María Nélida Bourguer de Ruiz, von der Papa eine 1950 gekaufte zweite Ausgabe aus dem Jahr 1945 hatte, wenn man dem Namen und dem Datum glaubte, das er mit Kinderschrift auf die erste Seite geschrieben hatte.

Auf dem Schreibtisch entdeckte ich ein vollständiges Bataillon aus Zinnsoldaten, die auf einen unsichtbaren Feind zielten. In dem auf Kopfhöhe angebrachten Regal stand eine Sammlung von Autos, deren Größe und Detailtreue meine Matchbox alt aussehen ließen, eine Reihe von selbst zusammengebauten Modellflugzeugen und ein rotes Segelschiff, dessen Segel eine Handbreit unter der Decke endete.

«Es ist alles noch genau wie früher», sagte ich, während Großmutter im Wandschrank wühlte.

«Ganz genau.»

«Du hättest alles ausräumen und ein Zimmer für dich daraus machen können», sagte ich, inspiriert von Großmutter Matilde, die Mamas Sachen alle in Kartons gepackt und ihr altes Zimmer dafür verwendet hatte, ihre Reisesouvenirs auszubreiten, Hüte, Mantillas und Puppen. (Die auffälligste war eine Tänzerin, deren Kleid eine einen Meter lange Schleppe hatte.)

«Und was soll ich mit einem Zimmer?», sagte Großmutter, die immer praktisch dachte. «Mal sehen, probier das mal an.»

Sie gab mir ein T-Shirt und Bermudas. Beide Kleidungsstücke stanken nach Mottenkugeln, aber sie waren sauber und sahen fast wie neu aus. Es war komisch, sich Papa in dieser Größe vorzustellen.

«Vermisst du ihn sehr?», fragte ich, während ich das T-Shirt auszog.

«Deinen Vater? Natürlich vermisse ich ihn. Aber ich sitze nicht heulend in der Ecke, wenn es das ist, was du wissen willst. Ich kann nicht mehr haben, als mir vergönnt war. Ich habe alles, was ich brauche. Obwohl ich euch gerne öfter sehen würde. Siehst du, es passt. Und jetzt probier die Bermudas.»

«Du könntest ein Spielzimmer einrichten», sagte ich, weil ich es gar nicht so schlecht gefunden hätte, wenn Großmutter Papas Sachen in Kartons gepackt und sie mir gegeben hätte.

«Das ist es schon. Für mich ist es eine Zeitmaschine», sagte sie und machte die Schranktür weiter auf, damit ich mich im Spiegel betrachten konnte. «Immer wenn ich zum Putzen hierher komme, bleibe ich an irgendetwas hängen, an einem Foto, einem Schulheft, einem Hemd … und es ist, als würde ich den Augenblick noch einmal erleben. Ich kann deinen Vater fast hören, seine Knabenstimme, natürlich, wie er über den Flur schreit, weil er etwas will, Milch, saubere Kleidung, was auch immer.»

«Das macht er immer noch. Aber Mama kümmert sich nicht darum.»

«Das ist gut. Ein paar Dinge haben sich zum Guten verändert.»

Großmutter stellte sich hinter mich, um mich ebenfalls im Spiegel zu betrachten. Es gefiel ihr, was sie sah, mit Ausnahme meines Haars, das sie mit ihren Fingern zu bändigen versuchte.

«Andere Dinge nicht. Jetzt machen sie alles in so schlechter Qualität, dass es gleich kaputtgeht und du es wieder neu kaufen musst. Glaubst du, ein T-Shirt von heute würde so lange halten? Das ist der Vorteil der guten Erinnerungen. Sie nutzen sich durch Gebrauch nicht ab. Und sie nehmen keinen Platz weg. Und das Wichtigste», sagte Großmutter und drückte mir einen Schmatzer aufs Ohr, dass ich fast taub wurde, «niemand kann sie dir wegnehmen!»

68. Ein Spaziergang durch Atlantis

Ich weiß nicht, ob die Industrie und die Manufakturen von früher die glühende Verteidigung meiner Großmutter verdienten, aber das Floß, das Großvater für Papa baute, hatte in der Tat mehr als zwanzig Jahre gehalten. Es maß einen Meter mal eineinhalb Meter, und es passten bequem zwei Erwachsene und folglich drei Kinder darauf. Jedes Detail kündete von einer versierten oder zumindest liebevollen Hand: die Lackierung, damit die Latten kein Wasser aufsogen, die Metallschellen, die Verwendung von Schrauben anstelle von Nägeln. Großvater hatte es in einem der Schuppen wieder ausgegraben, nur mit dem Mast, der in die Mitte kam und an dem, Papa zufolge, eine Totenkopfflagge flatterte, die Großmutter nach seiner Anleitung angefertigt hatte, hatte er kein Glück.

Als Großvater mit dem Floß auf der Ladefläche des Lastwagens auftauchte, hätte man nicht sagen können, wer sich am meisten freute, er aus Handwerkerstolz, Papa wegen der aufkommenden Erinnerungen oder ich, weil ich Boot fahren konnte. Wir brauchten nur Sekunden und ein paar kurze Silben, und wir waren uns einig, dass die Situation passte: die Sonne schien, da war der See, das Floß. Wer hätte dieser Versuchung widerstehen können?

Am Ufer blieben die Schlappen und die Strümpfe zurück, und Großvater, dessen Gewicht die Möglichkeiten des Bootes überstieg – wahrscheinlich hätte es sogar die der *Kontiki* überstiegen. Ich bettelte, er sollte doch wenigstens mit uns ins Wasser kommen, aber er wollte davon nichts wissen und sagte, er würde dort bleiben und uns von weitem zuschauen. Papa krempelte die Hosenbeine hoch, sagte, ich solle mich auf das Floß setzen, dann stieß er es vom Ufer ab.

Und so war es. Wir schipperten in die Mitte des Sees, und Papa benutzte seine Hände als Ruder und Steuer. Ich lag auf dem Bauch und hielt mir die Hand schützend über die Augen, damit mir die Sonne nicht hineinschien, während ich versuchte, den Grund zu erforschen. Großvater zufolge war der See nicht immer da gewesen. Jahre bevor er das Land kaufte, gab es dort einen Marmorsteinbruch. Wie man sieht, war jemand übereifrig und hat zu viel gegraben, denn er stieß auf eine Wasserader, und das Wasser trat aus wie das Öl in den Filmen, und es machte nicht halt, bis es das ganze Gebiet überschwemmt hatte und die Leute aus dem Steinbruch zwang, sich eine andere Perspektive zu suchen. Papa schwor, es gäbe Maschinen auf dem Grund und von den Besitzern des Steinbruchs errichtete Häuser, sogar ganze Bäume (auf der anderen Seite des Sees, wo das Land der Podetti anfing, sah man Bäume, deren Stamm zu einem Großteil unter Wasser stand), die er behauptete gesehen zu haben, als er mit einem selbst gebastelten Schnorchel aus Schilfrohr dort tauchte. Ich hörte mir die Geschichten mit einer gewissen Skepsis an, denn sie klangen zu schön, um wahr zu sein. Wie viele Leute hatten schon ein eigenes Atlantis wenige Schritte vorm Haus?

Mit der Zeit stellte ich fest, dass keiner von beiden mich belogen hatte. Da unten waren mit Grünspan überzogene Maschinen und ein Haus ohne Dach, durch dessen Tür ich hinausgetaucht bin, und Baumstämme, um deren Äste kleine Fische kreisten. Aber diesmal sah ich von dem Floß aus nichts als ein paar Pflanzen mit langen rautenförmigen Blättern, die hypnotisierend hin und her wedelten und in zunehmender Tiefe mit dem Dunkel verschmolzen.

Papa ruderte abwechselnd mal mit dem einen, mal mit dem anderen Arm, um die Richtung des Floßes zu korrigieren. Zu dem Zeitpunkt war er schon klitschnass, aber das schien ihm nichts auszumachen.

Großvater winkte vom Ufer.

«Er hätte doch auch mit ins Wasser kommen können.»

«Großvater kann nicht schwimmen.»

«Wie, er kann nicht schwimmen?»

«Glaubst du, jeder geht ins Schwimmbad? Großvater hat von klein auf gearbeitet, und seine Mutter hatte kein Geld, um den Unterricht zu bezahlen.»

«Und was hat er gemacht, wenn du ins Wasser gegangen bist? Hatte er keine Angst? Ich meine, wenn dir etwas zugestoßen wäre, wie hätte er dich retten sollen?»

«Er hatte ein Motorboot an der Mole liegen. Er sagt, er hätte nie Angst gehabt. Ich war immer ein guter Schwimmer. Er vertraute mir. Großvater ist der Meinung, je früher man selbständig wird, desto besser. Das finde ich auch. Es hat schon seinen Grund, dass ich dir die Straßen gezeigt und dir von klein auf beigebracht habe, allein von A nach B zu kommen.»

«Erst habe ich mich ganz schön verlaufen.»

«Aber danach hast du dich nie mehr verlaufen.»

Papa verfolgte eine bestimmte Absicht. Er suchte einen Pfahl, der ihm zufolge in der Mitte des Sees sein musste. Es war ein alter Strommast, der bis auf den letzten Meter von dem Wasser überflutet worden war. Er wollte feststellen, ob die Sachen noch da waren, die er mit einem Taschenmesser eingeritzt hatte, aber der Pfahl war nirgends zu entdecken.

«Sie müssen ihn herausgeholt haben. Oder vielleicht ist er verfault. Wir sind dort immer mit zwei Freunden hingefahren, dem kleinen Podetti und Alberto, dem Neffen von Salvatierra. Einmal hat Podetti sich auf den Pfahl gestellt und Statuenposen ausprobiert. Er machte Rodins Denker nach, einen leicht weibischen David, dann sagte er, jetzt kommt der Quellenengel. Er zog die Badehose runter und fing an, uns zu bepinkeln. Wie albern! Er lachte sich schlapp, bis Alberto und ich wegruderten und ihn auf dem Pfahl zurückließen. Er musste den halben See durchqueren, bis er uns eingeholt hatte!»

Papa ruderte unermüdlich weiter. Ich wurde es müde, in die Tiefe zu schauen, und drehte mich um, den Bauch zur Sonne gerichtet. Ich schloss die Augen und ließ mich treiben, während Papa sich an eine Geschichte nach der anderen erinnerte, als könne er den Erinnerungshahn nicht zudrehen. Irgendwann hörte ich auf, ihm zuzuhören. Auf dem Wasser dahinzutreiben, fühlt sich wunderbar an, wie fliegen, stelle ich mir vor. Vielleicht habe ich sogar geschlafen, zumindest ein paar Minuten.

«Ich verglühe», sagte ich schließlich.

«Mach dich ein wenig nass.»

«Kann ich nicht hineinspringen?»

«Das Wasser ist sehr kalt. Es ist schwierig, so zu schwimmen. Deine Arme und deine Beine sind ganz schwer, und du wirst sofort müde.»

«Uff, dann lass uns etwas spielen.»

«Mit Podetti haben wir ein Gleichgewichtsspiel gemacht. Wir haben uns beide ganz vorsichtig hingestellt, und auf drei haben wir angefangen, das Floß mit den Füßen zum Schaukeln zu bringen und zu versuchen, den anderen ins Wasser zu stoßen.»

«Lass uns das spielen, komm!»

«Du wirst ins Wasser fallen.»

«*Du* wirst ins Wasser fallen.»

«Davon träumst du auch nur.»

«Du hast Angst.»

«Uh. Sie haben gerade Ihr Todesurteil ausgesprochen. Betrachten Sie sich als versenkt!»

Das mit dem Hinstellen war eine heikle Sache. Das Floß schaukelte wie verrückt. Wir bewegten es so sehr, dass keiner es schaffte aufzustehen.

«Wer bist du?», fragte ich lachend.

«Ich bin Kapitän Nemo. Und du?»

«Ich bin Houdini.»

«Nemo gegen Houdini eins. Schubsen gilt nicht. Nemo gegen Houdini zwei …»

«Kitzeln gilt auch nicht.»

«Nemo gegen Houdini … drei!»

Es war, als liefe man das erste Mal auf Schlittschuhen, eine große Herausforderung für das Gleichgewicht. Es ist schon schwer, allein zum Stehen zu kommen, ganz zu schweigen davon, wenn ein anderer das Floß einer unsteten Reihe von Kräften aussetzt, die jede eigene Anstrengung aufzuheben droht.

Mein Schicksal war der See, es sei denn, es würde ein Wunder geschehen. Oder ein Hinterhalt dazwischenkommen.

Papa war gerade mitten in einem Satz («Nemo macht eine Ausweichbewegung, irritiert den Gegner, überflügelt ihn ...»), als ich ihm den Stoß versetzte. Das kam für ihn so überraschend, dass er wie ein Stein nach hinten fiel. Wenn ich mich nicht sofort hingeworfen hätte, wäre ich wegen des plötzlich nicht mehr vorhandenen Gegengewichts ebenfalls ins Wasser gefallen.

«Unglaublich, meine Damen und Herren!», rief ich. «Houdini bezwingt den Gegner und bleibt unbesiegt! Nemo ist un-wi-der-ruf-lich untergegangen. Eine Ovation für den Sieger!»

Ich hätte wie ein Idiot weitergeschrien, aber solange Papa nicht auftauchte, machte die Häme keinen Spaß. Und Papa war noch nicht aufgetaucht.

Es gab nicht einmal Luftblasen. Ich beugte mich auf die Seite, von der er gefallen war, aber eine Wolke hatte sich vor die Sonne geschoben, und ich sah nichts als schwarzes Wasser.

Ich dachte daran, was Papa gesagt hatte. Wie kalt das Wasser war. Wie es deine Arme und deine Beine schwer macht. Du wirst sofort müde. Und wenn die Kälte bei ihm einen Schock hervorgerufen hatte? Und wenn er bis zum Grund gesunken war, bis zu den Maschinen, den Häuschen und den Bäumen?

Ich wollte schreien, aber aus meinem Mund kam kein Ton. Mir war kalt, mir klapperten die Zähne, die Hitze war von einer Sekunde auf die andere weg, diese Scheißwolke, schwarze Wolke, schwarzes Wasser. Ich schaffte es nur, mich von der einen Seite des Floßes auf die andere zu rollen, wie ein Tiger in einem unsichtbaren Käfig, hoffend, dass Papa von einer Sekunde auf die andere auftauchte, die Wolke verschwände, das Wasser sich aufhellte und Papa endlich von seinem Spaziergang durch Atlantis zurückkehrte.

Auf einmal verspürte ich einen eiskalten Strahl. Papa streckte den Kopf aus dem Wasser und bespuckte mich mit dem Wasser, mit dem er seinen Mund gefüllt hatte, eine farb- und geruchlose Nachahmung von Podettis Engelchen; er hielt sich für witzig und wollte sich für meinen dummen Streich rächen. Aber kaum hatte ich mich herumgedreht, verschwand das Lächeln. Ich weiß nicht, was er in meinem Gesicht sah, das ihn erbleichen ließ. Ich vermute, er ahnte, was ihn erwartete, die Schläge, die ich ihm verpasste, richtige Schläge, kräftig, voller Wut, die er mit einem nassen Arm abzuwehren versuchte, während er mit dem anderen versuchte, mich am Hals zu packen und mich zu umarmen, und immer wieder sagte, verzeih mir, verzeih mir, Liebling, ich habe es nicht mitbekommen, ich schwöre es dir, ich habe es nicht mitbekommen, ich schlug ihn, und er bat mich um Verzeihung, bis ich es müde wurde, ihn zu schlagen, aber er wurde nicht müde zu reden, mir immer wieder dasselbe zu sagen, bis er nicht mehr konnte.

Die offizielle Version lautete, er sei von allein gefallen, aus reiner Ungeschicklichkeit.

Wir haben es nie jemandem erzählt.

69. Wo ich zum Spion werde und höre, was ich nicht hören soll

Das Abendessen verlief ohne Zwischenfälle. Papa hatte seine normale Persönlichkeit durch eine gedämpfte Version seiner selbst ersetzt, Legierung statt Silber; sogar Großvater schien sich darüber zu wundern, dass er auf ein paar Bemerkungen nicht reagierte, die geradezu zum Sarkasmus einluden. Ich glaube, mit Ausnahme des Zwergs, der ständig vom Tisch weglief, um Brotstückchen im Kaminfeuer zu rösten, bemerkten wir alle Papas Stimmung oder, besser gesagt, das Fehlen derselben. Beim Nachtisch war die Anspannung so hypnotisierend geworden, dass ich meinen Blick nicht von seinen Händen abwenden konnte, jetzt schälen sie einen Apfel, jetzt gießen sie Wasser in den Wein, jetzt formen sie Kügelchen aus den Brotkrumen, denn ich versuchte herauszufinden, ob er die kleinen Finger noch beugen konnte, ob er immer noch Papa oder ob er durch ein Double ersetzt worden war, das seinen Körper nachmachen konnte, aber nicht seinen Geist.

Großmutter fing an abzuräumen. Mama stand ebenfalls auf, und während sie alle Schalen auf einen Teller schüttete, gab sie mir das verabredete Zeichen. Der erste Teil meiner Mission bestand darin, den Zwerg zu rekrutieren und ihn in die Küche zu bringen. Das gestaltete sich schwieriger als vorhergesehen, denn zu dem Zeitpunkt hatte er herausgefunden, dass er aus Papas Brotkrumen und Zahnstochern Figürchen machen konnte, und er steckte gerade mitten in einem historischen Gerichtsverfahren.

«Lass es mich zu Ende machen!», protestierte er gegen mein Gezerre. «Ich mache gerade Jeanne d'Arc!»

«Du kannst sie später verbrennen! Wir müssen die Torte holen!»

Die Idee war, dass wir an der Spitze des Zuges gehen sollten, dessen Höhepunkt die Torte für Großvater war, und die Singstimme beim Geburtstagsständchen übernehmen sollten. Als wir in die Küche kamen, waren Mama und Großmutter gerade dabei, vierhändig die Kerzen anzuzünden.

«Lehrer werden immer gebraucht. Ich sage ja nicht für immer, aber vorübergehend könnte das eine Lösung sein. Die Sache ist, dass du es ihm sagen musst. Wenn ich es sage, wird er mir nicht einmal zuhören. Und wenn Vater es ihm sagt, dann brennt Troja. Du weißt, wie sie sind. Einer wie der andere!», sagte Großmutter und zündete wie wild Streichhölzer an.

«Kann ich die Kerzen anzünden?»

«Kann ich sie anzünden?», wiederholte der Zwerg.

«Nein!», sagte Mama, und dann sprach sie weiter mit Großmutter, als sei nichts geschehen. «Das ist die einzige Art, wie sie miteinander umgehen können. Auf die rohe Tour. Weißt du, was es heißt, mit drei Männern im Haushalt zu leben?»

Ich versuchte einen Finger in das Baiser der Torte zu stecken, aber Mama drückte mir die Streichholzschachtel auf den Kopf.

«Bleib in der Tür zum Wohnzimmer stehen», sagte sie, «und wenn ich dir von hier aus das Zeichen gebe, machst du das Licht aus.»

«Man muss auch das Feuer ausmachen, damit es nicht leuchtet!», sagte der Zwerg, der alles getan hätte, um Jeanne d'Arc zu retten.

«Pass auf mit dem Kamin», sagte Großmutter und entzündete ein weiteres Streichholz. «Weißt du nicht, dass die Kinder, die mit dem Feuer spielen, ins Bett machen?»

Der Zwerg war sprachlos. War die Großmutter eine Seherin?

Ich gehorchte Mamas Anweisung und blieb an der Tür zum Wohnzimmer als Wachposten stehen. Papa und Großvater redeten leise.

«Ich weiß, dass es gefährlich ist», sagte Papa mit einem niedergeschlagenen Ton in der Stimme, den ich gar nicht an ihm kannte. «Wie auch nicht? Jeden Tag fallen Leute. Aber wir wollen, solange es geht, zusammenbleiben. Zu viert. Ist das so schwer zu verstehen?»

Ein Zischeln aus der Küche rief mich zur Ordnung. Mama machte ihr Zeichen; direkt hinter ihr stand Großmutter mit glühendem, fast wächsernem Gesicht. Es sah mehr wie ein Scheiterhaufen als nach einer Torte aus.

Ich machte das Licht aus, und wir fingen an zu singen.

Mama wollte ein Foto von uns vier Männern haben, aber sie weigerte sich abzudrücken, solange Papa sein Mumiengesicht nicht ablegte. Sie war so entschlossen, seine Stimmung zu ändern, dass sie sogar das Geheimzeichen der geschlossenen Faust machte, das Papa so oft zu ihr machte, um ihm zu sagen, dass diesmal er derjenige war, der sich wie «der Fels» aufführte.

«Großvater zeigt mir, wie man Traktor fährt», sagte ich, weil ich helfen wollte.

«Sag Großvater, er spinnt», erwiderte Papa.

«Großvater wusste genau, was du antwortest. Er hat mir aufgetragen, dir zu sagen, dass du ein Jahr jünger warst, als du Traktor fahren gelernt hast.»

Papa lächelte. Erwischt. Und Mama bekam ihr Foto.

Flash.

70. Von den Sternen

Der Mensch schaut sich den Himmel an, seit er Mensch ist. Für die Ägypter war der Himmel eine Göttin, Nut, die durch den Gott Shu von ihrem Geliebten Sibu (die Erde) getrennt wurde; Nuts Füße befanden sich im Westen, und die Sterne bewegten sich im Verlauf der Nacht an ihrem Körper entlang. Die Chinesen glaubten, der Kaiser sei ein Sohn des Himmels und folglich dazu bestimmt, das Oberhaupt der offiziellen Religion zu sein. Die Azteken identifizierten den Gott Quetzalcóatl, den Morgenstern, mit dem Planeten Venus. In der Odyssee vergleicht Homer Athene mit einem Kometen, und er stellt sich vor, der Sternenhimmel sei aus Bronze oder Eisen und stütze sich auf Pfähle.

Wenn die Götter dort oben lebten, dann mussten die Himmel den Kurs des Lebens hier unten bestimmen. Fray Bernardino de Sahagún berichtet, die Azteken hätten der Venus Gefangene geopfert, wenn sie im Osten auftauchte, und das Blut in die Richtung auf das verspritzt, was sie für einen Stern hielten. Van der Werden argumentiert, es gäbe eine Verbindung zwischen den zoroastrischen Lehren und dem Auftauchen der Horoskope in Griechenland: wenn die Seele vom Himmel kam, wo sie am Kreisen der Himmelskörper teilhatte, war es nur logisch, dass sie, wenn sie sich mit dem Körper verband, in irgendeiner Form weiter von den Sternen regiert wurde.

Die Gleichsetzung mit dem Göttlichen hat bis heute Bestand, nicht einmal das Aufkommen der Wissenschaft konnte ihr etwas anhaben. Im Jahre 340 vor Christus versucht Aristoteles in seinem Buch *Über den Himmel* zu beweisen, dass die Erde rund ist; bei Mondfinsternis war der Schatten der Erde auf dem Mond immer rund. Das längste Kapitel ist der Erklärung gewidmet, dass das Universum eine Himmelssphäre ist, in deren Zentrum die Erde liegt. Später, in der *Metaphysik*, nannte er Einzelheiten zu den technischen Aspekten seines Systems: Es handelt sich um ein Universum, das aus sphärischen Schichten unterschiedlicher Funktion besteht, von denen einige Planeten transportierten. Die Bewegungen dieser Planeten werden nicht mehr in den Begriffen platonischer Geistwesen begründet, sondern auf der Grundlage einer Physik der Bewegung, von Ursache und Wirkung. Aber wenn diese Kette von Ursachen bis zur Anfangsursache zurückgeht, sagt Aristoteles, die erste Sphäre, den ersten Himmel habe das angestoßen, was er den «ersten unbewegten Beweger» nennt, das heißt Gott. Verschiedene Interpreten seines Werks reden, als ob dieser erste Beweger für das ganze System genüge, obwohl Aristoteles nahelegt, dass jede Himmelssphäre ihren Motor hat, was bedeutet, dass es fünfundfünfzig Motoren für ebenso viele Sphären, also fünfundfünfzig Götter gibt. Erschreckt von den Unvereinbarkeiten einer solchen Pluralität, haben seine Übersetzer der Spätantike und des Mittelalters den Namen des Gottes durch die Worte Geistwesen und Engel ersetzt, ohne die Wirkmächtigkeit des Originals auszulöschen.

Manche sahen es so, dass die Himmelssphären unser Leben eindeutiger beeinflussen, als die Horoskope und die theologischen Spekulationen nahelegen. Als sie sich in der Nilebene niedergelassen hatten, stellten die Stämme Nordafrikas fest, dass es eine Wechselbeziehung zwischen dem Verhalten des Flusses und dem Stern Sirius, damals bekannt als Sotis, gab: das Hochwasser des Nils war zeitgleich mit dem ersten Auftauchen von Sirius am Horizont kurz nach dem Morgengrauen. Die Ägypter glaubten, der Sonnengott Ra würde während der Nacht eine Reise durch eine andere Welt machen, die sie anhand der Bewegung der Sterne, aufgeteilt in zwölf Etappen, verfolgen konnten. Später wurde der Tag analog ebenfalls in zwölf Etappen eingeteilt, und das führte zu unserem heutigen Tagesrhythmus von vierundzwanzig Stunden, zwölf Stunden Nacht und zwölf Stunden Tag. Wenn wir mit Stunden, Minuten und Sekunden arbeiten, nutzen wir das babylonische Erbe, das auf einem Sechzigersystem basierte, sechzig, weil die Zahl viele Primfaktoren hat. (Gott hat einen Fehler begangen, als er uns nicht zwölf Finger und Zehen geschenkt hat.)

Jahrhundertelang beschritt die Wissenschaft einen Weg, der sie immer mehr von der organisierten Religion entfernte. Die kirchliche Verfolgung des freien Denkens zwang Kopernikus viele Jahre lang, seine Theorie von einem System, das sich um die Sonne und nicht um die Erde dreht, unter Verschluss zu halten; Kepler bewahrte ebenfalls Stillschweigen, und Galileo bezahlte einen hohen Preis dafür, dass er das nicht tat. Aber in den letzten Jahrzehnten spricht keine Wissenschaft mehr über Gott als die Astronomie. Einstein fragte sich, wie viel Wahlmöglichkeiten Gott hatte, als er das Universum errichtete. Stephen Hawking begründet die Notwendigkeit, zu einer einheitlichen Theorie über den Kosmos zu kommen, indem er sagt, das sei gleichbedeutend damit, «den Gedanken Gottes» zu kennen. Die Wissenschaftler beschreiben die von dem Satelliten COBE aufgespürten pulsierenden Wellen als «Spuren von Gottes Geist». Wenn sie das Wort Gott im Munde führen, ist es weniger mit einer organisierten Religion verbunden als mit der Ahnung, dass es hinter der Gesamtheit des Lebens eine Ordnung oder einen Sinn gibt; eine Suche, die immer die Domäne der Philosophen und Theologen war, aber heute nicht mehr. Es ist offenkundig, dass sie aufgehört haben, den Himmel zu betrachten.

Manchmal denke ich, alles, was man in diesem Leben wissen muss, steht in den Astronomiebüchern. Sie lehren uns, wo unser Ort im Universum ist: Wir sind ein vorübergehendes Phänomen auf der Oberfläche eines Planeten, der in nicht zu großer und nicht zu geringer Entfernung zu einem anderen Planeten liegt, der Sonne, einer unter Millionen. Sie lehren uns auch, dass die Sterne, wie wir, einen Lebenszyklus haben. Die Sonne zum Beispiel wird in fünf Milliarden Jahren sterben, wenn sie all ihren Wasserstoff aufgebraucht hat, abkühlt und sich zusammenzieht. Es steht zu vermuten, dass die menschliche Spezies diesen Tod nicht überleben wird und ihr so ein unbeschreibliches Spektakel entgeht, genauso wie Moses nicht ins Gelobte Land kam: Die Expansion unseres Universums wird innerhalb von zehn Milliarden Jahren enden, dann fängt es an, sich zusammenzuziehen, und der Pfeil der Zeit kehrt sich um – kaputte Gläser werden heil, es regnet nach oben, die Zahlen an der Zapfsäule laufen rückwärts.

Die Astronomie lehrt uns, dass Gott, wenn er existiert, mit höchster Diskretion vorgeht: Schwerkraftkollapse – wie der, wenn das Universum anfängt, sich zusammenzuziehen – erfolgen nur an Orten, die, wie die schwarzen Löcher, kein Licht austreten lassen und folglich von außen nicht gesehen werden können.

Die Astronomiebücher lehren uns, dass die Zeit relativ ist und in der Nähe eines Körpers mit großer Masse wie der Erde langsamer verläuft: Würde man Zwillinge trennen, dann würde der, der in einem Spaceshuttle unterwegs ist, schneller altern als der, der auf unserem Planeten bliebe. Sie lehren uns das 1926 von Werner Heisenberg formulierte Prinzip der Unschärfe: Man kann niemals die Position und die Geschwindigkeit eines Teilchens bestimmen, denn je genauer wir eines dieser Daten trennen, desto weniger erfahren wir von dem anderen, und damit ist jeder Versuch, die Zukunft vorauszusagen, zunichte. Wir können ja nicht einmal die Gegenwart genau messen! Das Licht reist in der Zeit, und so sind die Sterne, die wir sehen, nicht die, die sie sind, sondern die, die sie waren, wenn wir das Universum betrachten, sehen wir nicht ihre Gegenwart, sondern ihre Vergangenheit. (Die Zeit ist relativ, ja, aber vor allem ist sie seltsam.)

Auf den letzten Seiten seines Buchs *Eine kurze Geschichte der Zeit* fragt sich Stephen Hawking: Warum überwindet das Universum alles Ungemach der Existenz? Die Zeiten, in denen wir uns im Mittelpunkt dieses Phänomens sahen, sind lange vorbei; aber wenngleich nur ein winziger, sind wir doch Teil des Universums, und seine Echos sind in unserem Leben gegenwärtig. Die Antwort auf die Frage von Hawking muss zwangsläufig gleichlautend zu der sein, die wir uns geben, um den Impuls zu erklären, der uns dazu bringt, uns über unsere eigenen Grenzen, Kriege, Fanatismus, Niederlagen, Verluste hinwegzusetzen, dieser Impuls, der uns dazu bringt, weiterzugehen und – um es mit Hawkings Worten zu sagen, der trotz Krankheit seinen Beitrag geleistet hat – alles Ungemach des Lebens zu überwinden und eine bessere Version von uns selbst zu erschaffen, bevor unser Lebenszyklus beendet ist und wir abkühlen, uns zusammenziehen und erlöschen wie die Sonne.

Fünf Milliarden Jahre. Das ist die Zeit, die uns bleibt, um die Dinge gutzumachen.

71. Wo wir die Sterne betrachten und ich mehr Dinge entdecke, als in diesen Titel passen

Großmutter zufolge war das Betrachten der Sterne fast eine Familientradition. Papa bekam das Teleskop, das in seinem Zimmer steht, zu seinem zehnten Geburtstag. Befallen von einem kurzen Sternenfieber, gab er einem der Hofhunde den Namen Kepler. Man muss gut überlegen, bevor man jemandem einen Namen gibt, denn die Namen bestimmen dein Schicksal. Die Salvatierras, die ihn als alten Hund noch

kennen gelernt hatten, sagen, er hätte nicht ins Haus ge-
durft, weil er immer eine Gaswolke hinter sich herzog.

Als er schon mit Mama verlobt war (die sich ernsthaft mit
dem Thema beschäftigt hatte, denn die Astronomie ist mit
der Physik verwandt), betrachteten sie, immer wenn sie auf
dem Land waren, nach dem Abendessen die Sterne. Großmutter sagte, zu der Zeit sei der Himmel voller Touristen
gewesen. Laut ihrer Version reichte es den Russen und den
Amis nicht mehr, sich um die Erde zu streiten, und so füllten sie den Weltraum mit Kapseln und Satelliten, Hunden
und Affen, wegwerfbaren Raketen und Astronauten, die vom
Weißen Haus träumten. Sie schwor, sie hätte eines Nachts
einen Satelliten gesehen, und Papa musste an dieser Stelle
immer lachen.

«...von wegen Satellit. Es war eine Sternschnuppe,
Mama!»

«Aber es war ein rotes Licht!»

«Rot war der Wein, den du intus hattest», mischte sich
Großvater ein.

Ich habe nie so einen Himmel gesehen wie den von Dorrego, so weit und so schwarz, und mit so vielen mit unterschiedlicher Leuchtkraft funkelnden Sternen in unzähligen
Größen. Vielleicht sieht er so aus, weil die Erde nicht mit
ihm kollidiert: das Land ist eben, und es gibt keine großen Städte, die die Sterne mit ihren künstlichen Lichtern
und ihrer eigenen Gaswolke verdunkeln. (Die Städte haben
eine beschämende Tendenz, das Funkeln der Sterne nach-
zuahmen; man muss sie nur aus dem Flugzeug betrachten.)
Man kann ihn nicht mit einem einzigen Blick erfassen. Man
muss sich den Hals verrenken, als wäre er aus Gummi, und
in alle vier Himmelsrichtungen schauen und dann wieder
nach oben und, dort angelangt, mit dem Blick von links nach
rechts und von rechts nach links fegen, und nicht einmal so

erfasst man die Hälfte seiner Ausdehnung. Es gab so eng beieinander liegende Sterne, dass sie weiße Zonen am Himmel bildeten; allein die Betrachtung dieses Phänomens machte dich zu einem Bruder von dem, der zum ersten Mal schaute und vergossene Milch sah.

Vor Dorrego war der Himmel eine schwarze Leinwand, auf der ein paar bezaubernde, mehr oder weniger helle Sterne leuchteten, nur wenig schöner als die Kuppel des Ópera-Kinos. Dorrego enthüllte mir einen anderen Himmel, eine grenzenlose Kuppel, die dich zum Lexikon auf der Suche nach Synonymen für das Unendliche schickte, Sterne, die sich nicht mehr zu Konstellationen zusammendrängen, sondern zu Galaxien, Sterne wie Bienenschwärme, die nicht von Regungslosigkeit zeugen, sondern von Bewegung, die Spur von etwas oder von jemandem, der vorbeiging, eben erst, gerade als wir nicht hinsahen. Es war ein Himmel, vor dem du alles zu verstehen glaubtest, als wäre dir eine Offenbarung zuteil geworden: die Notwendigkeit des Menschen, eine Sprache zu schaffen, die ihn beschreiben kann, eine Geografie, die uns im Verhältnis zu diesem Phänomen einen Ort zuweist, eine Biologie, die uns daran erinnert, wie neu wir in der Umgebung sind, und schließlich die Geschichte, denn der Himmel von Dorrego erzählt Dinge, und alles zur gleichen Zeit, persönliche und epische Geschichten, Liebe und Verlust – die Miniatur und das Fresko.

Mama breitete eine Wolldecke auf der Wiese aus, auf die wir uns alle vier legten. Der Zwerg schlief sofort ein, ganz fest; ich zog seine Lider hoch, leuchtete mit Papas Taschenlampe in seine Augen, aber ihn kümmerte das nicht.

«Als deine Eltern verlobt waren, haben wir uns nach dem Essen immer die Sterne angesehen», sagte Großmutter aus ihrem Sessel, ihrer Aufgabe als Führerin im Museum unserer Glückseligkeit treu bleibend.

«Ui, schau mal! Eine Sternschnuppe!», rief Mama aus.

«Wo, wo?»

«Da, schau. Weg ist sie. So sind sie. Wenn du nicht aufmerksam hinschaust, verpasst du sie.»

«Was ist eine Sternschnuppe?»

«Manchmal, wenn du den Himmel betrachtest, siehst du einen Stern, der mit tausend Sachen vorbeifliegt, zisch, und verschwindet», sagte Papa.

«Es sind eigentlich keine Sterne», bemerkte Mama. «Es sind Steine, Fragmente von Asteroiden, die sich beim Eintritt in unsere Atmosphäre entzünden …»

«Nein, nein, nein», sagte Papa. «Keine Wissenschaft.»

«Warum keine Wissenschaft?»

«Weil du mir einen Kuss geben sollst.»

Sie fingen an, sich zu küssen, aber ich hatte anderes im Sinn.

«Ich sehe nichts!»

«Du musst Geduld haben. Und immer schauen.»

«Bis morgen, Leute», sagte Großvater.

«Geh nicht, Opa», bettelte ich und zog ihn am Arm, bis er auf die Decke fiel.

«Und wer hilft mir jetzt wieder hoch?», fragte er lachend.

«Ein Kran vom Automobilklub», foppte ihn Großmutter, die wegen des Scherzes mit dem Wein und dem roten Licht noch immer sauer war.

«Dein Enkel soll dich hochziehen, er ist der Stärkste der Familie», sagte Papa.

«Ich ziehe dich hoch. Später. Jetzt bleibst du erst mal hier.»

«Ich werde mir eine Erkältung holen …»

«Ist das das Kreuz des Südens?»

«Klar.»

«Wenn du eine Sternschnuppe siehst», sagte Papa, «darfst du dir etwas wünschen.»

«Und was haben die Sterne mit den Wünschen zu tun?»

«Keine Ahnung. Aber sie gehen in Erfüllung, wirklich. Ich habe mir mal was gewünscht, genau hier, und es ist in Erfüllung gegangen.»

Papa sah Mama vernarrt an, und dann ging die Küsserei weiter.

Plötzlich setzte sich der Zwerg auf, rieb sich die Augen und rief: «Ich habe von einem Licht geträumt! Ich habe von einem Licht geträumt!»

Ich weiß nicht, wie lange wir so ausharrten, der Zwerg wiederholte die Geschichte von seiner Vision auf dem Schoß der Großmutter, Papa und Mama schmusten weiter, Großvater erzählte mir die Geschichte von Orion, dem Jäger, und ich lag auf dem Rücken, betrachtete den Himmel und strengte mich an, nicht zu blinzeln.

Sternschnuppen sind steinige Ablösungen, die sich beim Eintritt in unsere Atmosphäre entzünden. Darin hatte Mama recht. Aus irgendeinem Grund waren sie mit den Wünschen verbunden, um deren Erfüllung man bitten soll, wenn sie den Himmel durchpflügen. Darin hatte Papa recht.

Ich schaute und schaute, bis mir die Augen brannten, aber ich sah nichts.

Wahrscheinlich ist deshalb mein Wunsch nicht in Erfüllung gegangen.

Pause

Wer weiß, Alicia,
dieses Land wurde nicht einfach so gemacht.

Charly García, *Lied von Alicia en el País*

Fünfte Stunde: Geschichte

f. Gesamtheit aller Geschehnisse vergangener Zeiten:
«Die Menschheit hat sich im Verlauf der Geschichte
weiterentwickelt.»
2. Erzählung dieser Geschehnisse: «Die Geschichte zeigt
uns die bedeutsamsten Ereignisse der Menschheit auf.»

72. Über die (un)glücklichen Enden

Ich mag keine Geschichten, die schlecht enden. Das war zum Beispiel mein Problem mit Houdini. Tony Curtis liegt in der Folter des chinesischen Wassers, in einer Zwangsjacke, die Knöchel mit Fußeisen gefesselt, und hat keine Kraft mehr zu kämpfen. Die letzten Luftblasen kommen aus seinem Mund. Jemand schreit; eine Frau, glaube ich. Jemand anderes zerstört das Glas und lässt das Wasser heraus, das sich auf der ganzen Bühne verteilt und die Zuschauer in den ersten Reihen nass spritzt. Tony Curtis sagt ein paar letzte Worte zu Janet Leigh und stirbt. Es wäre besser gewesen, wenn er von einem Auto überfahren worden wäre oder wenn er einen Unfall mit seinem Motorrad gehabt hätte wie Lawrence von Arabien. (Das Gute an Lawrence ist, dass er mit dem Ende beginnt; so kommt das Bittere am Anfang, und die Erzählung endet an dem Ort, wo er hingehört: in der Wüste.) Dass Houdini mitten in einer Befreiungsaktion stirbt, dass er sich ein einziges Mal nicht von seinen Fesseln befreien kann, klingt nach Ironie des Schicksals. Eine ziemlich grausame Ironie, wie die Strafen, die die Götter über die Sterblichen verhängten, die fliegen oder ihnen das heilige Feuer stehlen wollten, eine Art zu sagen, du konntest allem entkommen, Harry, aber es gibt etwas, dem entkommt keiner.

Ich erinnere mich noch, wie beeindruckt ich war, als ich feststellte, dass Geschichten von Robin Hood, die ich sammelte, seit ich lesen konnte (wenn mir eine Geschichte gefällt, kaufe ich alle Versionen, die ich finden kann; zu jenem Zeitpunkt war ich der stolze Besitzer von acht *Robin Hood*), die seltsame Neigung hatten, vorzeitig zu enden. Im Allgemeinen hörten sie mit der Rückkehr von Richard Löwenherz auf, der Robin verzieh, ihm seine Ländereien und seinen Adelstitel zurückgab und seine Heirat mit Lady Marianne segnete. Aber in der Bibliothek von Großvater fand ich eine andere Version, ein dickes Buch aus dem Verlag Peúser. Bei dieser Ausgabe ging die Geschichte weiter. Sie berichtete, wie einer der Schurken sich auf einem Fest einschlich und Lady Marianne und ihren kleinen Sohn Richard erstach. Das allein war schon schrecklich, aber das war noch nicht alles. Das Buch endete damit, wie ein kranker, deprimierter Robin am Arm von Little John auf der Suche nach medizinischer Hilfe zu einem Kloster kam. Dort empfing ihn eine Nonne, die ihm einen Aderlass vorschlug. Seiner Kräfte und seines Lebenswillens beraubt, erkannte Robin in der Nonne nicht eine alte Verwandte, die ihm grollte. Da sich die Gelegenheit bot, Rache zu üben (damals fanden die Leute es normal, dass die Ordensgeistlichen sich dieselben Leidenschaften gestatteten wie die Nichtgeistlichen), öffnete sie seine Venen und verschwand unter einem Vorwand. Als Little John sie holen wollte, war es bereits zu spät. Robin verblutete.

Ich habe mit niemandem über diese Entdeckung gesprochen. Ich habe das Buch wieder ins Regal gestellt, genau in die Lücke, die es hinterlassen hatte, damit niemand eine Veränderung bemerkt.

Und doch hatte sich alles verändert.

Zum ersten Mal verstand ich, dass, auf der Seite des Guten zu stehen, einem nicht unbedingt ein glückliches Ende garantierte. Es war, als hätte jemand die Schwerkraft aufgehoben, ich war nicht mehr an die Erde gebunden, das Oben wurde zu einem unendlichen Unten; fallen war ein Satz ohne abschließenden Punkt.

Seit dieser Zeit kommt der Ausdruck *glückliches Ende* mir vergiftet vor. Das mit dem Glück ist dazugemischt, damit wir die Vorstellung vom Ende besser schlucken, wie bei einem Medikament, bei dem sie das Bittere hinter Fruchtgeschmack verstecken. Wenn es nach uns ginge, würden wir immer weiterleben wie die Duracellhasen.

Meine späte religiöse Erziehung tat alles Mögliche, um mich zu trösten. Die guten Taten bescheren uns ein glückliches Ende nach dem Ende. Deshalb weinte der dicke Priester vor Freude angesichts von Marcelinos Tod: Der Junge hatte ein Ticket erster Klasse in den Himmel bekommen. Deshalb gehen Richard Burton und Jean Simmons fröhlich in das Martyrium in *Das Gewand*, sie stellen sich vor, in wenigen Minuten sind sie im Paradies, dessen Herrlichkeit so groß ist, dass es sogar die Siebzig-Millimeter-Filme in den Schatten stellt.

Die Erklärungen von Padre Ruiz haben mir nie ausgereicht. Vielleicht, weil meine Eltern unbedacht in mir den Samen des Agnostizismus gesät hatten. Papa arbeitete für die Gerechtigkeit auf der Erde – und wenn es Gerechtigkeit gibt, gibt es glückliche Enden, hier und jetzt. Mama glaubte an das Prinzip der Kausalität, aber innerhalb von dieser Welt, mangels einer Möglichkeit zu beweisen, dass es eine andere gibt, geschweige denn zu wissen, welche Dinge von hier dort eine Wirkung haben. Ich denke, die Liebe, die sie zu diesem Leben hatten, hinderte sie daran, es zugunsten eines anderen zu relativieren. Bis wohin sie schauen konnten, was sie in den Händen hatten, war alles, was es gab. All ihr Handeln war darauf ausgerichtet, in diesem Leben eine Wirkung zu haben; der Rest, wenn es ihn denn gab, würde dazukommen.

Mit der Zeit wurde mir klar, dass die Geschichten nicht einfach enden. Und dafür habe ich eine Erklärung, die zum

Teil historisch ist (der Teil, den ich Papa zu verdanken habe), zum Teil biologisch (der Teil, den ich Mama zu verdanken habe) und zum Teil poetisch; das habe ich ganz allein verbrochen.

Ich glaube, die Geschichten enden nicht, denn selbst wenn die Protagonisten nicht mehr da sind, wirkt ihr Handeln in den Lebenden weiter. Darum glaube ich an die Geschichte als Ozean, in den alle Flüsse der individuellen Geschichten münden. Die vorausgegangenen Leben sind für uns ein Rahmen. Wir sind die Verlängerung dieser Geschichten, so wie die nach uns unsere verlängern werden. Wir sind in einem Netz verbunden, das durch den Raum gespannt ist – alle Lebewesen treten auf tiefinnere Weise in Kontakt, die unsere Schicksale miteinander verwebt –, aber auch durch die Zeit; wir heute, aber auch die von gestern und morgen finden darin Platz.

Ich glaube, die Geschichten enden nicht, denn selbst wenn ein Leben endet, schenkt seine Energie anderen Leben. Ein toter Körper (denken Sie an die Larven) vervielfältigt das Leben unter der Erde, damit es auf der Erde Früchte bringt und viele nährt, die ihrerseits bei ihrem Tod Leben schenken. Solange es Leben in diesem Universum gibt, ist die Geschichte von keinem Wesen mit ihm beendet, sie wandelt sich. Wenn wir sterben, wechselt die Erzählung unseres Lebens das Genre. Wir sind kein Kriminalroman, keine Komödie oder keine epische Geschichte mehr. Wir sind dann ein Geografie-, ein Biologie-, ein Geschichtsbuch.

73. Über die besten Geschichten

Die besten Geschichten, das sind die, die uns als Kinder in den Bann ziehen und mit uns wachsen und bei jeder Lektüre neue Sinnschichten freigeben. (Sie sind jedes Mal neu; ergo enden sie nie.) Wie die Lieder der Beatles, die uns mit dem yeah yeah yeah von *She loves you* in ihren Bann ziehen und uns sanft, unsere Entwicklung respektierend, weiterführen, bis sie uns die Möglichkeit schenken, die ganze Grenzenlosigkeit der Zeit zu betrachten, während das Orchester von *A day in the life* spielt. (Die Beatles enden auch nicht. Ja, das Abschlusslied auf der Hülle der letzten Platte lautet *The End*, das, in dem sie sagen, jeder bekommt die Liebe, die er selbst gegeben hat, aber es ist nicht das letzte Lied, denn danach kommt noch eins, das nicht auf der Liste steht, ein verborgener, ganz kurzer Song, in dem Paul sagt, Ihre Majestät sei ein hübsches Mädchen und eines Tages würde er sie zu seiner Frau machen.)

Ich habe viele Lieblingsgeschichten, aber die von König Artus hat einen Ehrenplatz. Ich vermute, der erste Reiz lag im Offenkundigen: mir gefielen die Rüstungen, das Gleichheitsprinzip der Tafelrunde, das romantische Ideal der Ritter und die Suche nach dem Heiligen Gral, dem Becher, aus dem Christus während des letzten Abendmahles getrunken hat. Die perfekte Mischung aus epischem Abenteuer und spiritueller Suche. Je älter ich wurde, desto mehr traten die Kinderversionen der Geschichte in den Hintergrund, und es wurde Zeit, die Originalquellen zu lesen: Geoffrey de Monmouth und seine *Geschichte der Könige Britanniens*, Sir Thomas Malory und *Der Tod Arthurs*, der Gral-Zyklus, Gedichte wie *Sir Gawain and the green Knight*. Erwachsen zu werden heißt zu einem großen Teil mit Widersprüchen ringen. Ich lernte, dass ein Mann wie Artus die besten Absichten haben und zugleich kleinlich, wollüstig und egoistisch sein konnte. Artus beging Inzest, tötete unschuldige Kinder und vergaß, den Geist verdunkelt von seinem persönlichen Schmerz, das allgemeine Wohl.

Aber der Teil, der mich am meisten geprägt hat, war das Ende. Sir Bedevere hilft dem sterbenden Artus, ein Boot zu besteigen, in dem schwarz gekleidete Frauen sitzen, darunter drei Königinnen: Morgan Le Fay, die Königin von Northwales und die Königin von Ödland. Sie werden begleitet von Nimué, der Dame des Sees. Als er Bedeveres Klage hört, sagt Artus, er ginge nach Avalon, um seine schrecklichen Wunden zu kurieren. Das Schiff verliert sich auf dem See. Am Tag darauf trifft Bedevere einen Eremiten, der auf einem frischen Grab betet. Er fragt ihn, wer dort liegt. Der Eremit antwortet, ein Mann, den ein paar Frauen gebeten hatten zu beerdigen. Bedevere vermutet, es handele sich um Artus, und er beschließt, dort zu bleiben und zu beten und zu fasten.

Malory berichtet von den Versionen, nach denen Artus nicht gestorben ist und wiederkehren wird, wenn der Moment gekommen ist. Wie er sagt, hat man ihm berichtet, auf seinem Grab stünde: *Hier ruht Arthur, der König war und sein wird*. Aber da niemand ihn tot sah oder dieses Grab fand, kann niemand sein Ende bezeugen. Malory verzichtet darauf, sich für eine eventuelle Rückkehr auszusprechen: «Ich sage nicht, er kommt wieder, ich sage, er führt in dieser Welt ein anderes Leben.»

Jetzt glaube ich mit Malory, dass es nichts Hoffnungsvolleres gibt als die Geschichte eines Mannes, dem es gelang, sein Leben zu verändern; in dieser dunklen Welt, wo man uns versichert, niemand könne sich ändern, finde ich nichts Epischeres. Schon 1837 protestierte Ralph Waldo Emerson gegen die Propheten der Resignation: «Es ist eine böswillige Vorstellung, die besagt, wir seien zu spät in die Natur gekommen; die Welt sei seit langer Zeit fertig.» Die Welt ist noch nicht fertig. Es fehlen noch fünf Milliarden Jahre, mindestens. Deswegen regen mich die auf, die behaupten, alle Geschichten seien schon erzählt, und die damit jede Schöpfung zur reinen Wiederholung von etwas verdammen, das ein anderer schon früher und besser gemacht hat, oder als reine Arbeit zwischen den Zeilen, mit den Resten seines Festmahles. Es ist ein so reaktionärer Gedanke, als behauptete man, alle Leben seien bereits gelebt, was uns zu Secondhand-Menschen machen würde, zu Imitatoren geliehener Leben, und das nimmt uns unseren Wert und unsere Hoffnung und macht unsere Leidenschaften sinnlos. Unsere Leben sind nicht geringer als andere. Im Gegenteil, unsere Leben zeichnen sich auf dem Horizont vergangener Leben ab, der Leben, die keine Biologie mehr, sondern Geschichte sind, der Leben, die uns den Weg in diese Gegenwart gebahnt haben, die in diesem Sinne größer ist als die gesamte Vergangenheit; Leben, die, wie bestimmte Arten, eine Brücke darstellten zwischen dem Gewesenen und dem Seienden und die uns den Übergang ermöglichten, den Schritt über den Abgrund, die Krönung eines Gipfels, der höher ist als alle da gewesenen, aber niemals der höchste.

Es gibt diesen Satz, mit dem die enge Verbundenheit der Naturphänomene unterstrichen werden soll und der besagt, der Flügelschlag eines Schmetterlings könne eine Kette von Handlungen auslösen, die mit einem Beben an einem weit entfernten Punkt der Erde enden. Wenn wir dem Schmetterling eine solche Kraft zugestehen, wie viel mehr Macht hat dann ein Mensch, der sein Leben in die Hand nimmt, über das die anderen die Kontrolle haben wollen, und es zum Besseren verändert? Welche Art von Beben wird diese

Veränderung bei den Wesen in seiner Nähe und an dem am weitesten entfernten Punkt des Planeten auslösen? Deshalb glaube ich mit Malory, es reicht völlig, dass Artus seine Gelegenheit zur Erlösung gut genutzt hat. Aber als Junge mochte ich die fantastische Version der Geschichte lieber, in der Artus in Avalon war, seine Wunden pflegte und auf den Moment wartete, wo er in sein Land zurückkehren konnte.

Viele Jahre lang war Kamtschatka mein Avalon.

74. Wo wir zurückkehren, um nichts als Dunkelheit vorzufinden

Bei unserer Rückkehr am Sonntag um Mitternacht war das ganze Viertel dunkel, Block für Block tiefschwarze Nacht. Papa parkte das Auto zweihundert Meter von dem Landhaus entfernt, mit der Schnauze nach vorn in der gepflasterten Einfahrt eines anderen Hauses; falls zum Gefecht geblasen wurde, konnten wir leicht in alle Richtungen ausweichen. Mama und ich sahen ihn mit der Taschenlampe in der Hand über den ungepflasterten Weg weggehen. Der Zwerg schlief neben mir, die beiden vollgesabberten Goofys im Arm. Mama hatte Zeit, direkt hintereinander zwei Jockeys zu rauchen, bis Papa zurückkam.

«Wohl nur ein Stromausfall, nichts weiter», sagte Papa und setzte sich ans Lenkrad.

«Und Lucas?», fragte ich. Das war alles, was ich wissen wollte.

«Lucas ist nicht da.»

Aus irgendeinem Grund erschien mir seine Behauptung

nicht überzeugend. Kaum war der Citroën bei dem Landhaus angekommen, stieg ich wie der Blitz aus und suchte
Lucas überall. Es stimmte, es gab keinen Strom. Ich tastete
mich an den Wänden entlang und rief in jedem Raum seinen Namen. Als ich in mein Zimmer kam, sah ich aufgrund
des Lichtstreifens, der durchs Fenster fiel, dass etwas fehlte.
Lucas' Schlafsack war nicht da. Dass Lucas nicht da war, war
eine Riesenenttäuschung, denn ich freute mich so darauf,
ihn zu sehen; er würde schon kommen. Aber dass er seine
Sachen mitgenommen hatte, beunruhigte mich wirklich.

Mama sagte, vielleicht habe er während unserer Abwesenheit beschlossen, woanders zu schlafen. Wir dürften ihm
das nicht übel nehmen. Wenn einer alleine ist, entscheidet
er, was er will. Ich sollte mir keine Sorgen machen; wenn
Lucas vorgehabt hätte, für länger zu verschwinden, dann
hätte er uns Bescheid gesagt, wie es sich gehört.

Ich fragte mich, ob irgendwo im Haus eine Nachricht
war, die wir im Dunkeln nicht sogleich finden würden.

Ich ging zum Schwimmbecken, um mich über den Ge-
sundheitszustand unserer Kröten zu informieren, als ich
weiter hinten einen Lichtstrahl sah.

An, aus. An, aus. Wie ein Zeichen.

Ich umarmte Lucas so heftig, dass er keine Luft mehr bekam. Er stand an eine Pappel gelehnt. Auf einer Seite lagen
der Schlafsack und die Tasche der *Japan Air Lines*.

«Was tust du hier draußen? Siehst du nicht, dass es gleich
zu regnen anfängt?»

«Ich habe auf euch gewartet.»

«Was ist mit dem Licht?»

«Es gab einen Stromausfall in der ganzen Zone. Es ist
stockfinster.»

Wie man sieht, überzeugte mich Lucas' Antwort nicht,
denn sofort versuchte ich mein Glück erneut und fragte ihn:

«Was tust du hier draußen?»

Lucas gab mir keine Antwort. Er schien mehr an Papa interessiert zu sein, der uns gesehen hatte und auf uns zukam. Das ärgerte mich. Ich fand, dadurch, dass Lucas mich ignorierte, brach er einen Pakt, und ich hatte ein Recht, verletzt zu sein. Aber ich hatte keine Zeit, ihm zu sagen, wie gekränkt ich war. Die Ereignisse überrollen die Gefühle.

«Hast du kurz Zeit?», fragte Lucas Papa.

Anstatt ihm zu antworten, schickte Papa mich weg.

«Geh und hilf deiner Mutter, sie ist ganz allein mit all den Taschen.»

Widerwillig gehorchte ich. Der Zwerg rekelte sich, und als er eine harmlose Bemerkung machte, schickte ich ihn zum Teufel. Er lief heulend zum Schwimmbad, wo er einen Körper auf dem Wasser treiben sah.

«Tote Kröte! Tote Kröte!»

Irgendwie fühlte ich mich erleichtert. Es war gut, etwas zu tun zu haben, etwas, wo ich Dampf ablassen konnte. Ich schickte den Zwerg Zeitungspapier und Bindfaden holen. Ich holte die Schaufel.

Wir begruben sie unter einem Baum, neben den anderen.

«Das ist kein Grab», sagte der Zwerg zu dem Päckchen, das als Leichentuch diente, «es ist ein Aufzug. Wir legen dich da rein, und dann kommst du direkt in den Krötenhimmel.»

Er legte die Kröte in das Loch. Ich bedeckte sie mit Erde. Der Zwerg machte das Kreuzzeichen, präzise und elegant, und lief ins Haus.

Ich kämpfte immer noch mit der Schaufel, als Lucas auf mich zukam. Er hatte den Schlafsack unter dem Arm, und die Tasche der *Japan Air Lines* hing über seiner Schulter.

«Ich gehe, Harry.»

«Um diese Zeit? Du wirst klitschnass werden!»

«Dein Vater bringt mich zum Bahnhof.»

«Kann ich mitkommen?»

«… Nein.»

«Warum nicht? Ich bin doch schon fast fertig!»

«Ich kann nicht länger warten. Ich hätte schon vor ewigen Zeiten gehen sollen, aber ich wollte auf euch warten. Um mich zu verabschieden.»

Ich schlug auf die Erde ein, um sie platt zu machen.

«Ich gehe, Harry. Diesmal komme ich nicht zurück.»

«Musst du wirklich gehen?», fragte ich und trampelte mit der Sohle meines Schuhs auf dem Grab herum.

«Unzulässige Frage.»

Ich kniete mich hin und suchte Steine, um sie auf das Grab zu legen; ich wollte nicht, dass die Hunde über Nacht darin herumwühlten.

«Das war's dann also? Tschau, ich drehe mich um und bin weg? Ich dachte, wir wären Freunde.»

«Aber wenn wir uns doch nicht mehr wiedersehen!»

Es entstand ein Schweigen, das etwas Endgültiges hatte. Ich hatte die Hände voller Steine, als Lucas sagte: «Ich habe das orangefarbene T-Shirt im Zimmer gelassen.»

Das war der Gipfel. Ich habe ihn nicht mit den Steinen beworfen, weil ich sie für etwas anderes wollte.

«Hol es dir doch selbst.»

Irgendwann hatte es angefangen zu regnen, ohne dass ich es gemerkt hätte. Ich kniete immer noch am Boden; ich hatte angefangen, die Steine spiralförmig anzuordnen, ich hatte in der Mitte des Grabes begonnen und immer größere Kreise gezogen, und auf einmal merkte ich, dass Mama neben mir stand.

«Warum verabschiedest du dich nicht von Lucas?»

«Weil ich nicht will.»

«Später wird es dir leidtun.»

«Was weißt du davon?»

«Ich weiß es. Glaube mir.»

«Siehst du nicht, dass ich beschäftigt bin?»

Plötzlich kniete Mama neben mir auf der feuchten Erde. Sie legte die Hände auf meine Schultern und zwang mich, mich ihr zuzuwenden.

«Schau mich an. Schau mich an!» Ich wollte mein Gesicht abwenden, aber sie ließ es nicht zu. «Du kannst dich nicht immer einschließen. Ich weiß, dass es beschissen ist, wenn man leidet, wem gefällt das schon? Wir alle hätten gern eine Rüstung, die uns vor dem Schmerz schützt. Man baut eine Mauer auf, um sich vor der Außenwelt zu schützen, und am Ende stellt man fest, dass man darin eingeschlossen ist. Verschließ dich nicht, Liebling. Es ist besser zu leiden, als nichts mehr zu fühlen. Wenn du mit einer Rüstung lebst, wirst du die besten Dinge verpassen! Versprich mir eins. Versprich mir, dass du sie nicht verpassen wirst. Du wirst die Gelegenheiten nicht verstreichen lassen. Keine einzige. Versprichst du mir das?»

Ich wandte mich brüsk ab. Ich war die unzulässigen Fragen leid, die selbstmörderischen Kröten und das mütterliche Geschwätz, von dem man, wie sich erwiesen hatte, nicht einmal im Regen verschont blieb. Aber wenn ich glaubte, dass das genügte, damit meine Mutter sich geschlagen gab, irrte ich mich. Für die klitschnasse Frau war das Muttersein auch eine Frage des Widerstands.

«Weißt du, wann ich am meisten in meinem Leben gelitten habe?» (Sie erwartete keine Antwort, also redete sie weiter.) «Ein tödlicher Schmerz, ich schwöre es dir. Es ging mir dreckig. Aber es war ein Schmerz, den ich freiwillig gewählt hatte, ganz bewusst. Ich hatte zwei Möglichkeiten: mich für das zu entscheiden, was ich wollte, und dabei zu leiden, oder mich dafür zu entscheiden, nicht zu leiden, und mit leeren

Händen dazustehen. Und es war eine gute Entscheidung. Ich habe den größten Schmerz durchlitten, aber dafür das größte Glück erreicht. Ich würde es um nichts in der Welt teilen wollen. Weißt du, wann das war? Weißt du, wovon ich spreche?»

Ich wollte nicht antworten, aber ich war neugierig auf diesen Teil der Familienfolklore, den ich sicher war nicht zu kennen. Was war das für eine Geschichte? Was war Mama passiert, was war das für ein großer Schmerz? Hatte ich eine ihrer Narben übersehen?

«Ich spreche von dir. Als ich dich bekam, Dummerjan.»

Als ich in mein Zimmer kam, begriff ich, was Lucas mir bei der Verabschiedung sagen wollte. Ich dachte, er hätte die Frechheit besessen, mich sein T-Shirt holen zu lassen, aber so war es nicht. Lucas wusste, wie sehr mir das leuchtende Orange gefiel, dieser Teil, der aus Gummi gemacht schien, das tolle Bild von dem Motorrad. Deswegen hatte er es in all seinem Glanz sauber und aufgefaltet auf meinem Bett liegen lassen.

Ich lief auf die Straße, aber sie waren schon weg.

75. Mein Debüt als Entfesselungskünstler

Züge eignen sich gut zum Träumen. Es muss an dem Geruckel, dem rhythmischen Rattern und der Litanei der immer gleichen fahrenden Verkäufer liegen, das Wiegenlied der postindustriellen Gesellschaft. Oder vielleicht an der Vorstellung, sich forttragen zu lassen, man zahlt das Ticket und überlässt sich der Maschine, und ehe man sich's versieht, ganz gleich ob man sitzt oder ob man mitten in der Meute steht, lässt man sich von seinen Gedanken forttragen. Vielleicht sollte man gar nicht so viel spekulieren, vielleicht ist das Träumen eine logische Konsequenz der Natur des Zuges, seiner Idee. Letztlich handelt es sich um Tonnen von Metall und Schrott, die mit Hochgeschwindigkeit auf eine gerade Linie gebracht werden, auf eine solche Idee kann nur einer kommen, der träumt, der in einen halluzinatorischen Traum versunken ist, aus dem nur ein Zug entstehen kann.

Ich mag es, wenn der Zug über eine Überführung fährt, denn dann kann ich die Dächer der Häuser sehen. Die Leute behandeln die Dächer, als würden sie nicht existieren. Sie sammeln dort, was sie vergessen wollen, verrostete Dreiräder, Plastikschwimmbecken, leere Käfige, Farbdosen, die nie angebrachten Sockel, die von der letzten Renovierung übrig gebliebenen Kacheln. Sie benutzen sie auch, um das aus den Augen zu bekommen, worum sie sich nicht kümmern wollen, die feuchte Wäsche, unter der der übergroße Bustier auffällt, den geheimen Fernsehanschluss, die Kamine, aus denen dieser verräterisch schwarze Rauch kommt. Ich weiß, man geht davon aus, dass ich dort nicht hinschauen soll, sie haben es ja gerade dorthin verfrachtet, um es nicht mehr sehen zu müssen, aber mir gefällt es, das anzusehen, was die Leute nicht ansehen, es erzählt Geschichten, und letztlich bin nicht ich, sondern der Zug schuld.

Meine erste Zugfahrt geht nach Buenos Aires. Ich fahre von derselben Station ab, von der Lucas ein paar Stunden zuvor gefahren ist. Das Bewusstsein, jeden seiner Schritte nachzumachen – Ticket kaufen, auf den Zug warten, einen Waggon suchen –, gibt mir das Gefühl, dass wir einander nahe sind, aber es währt nur kurz. Als ich erst einmal drinnen bin, ist mir alles und jeder unbekannt. Die Waggons kommen mir unvollständig vor, als hätte man sie zu früh aus dem Ofen geholt. Es sind zu viele Leute darin, ganz darauf konzentriert, sich gegenseitig zu ignorieren. Die Sitze sind schmutzig und kaputt. Und zu allem Überfluss entdecke ich einen Mann, der mir Angst macht. Er hält die Zeitung mit einem verdächtig steifen kleinen Finger. Als wir am nächsten Bahnhof ankommen, gehe ich in einen anderen Waggon, aber dort fühle ich mich auch nicht wohl. Die Leute werden immer mehr. Ich ertrinke in einem Meer von Ellbogen und Achseln. Es gelingt mir, den Kopf aus diesem Knäuel zu heben, und dabei falle ich fast auf eine sitzende Frau, die mit offenem Mund schläft. Im Fenster scheint die Stadt, so schnell es geht, davonzurennen.

Am Abend von Lucas' Abreise beschloss ich, dass der Zeitpunkt gekommen war, mich als Entfesselungskünstler zu versuchen. Der Plan war schon eine ganze Weile in meinem Kopf herangereift. Jetzt musste ich ihn mit größter Disziplin ausführen und nicht zurückblicken. Letzteres ist für einen Entfesselungskünstler von fundamentaler Bedeutung: Wenn die Schlösser erst an ihrem Platz sind, der Deckel der Kiste zu ist und Tonnen von Wasser über einem liegen, ist nicht mehr viel Spielraum für Zweifel. Ein Zurück gibt es nicht, und das Jetzt ist vorübergehend. Es bleibt nur die Flucht nach vorn. Das ist die einzige Option.

Der Zwerg erklärte sich bereit, mir zu helfen, auch wenn er befürchtete, Mama würde den feinen Unterschied zwischen Helfer und Komplize nicht verstehen. Es blieb mir keine andere Wahl, als ihn zu bestechen. Ich versprach ihm meine Superman-Zeitschriften, die sowieso schon hin waren, denn der Zwerg hatte sie mit den Heiligenscheinen versehen, die er jetzt über jeden zeichnete, den er für gut hielt (Lex Luthor hatte keinen Heiligenschein). Wir gingen zusammen Richtung Schule, wie jeden Tag. Ich begleitete ihn bis zur Tür, denn ich hatte Angst, er könnte sich verlaufen, und dann gab ich ihm, bevor er hineinging, zwei Zeitschriften – die erste Rate; den Rest sollte er später bekommen, wenn er sich an die Abmachung hielt, mein Ziel nicht zu verraten –, und ich wartete, bis er drinnen war.

Das einzige unvorhergesehene Ereignis war Denucci, mein Klassenkamerad. Er stand auf dem Schulhof, auf der anderen Seite des Gitters, und beobachtete mich stillschweigend. Ich vermute, er wunderte sich, dass der Zwerg und ich nicht gemeinsam hineingingen. Einen ewigen Augenblick lang wusste keiner von uns, was er tun sollte. Ich sah, wie er zu Pater Ruiz blickte, der an der Treppe stand und die Angekommenen begrüßte, wie jeden Tag. Wenn Denucci Pater Ruiz benachrichtigte, war meine Flucht beendet, noch bevor sie angefangen hatte.

Aber Denucci tat nichts dergleichen. Er stand nur da und sah mich durch die Stäbe an, mit demselben Gesicht, wie wenn er mich in der Pause fragte, ob ich beim Bildchentauschen mitmachen wollte, und ich ihn abwies. Ich machte den ersten Schritt rückwärts, um den Rückzug einzuleiten. Denucci rührte sich nicht. Ich ging weiter wie ein Krebs, von Denucci kam keine Reaktion. Ich war schon ein paar Meter weit weg, da hob ich die Hand zu einem stummen Gruß. Er erwiderte ihn diskret. Pater Ruiz sollte ja nichts mitbekommen.

Bertuccio aß immer zu Hause zu Mittag. Ich wollte ihn abfangen, wenn er aus der Schule kam. Ich war überzeugt, er würde mich zum Essen einladen, und wenn das Glück auf meiner Seite war, gäbe es als Hauptgang Schnitzel.

Mit Zug und Bus würde ich am Vormittag in Flores eintreffen. Es blieb mir nichts anderes übrig, als mir bis zum Mittag die Zeit zu vertreiben. Die Aussicht war mir nicht unlieb. Ich könnte nachschauen, was in den Kinos kam, im Pueyrredón, im San Martín. Ich könnte in die Buchhandlung Tonini gehen und nachschauen, ob es eine neue Version von *Robin Hood* gab. Ich könnte in die Galerie Boyacá gehen und die Schaufenster mit den Modellautos anschauen, die immer voller Zeros und Spitfires waren. Die einzige Vorsichtsmaßnahme, die ich treffen musste, war, den Kittel auszuziehen, damit ich nicht so aussah, als hätte ich die Fliege gemacht und wäre ohne Erlaubnis unterwegs. (In meiner Naivität dachte ich, ein Junge, der mit einer Schultasche in der Hand durch das Viertel streift, sei weniger verdächtig als einer mit Schultasche und Kittel.)

Überrascht stellte ich fest, dass alles noch genauso war wie vorher. Ich weiß nicht, was ich erwartet hatte. Ich denke, ein Zeichen, dass während meiner Abwesenheit etwas Ungewohntes eingetreten war, was weiß ich, blassere Farben, wegen Trauer geschlossene Zeitschriftenkioske (sie hatten einen guten Kunden verloren, und das war das Mindeste, was sie hätten tun können), ein Riss in der Fassade der San-José-Kirche, keine Ahnung, irgendwas! Aber alles sah unverändert aus. Dieselben Farben. Dieselben Kioske mit denselben Kioskbesitzern. Dieselbe Kirche ohne jede Anmut.

Die Leute schienen auch ungerührt. Sie gingen die Rivadavia entlang, strömten in Geschäfte, Banken, Galerien und wieder hinaus, sie warteten auf Busse, überquerten die Avenida mit dem nervösen Gesichtsausdruck der Vielbeschäftigten und dem eiligen Schritt derer, die irgendwohin müssen. So viel Geschäftigkeit weckte am Ende Zweifel in mir. Ich hatte nicht mehr das Gefühl, nichts habe sich verändert, und ich wurde argwöhnisch, es war alles viel zu sehr wie damals, als handele es sich um eine Inszenierung, und ich war nicht nach Flores zurückgekehrt, sondern auf eine Bühne, die Flores nachstellte, so wie ich es kennen gelernt hatte, eine Rekonstruktion anstelle des echten, naturgetreu, aber künstlich, voller Schauspieler, die Leute darstellten, die ich kannte, ganz gewöhnliche Leute, Kioskbesitzer, Rentner, Banker, den realen Personen sehr ähnlich (sie müssen für das Casting Fotos und Filme der damaligen Zeit verwendet haben), aber eben nur Schauspieler, gefangen in diesem Lampenfieber der ersten Auftritte, wenn sie noch zu sehr bemüht sind, sich an jeden Satz und jede Geste zu erinnern, als dass ihr Auftreten flüssig wäre, das stellte ich fest, die Betonung und die Übertreibung sogar in den einfachen Gesten, wie das Handheben zum Anhalten des Busses, die Art, wie der alte Mann seine Brieftasche zückte, das allzu gezwungene Lachen der Mädchen; ich war, ohne es zu merken, auf einem Set gelandet, oder vielleicht spielten sie für mich. Wie auch immer, es gefiel mir nicht.

Ich hatte keine Ahnung, wann Bertuccio kommt.

Als er herauskommt, gehe ich nicht zu ihm, sondern ich gehe parallel zu ihm auf der anderen Straßenseite. Bertuccio sieht auch aus wie immer. Derselbe Kittel, dieselbe Schultasche. Er singt etwas beim Gehen, das ich nicht richtig hören kann. Die Idee war, mich hinter einem Baum zu verstecken und plötzlich aufzutauchen, ein theatralischer Auftritt, wie Bertuccio es mag, aber ich hatte Angst, ihn nicht zu sehen und ihn zu verpassen, während ich mich versteckte. Ehe ich mich's versah, war er schon da, leise singend ging er seines Weges, und mir blieb nichts anderes übrig, als mit großen Schritten weiterzugehen und mich zu fragen, wann die Autos mich wohl die Yerbal passieren lassen würden und was ich zu ihm sagen sollte, hallo war ziemlich einfallslos, ich verschwinde für was weiß ich wie lange, und alles, was mir einfällt, ist hallo zu sagen, es muss doch etwas Besseres geben. Die Blocks ziehen vorbei, und ich beobachte ihn, ohne mich zu einer Entscheidung durchzuringen, ich registriere jeden Schritt, jede Miene und frage mich, ob sie natürlich oder leicht übertrieben sind, ob es der echte Bertuccio oder der Schauspieler ist, den sie ausgewählt haben, Bertuccio zu spielen, und ehe ich mich's versehe, sind wir an seinem Haus angelangt, es sind ja nur drei Blocks, das geht schnell.

Er klingelt. Der elektrische Türsummer ertönt, auch wenn ich ihn nicht hören kann.

Bertuccio geht hinein.

Ich bleibe auf der gegenüberliegenden Straßenseite stehen, erschöpft, aufgeregt atmend, ich habe den Rhythmus nicht gehalten. Ich gehe nicht mehr, aber mein Herz rast, und die drei l des l-l-lup dup klingen wie ein einziges. Ich sage hässliche Sachen zu mir, ich frage mich, was ich tun soll, rufe mir in Erinnerung, was ich nicht vergessen wollte, nicht zurückblicken, wenn es losgegangen ist, es bleibt nur die Flucht nach vorn.

Ich ziehe den Kittel wieder an. Ich überquere die Straße und bleibe zwischen zwei parkenden Autos stehen. Ich komme nicht einmal auf den Gedanken zu klingeln; meine Intuition funktioniert, meine natürliche Beherrschung der Zeit, aber ihren Scharfsinn begreife ich erst ein paar Minuten später. Ich warte darauf, dass jemand in Bertuccios Haus hineingeht oder herauskommt. Das geschieht bald, eine Frau kommt mit einem Einkaufswagen, ich setze mein bestes Schülergesicht auf und gehe hinein, als hätte ich schon immer dort gelebt, sie lässt mich vorbei, ich sage guten Tag, und sie grüßt zurück, was für ein wohlerzogener Junge.

Bertuccios Mutter öffnet die Tür. Ich schenke ihr mein schönstes Lächeln, und das «Wie geht es Ihnen, Señora» kommt allzu vertraulich, ein wenig übertrieben aus meinem Mund, als wäre es nicht ich, sondern der Schauspieler, der mich spielt, und fast schon einen Fuß in der Tür, frage ich aus reiner Formalität nach Bertuccio, und seine Mutter sagt, er sei nicht da, er sei bei einer Tante essen, und ich erstarre vor Kälte wie Houdini *on the rocks*, mit Eiswürfeln bis zum

Hals in der Badewanne liegend. Wie, er ist nicht da, denke ich. Ich habe ihn doch hineingehen sehen. Ob er sich noch irgendwo im Treppenhaus aufhält? Einen Moment lang gehen mir absurde Dinge durch den Kopf, wie die, die man im Zug denkt, dass ein perverser Nachbar Bertuccio beim Hineingehen entführt und ihn in seine eigene Wohnung verschleppt hat oder dass Bertuccio die Fliege gemacht hat und ein Sandwich auf dem Dach isst, denn die Dächer sind immer voller interessanter Gerätschaften, die Dächer erzählen Geschichten, und da verstehe ich.

«Wie schade», sage ich. «Ich hätte ihn so gern gesehen. Sagen Sie ihm, dass ich da war.»

Zum Glück ist die mit offenem Mund schlafende Frau vor mir ausgestiegen. So konnte ich mich hinsetzen, wenn auch nur für zwei Stationen. Durch die Fenster gab es nicht viel zu sehen für mich. Die Stadt war entflohen, und die Dächer der Häuser schauten mich von oben herab an, als verachteten sie mich, und bewahrten ihre Geheimnisse. Ich wusste, in ein paar Minuten wäre alles gut, Papa und Mama würden ein wenig schimpfen, weil das, was ich gemacht habe, so tollkühn, ja gefährlich war, aber zu dem Zeitpunkt hatte der Zwerg bereits alles gebeichtet, und sie hatten beschlossen, auf meine Rückkehr zu warten, sie wussten, ich kannte den Weg, ich fand mich auf der Straße gut zurecht, und sie wussten, und das war entscheidend, dass ich zurückkommen würde. Vielleicht würden sie gar nicht so sehr schimpfen, wenn sie mich weinen sähen, ich wusste, ich würde weinen, meine Intuition funktionierte oder meine natürliche Beherrschung der Zeit, was dasselbe war, nur anders ausgedrückt, ich weine nicht oft, aber wenn ich weine, dann werden Papa und Mama weich wie Marzipan. Als mir klar war, dass ich weinen würde, war ich beruhigt, in ein paar Minuten würde alles gut werden, ich lenkte mich mit dem

Mundharmonika spielenden und Lose verkaufenden Mann ab, er war blind, und ich fragte mich, wie die Blinden es machen, dass man sie nicht mit dem Geld betrügt, Blinde brauchen keine Dächer, um Sachen abzustellen, denn sie sehen sie sowieso nicht, kurzum, Dinge, die man in Zügen denkt.

76. Wo wir TEG spielen
und ich das Glück wende
oder fast

Das war der Abend der historischen Partie.

Nach dem Abendessen räumten wir den Tisch ab, und Papa und ich stürzten uns auf das TEG, Kapitän Nemo gegen Harry Houdini. Auf Leben und Tod, wie immer. Aber diesmal ging etwas nicht seinen üblichen Gang. Ich fing an zu gewinnen. Und ich gewann weiter. Schlag auf Schlag. Meine Würfel schienen Zauberkräfte zu haben. Ich würfelte eine Sechs nach der anderen. Das blaue Heer dehnte sich über den ganzen Planeten aus und verschlang die Wassermelonenkerne. (Die schwarzen Heere von Papa, der sich immer aufregte, wenn ich sie so nannte.) Schnell hatte ich ganze Kontinente erobert. Ich behielt sie, und ich bekam bei jeder Runde Extra-Heere dazu. Danach durfte ich zweimal Karten ziehen: Das erste Mal waren es drei Karten mit Ballons, das zweite Mal waren es drei unterschiedliche Karten: Ballon, Kanone, Fregatte. Papa konnte sich kaum beherrschen. Er konnte es auf den Tod nicht ausstehen, wenn er verlor. Wenn Mama nicht neben mir gesessen hätte, um das Ganze zu überwachen, hätte er bestimmt eine Entschuldigung gefunden – oder erfunden –, um die Partie aus technischen Gründen für ungültig zu erklären.

Nach ein paar Stunden war ich der Herrscher über neunundvierzig Länder, neunundvierzig!, und Papa nur über ein einziges. Ein Land in Asien, ziemlich weit oben und rechts, das eine Verbindung nach Japan und Alaska hatte. Ein ferner und somit exotischer Ort, dessen Name nach sich kreuzenden Schwertern klang.

Alles, was Papa hatte, war Kamtschatka.

Dort wurden meine Heere besiegt. Angriff für Angriff stießen Papas Würfel meine zurück. Meine gelungensten Schüsse trafen auf äußerst zweckmäßige Blockaden. Gut bewehrt in ihrer winzigen Bastion, leisteten Papas Heere hartnäckig Widerstand. Blindwütig opferte ich ganze Bataillone. Am Ende hatte ich keine Karten mehr, um von Sibirien und Taimir, von China und Japan, von Alaska aus anzugreifen. Ich musste aufhören und neu gruppieren. Mama machte Gesten zu Papa, als führte sie eine Pantomime auf, er solle sich endlich ergeben. Ich weiß nicht, was ihr zu der Vermutung Anlass gab, ich würde es nicht bemerken. Papa antwortete ihr mit der gleichen Unverhohlenheit, er zuckte die Achseln, hob die Augenbrauen, riss die Arme hoch, sein Gebärdenrepertoire, mit dem er seiner Unfähigkeit Ausdruck verleihen wollte, Kontrolle über die Würfel zu erlangen – und das mir holde Glück zu wenden.

Bei der nächsten Runde zog ich alle Heere um Kamtschatka zusammen. Das Ungleichgewicht der Kräfte war riesig, und alles deutete auf ein Massaker hin. Aber das alte Muster wiederholte sich, nur in veränderter, gesteigerter Form. Ich verlor jedes eingesetzte Heer. Meine Pechsträhne machte mich sprachlos. Es schien eine Art Fluch zu sein, als würde sich in unserer Schlacht per Gebot eine andere wiederholen, David gegen Goliath, die dreihundert gegen die Perser in den Thermopylen.

Eine Runde folgte auf die andere, und das Unheil hielt

an. Die Glockenschläge der Uhr wurden weniger, knappe, düstere Gongs, die von meiner Strafe kündeten.

«Soll ich es dir erklären?», sagte Papa, ein Gähnen unterdrückend.

Ich gab ihm eine patzige Antwort und spielte weiter.

Wir brachten Stunden so zu. Kamtschatka gegen den Rest der Welt.

Irgendwann ging Mama ins Bett. Zu einem anderen Zeitpunkt bat ich um Erlaubnis, auf die Toilette zu gehen, und tauschte mein Shirt gegen das orangefarbene aus, in dem Glauben, dieser Talisman würde mir den Sieg bescheren.

Es war vergebens.

Ich muss wie ein Schwachsinniger am Tisch eingeschlafen sein und die Bewusstlosigkeit dem Eingeständnis meiner Niederlage vorgezogen haben. Da war ein unruhiger Traum, in dem ich immer noch im Zug fuhr und gegen den Schlaf ankämpfte, ein Traum, in dem ich gegen den Schlaf kämpfte, denn wenn ich einschlief, würde ich die Station verpassen, in der ich aussteigen musste, wenn ich einschlief, würde ich mich verirren, wenn ich einschlief, würde ich mich verirren.

Am anderen Morgen sang Papa Klarmachen zum Gefecht.

77. Eine Vision

In der Nacht hatte es geregnet, und in der Stille zwischen den Zügen kann man die Tropfen hören, die, auf den Bäumen verweilend, auf den Morgen warten, um auf den Boden zu fallen. Das ist das einzige Geräusch, das man in der Umgebung des Hauses hört; der Rest ist Stille.

Das Gewicht des Wassers drückt die Blätter platt, die sich auf der Suche nach Trost aneinander drängen. Diese vorübergehende Verbindung macht es der Kröte leichter, sie gleitet auf ihnen dahin, als hätte jemand in Anerkennung ihrer Würde einen roten Teppich für sie ausgebreitet. Die Kröte merkt, dass das Haus leer ist, ungewöhnlich leer für diese Uhrzeit, da sonst immer jemand da ist, man kann das leicht feststellen am Geräusch des laufenden Radios, an dem Geträller der Frau und dem Türenschlagen. Die Frau kam normalerweise am Vormittag aus dem Haus, bei Hitze und Kälte, und setzte sich auf die Bank zum Garten und rauchte eine Zigarette; einmal hatte sie sogar zu ihr gesprochen, in einer Sprache, die die Kröte nicht verstand. Aber der Vormittag ist schon vorbei und keine Spur von der Frau und vom Radio, die Türen bleiben stumm, hängen in ihren Rahmen und weigern sich, irgendwelche Informationen zu geben.

Ermutigt durch die Ruhe, lässt die Kröte den roten Teppich hinter sich und betritt die Fliesen am Eingang des Hauses. Sie sind feucht, wofür sie dankbar ist, aber auch so kommen sie ihr aggressiv vor, sie haben die Kälte dessen, das nie lebendig war, sie sind starr, zwingen sie, sich an sie anzupassen, anstatt sich umgekehrt an ihren Schritt anzupassen wie die gefallenen Blätter, das Gras, der Lehm; alles Leblose hat in seiner hartnäckigen Weigerung, die Existenz des anderen anzuerkennen, etwas Despotisches. Aber die Kröte geht weiter, ihr Instinkt sagt ihr, sie kann das tun, sie läuft keinerlei Gefahr. Mit zwei Sprüngen ist sie auf der Vogeltränke, unter der ein Spinnennetz ist. Die Kröte vertraut darauf, dass die Spinne ihr etwas von dem übermitteln kann, was sie wissen will, die Spinne lebt näher am Haus, an die Außenwand geheftet, und sie muss etwas Außergewöhnliches wahrgenommen haben, ein Geräusch oder eine Bewegung, die die gegenwärtige Ruhe begründen, vielleicht hat die Frau auch zu ihr gesprochen, und die Spinne hat ihre seltsame Sprache verstanden. Aber auch die Spinne ist nicht zu sehen. Das Netz ist leer, bis auf einen Wassertropfen, der wie eine Perle schimmert.

Die Kröte weiß, sie ist an ihrer Grenze angelangt. Sie kann nicht weitergehen, hinter die Türen, und selbst wenn eine offen wäre und ihre Schwelle zu einem Sprung einlüde, würde sie es nicht tun, denn sie ist keine beliebige Kröte, sie ist eine junge, durch eine moosgrüne Farbe verzierte Kröte (ich möchte auf das Detail der zwei Flecken auf ihrem Rücken hinweisen, die wie Augen aussehen), und ihre Instinkte brodeln und weisen ihr die Grenze der Vorsicht.

Könnte sie eintreten, würde sie ein dunkles Haus vorfinden, so leblos wie die Fliesen, aber vielleicht würde sie die Zeichen des Lebens bemerken, das dort bis vor kurzem gedieh. Die Kröte versteht (das ist Teil ihrer Natur), dass das Leben zyklisch verläuft und immer Spuren des abgeschlossenen Zyklus zurückbleiben. Die Schlangen lassen ihre Haut zurück; die Katzen ihr Fell; die Haie ihre Zähne. Die Menschen lassen die Dinge zurück, die sie benutzt haben: offene Nesquick-Dosen, schmutzige Gläser auf dem Tisch, unverschlossene Zahnpastatuben, ungemachte Betten, Urinflecken, Standuhren, Kippen in den Aschenbechern, bekritzelte Zeitschriften, aus der Schulbibliothek ausgeliehene Bücher, Kleidung in den Schränken und Lebensmittel im Kühlschrank.

Es wäre sinnlos hineinzugehen. Die Dinge der Menschen sprechen ihre Sprache, die die Kröte nicht versteht. Und außerdem verlieren sie ihre Bedeutung, wenn ihre Besitzer ihnen keine Beachtung mehr schenken, sie verlieren ihr Leben, sie werden zu Galimathias, Hieroglyphen, als hätten sie ein Verfallsdatum wie die Konservendosen in der

Speisekammer, das offene Nesquick und die Lebensmittel im Kühlschrank, unbrauchbar wie hart werdende Zahnpasta oder die Bücher ohne Leser oder die Uhren, die keine Hand aufzieht.

Weise (es wurde bereits gesagt, dass es sich nicht um ein x-beliebiges Exemplar handelt; vielleicht liegt es an den beiden Flecken auf dem Rücken) zieht die Kröte sich zurück und ist erleichtert, als sie auf die feuchten Blätter tritt. Der Kontakt mit dem Leblosen hat ihren Mund ausgetrocknet, sie fühlt sich erhitzt und durstig. Die Blätter erfrischen sie, aber sie braucht mehr, eine Abkühlung im Wasser, die Not drängt, sie spürt, wie die Haut bei jedem Sprung knistert, und sie hat sogar den Eindruck, das Grün, auf das sie so stolz ist, verliert seinen Glanz. Sie muss eine Entscheidung treffen. Die Vogeltränke ist eine lächerliche Option, als würde man auf der Suche nach einer Oase in die Wüste zurückkehren, außerdem ist sie zu hoch. Der Wasserfaden, der sich durch die Senken des Landhauses zieht, wäre ideal, aber das ist ein langer Weg, und für den fühlt sie sich jetzt nicht bereit. Zum Glück gibt es ein anderes Wasserauge, ganz in der Nähe, nur ein paar Sekunden entfernt. Die Feuchtigkeit, die von dort in unendlich kleinen Wasserpartikeln kommt, ist Balsam für ihre Haut.

78. Wo die Gebäude zeigen, wie schwach sie sind

Wir wurden unsanft aus dem Bett geholt. In der Eile konnten wir nur das mitnehmen, was greifbar war, und das ist immer das am meisten Geliebte. Der Zwerg nahm seine beiden Goofys mit, den harten und den weichen. Und ich das

TEG und das Buch über Houdini. Anfangs dachte ich, Mama und Papa hätten gar nichts mitnehmen können (die Zigaretten und das Medikament gegen das Magengeschwür entsprachen nicht unbedingt meiner Vorstellung von einem Schatz), aber dann wurde mir klar, ihr Impuls war derselbe wie unserer. Wir schnappten uns unsere Spielzeuge, und sie schnappten sich uns.

Die Fahrt verlief schweigend. Der Zwerg hatte keinerlei Probleme, den unterbrochenen Schlaf wiederaufzunehmen. Wenige Blocks von dem Landhaus entfernt war er bereits weggetreten. Ich war auch müde, aber ich konnte nicht schlafen. Ich betrachtete die Nacken von Papa und Mama, von einem zum anderen hüpfend, auf der Suche nach einem Zeichen, dass die Gefahr hinter uns lag, so weit wie das Landhaus, dass die *Pawnees* nicht über uns herfallen und unseren Skalp rauben würden. Aber weil der Nacken die ausdruckslofeste Region des menschlichen Körpers ist (ich glaube, man hat sie Hinterhauptbein genannt, um ihr ein wenig Charme zu verleihen), war da kein Zeichen, oder ich habe es nicht mitbekommen.

Wir verbrachten den Tag damit, in Buenos Aires herumzufahren. Das erste Mal hielten wir in irgendeiner Straße in ich weiß nicht welchem Viertel an, sehr ruhig, das ja, wo eine Telefonzelle stand. Papa warf wie verrückt Münzen ein. Anfangs haben der Zwerg und ich gelacht (leise natürlich, um Mama nicht wütend zu machen, die wie ein Schlot rauchte und auf das Lenkrad trommelte), denn wenn man nicht hört, was am Telefon gesagt wird, ist es lustig, jemanden zu sehen, der vor dem Apparat gestikuliert, es fehlt etwas bei der Szene, wie ein Maler, der malt, ohne zu merken, dass ihm der Pinsel fehlt, wie der Coyote, wenn er in der Luft weiterrennt, weil er nicht mitbekommen hat, dass der Weg zu Ende ist. Papa gestikulierte immer heftiger, er schnitt Grimassen und warf Münzen ein, und plötzlich sprach er so laut, dass wir seine Stimme trotz der Entfernung hören konnten, nicht die Worte, aber seine Stimme, es war offensichtlich, dass er schrie, und manchmal legte er nach dem Schreien plötzlich die Hand auf die Muschel und sprach ganz bedächtig, ohne Übergang vom Schrei zum Flüstern, und als er einhängte, tat er das mit so viel Schmackes, dass er beinahe das Telefonhäuschen zu einem umgedrehten L zusammengefaltet hätte.

Zu dem Zeitpunkt war uns das Lachen natürlich vergangen. Der Zwerg sprang auf, als es beim Auflegen klong machte, und fragte Mama, was mit ihm los sei. Mama lächelte, streichelte sein Bein und holte ein paarmal tief Luft, machte Anstalten, etwas zu sagen, tat es dann aber nicht.

Papa rettete sie, als er zum Auto zurückkam. Er ließ sich auf den Beifahrersitz fallen; der Citroën hüpfte auf seinen Federn. Obwohl er wusste, dass Mama darauf wartete, sagte er nichts, er sah sie nicht einmal an, er schaute zu Boden, wie wir es taten, wenn Mama uns unter Druck setzte, unsere Vergehen zu beichten, und wir, längst besiegt, die Beichte hinauszögerten. Mama musste ihn schütteln. Der Zwerg sah mich fragend an, ob Papa eingeschlafen war. Schließlich sah Papa Mama an und sagte leise, als ob er immer noch in die Muschel spräche:

«Das Apartment ist gefallen.»

Wie man sieht, brauchte Mama nicht mehr zu wissen, denn sie setzte sich gerade hin, legte den ersten Gang ein, und dann fuhren wir los.

Sie fuhr ungefähr tausendmal im Kreis, bis sie ein Restaurant gefunden hatte, das ihr akzeptabel schien. Bestimmt hatte sie Hunger auf etwas Besonderes. Aber die Kurverei muss ihr den Appetit verdorben haben, denn am Ende stocherte sie lustlos in der Paella herum, aß ein paar Meeresfrüchte, sonst nichts, und dann saß sie energielos am Tisch, den Blick auf das Nichts gerichtet, wie ein Spielzeug, das wieder aufgezogen werden muss.

Der Zwerg hingegen verschlang alles mit der ihm eigenen Eile und fing an, sich zu langweilen. Er kniete sich auf den Stuhl, und ich musste aufpassen, dass er nicht samt Stuhl nach hinten umkippte und so. Ich ertappte ihn dabei, wie er mit dem Mädchen vom Tisch hinter uns einen Wettbewerb im Grimassenschneiden austrug, sie hieß Milagros, und das war nicht schwer mitzubekommen, so oft wie die Mutter sagte, lass das, Milagros, hör auf damit, Milagros – ein Wunder wäre es gewesen, wenn sie Ruhe gegeben oder ihre Mutter den Mund gehalten hätte. Zu einem anderen Zeitpunkt hätte ich mich über den Zwerg lustig gemacht und ihm gesagt, dass er sich wie ein Kleinkind benimmt, aber da hatte ich keine Lust dazu. Irgendwie beneidete ich den Zwerg, er konnte auf dem Stuhl knien, Faxen machen und völlig ungezwungen *o curriemos con Gloria Muñiz* singen. Ich war gezwungen, mich anständig zu benehmen, gerade zu sitzen und mit geschlossenem Mund zu essen, eine Frage des Alters, und, was noch schlimmer war, ich musste die ganze Zeit Papa mir gegenüber ansehen, der seit Stunden bei völliger Grabesstille, abgesehen von dem tac tac tac seines Messers auf dem Steingutteller, ein blutiges Steak massakrierte, das schon eiskalt sein musste. Das, was Papa zu wenig redete, redete die Mama von Milagros hinter meinem Rücken zu viel, das Gesetz des Ausgleichs.

Als Milagros ging, hatte ich das Gefühl, eine unsichtbare Hand hätte die hohen Töne aus der Geräuschkulisse des Restaurants entfernt: Gläser, Bestecke, Teller, Flaschen, Schüsseln, Gelächter und schrille Stimmen klangen auf einmal dumpf, undefiniert, als hörte ich sie durch eine Wand. Um meine Stimme auszuprobieren, fragte ich Mama, ob ich auf die Toilette gehen dürfe. Sie gab mir keine Antwort. Vielleicht hat sie mich nicht verstanden, denn ich klang, als spräche ich aus dem tiefsten Teil eines Schwimmbeckens.

Der Zwerg richtete sich neben mir auf und zeigte mit seinem kleinen Finger auf etwas. Zu meiner Überraschung klang seine Stimme ganz klar, als er rief: «Schau mal Mama, eine Vagina!»

Mama tauchte hinter ihrem Schleier auf. Papa hob den auf das Steak gesenkten Kopf. Die Kellner blieben wie angewurzelt stehen. Alle Köpfe im Restaurant drehten sich, der Kassierer, die Gäste, der Rosenverkäufer, und suchten, worauf der Zwerg so eifrig zeigte, schau, Mama, die Vagina, hast du sie gesehen?

Es war keine Vagina. Es war eine Jungfrau. Ein Bild der Virgen de Luján an einem kleinen Altar an der Wand.

Mama fing an zu lachen, und Papa stimmte sofort ein. Die Leute lachten auch. Die hohen Töne waren mit voller Kraft wieder da, in der Melodie des Gelächters, den Zimbelklängen der Gläser, Bestecke, Teller. Der Kellner, der wegen des Nachtischs kam, war rot geworden; er wollte sein Sprüchlein aufsagen, aber er war so in Versuchung geführt, dass er den Satz nicht zu Ende sprechen konnte.

Wir gingen ohne Nachtisch. Mama fragte uns nicht einmal. Ich glaube, Mama wollte so unbedingt gehen, dass sie sich schon zusammenreißen musste, auf die Rechnung zu warten und zu zahlen.

Der Zwerg sagte im Auto kein Wort. Er hatte die Händchen zwischen seinen Beinen wie ein Betender ineinander verschlungen und schaute starr in einem bestimmten Winkel aus dem Fenster, wie jemand, der gen Himmel schaut. Ich wusste, was in seinem Kopf herumspukte, ich kannte seinen alles wörtlich nehmenden Geist zu gut. Der Zwerg kam über Papas Ankündigung mit der gefallenen Wohnung

nicht hinweg. Während wir ziellos in der Stadt herumkurv-
ten, schaute er sich die Gebäude an, voller Angst, die von
Papa erwähnte Wohnung sei ansteckend und alle anderen
Häuser würden jetzt auch eines nach dem anderen fallen,
wie in einem zweitklassigen japanischen Film.

79. Das Prinzip der Notwendigkeit II

Erst viel später begriff ich, dass die Rückkehr in die Quinta
das Dümmste war, was wir tun konnten, wir hätten das auf
keinen Fall tun dürfen, es stand mit roten Buchstaben im
Buch der Vorsicht. Diese Entscheidung zeigt, wie verzweifelt Papa und Mama waren.

Wir verbrachten den Nachmittag auf einer Plaza, während Papa sich überall Kleingeld besorgte und öffentliche
Telefonzellen benutzte, als wären es Büchsen zum Geldein-
werfen. Zumindest tat er etwas. Mama wirkte erschöpft vom
reinen Warten, warten ist das Schlimmste, eine Strafe. Als
es dunkel wurde, war uns kalt, und wir stellten fest, dass
wir gar nichts Warmes zum Anziehen mitgenommen hatten,
aber wir sagten nichts. Wir gaben uns redlich Mühe, wei-
terzuspielen, obwohl der Zwerg einem Picasso der blauen
Periode immer ähnlicher sah und meine Fingerspitzen von
der Berührung mit dem eisigen Stab der Hängematten
schon ganz taub waren. Am Ende zeigte der Zwerg auf die
zwei oder drei Jungen, die noch an den Spielgeräten waren,
und fragte mich, ob sie sich auch im Gefecht befanden, wie
wir.

Wir ließen das Auto in einer Straße außerhalb des Dorf-
zentrums stehen und gingen von dort aus zu Fuß. Ein paar
Blocks von dem Landhaus entfernt gab Papa den schlafen-

den Körper des Zwergs an Mama weiter und bat uns, dort unauffällig zu warten. Der Bitte konnte man leicht Folge leisten: die Nacht war so finster, dass wir Papa nicht mehr sahen, kaum dass er ein paar Meter gegangen war. Mama konnte nicht einmal rauchen, damit niemand die glühende Zigarettenspitze in der Dunkelheit sah. Ich hatte das Houdini-Buch dabei und machte einen vergeblichen Versuch, mir das Warten durch Lesen zu verkürzen. Die Buchstaben verschwammen vor meinen Augen. Es ist unangenehm, wenn man Lust hat, ein Buch zu lesen, und nicht kann, man empfindet es als Sakrileg, als Riss im Gewebe des Universums.

Es dauerte, bis Papa zurück war. Er sagte, wir könnten das Haus betreten, es sei sicher, aber wir sollten uns darauf vorbereiten, dass uns eine Bescherung erwarte. Sie hatten Sachen mitgenommen, den Tisch und die Stühle im Wohnzimmer, das Telefon, den Fernseher. Der Boden war eine einzige Schweinerei, voller Lehm (in der Nacht zuvor hatte es geregnet), und die riesigen Fußabdrücke von Gummisohlen erinnerten mich an die Spur, die Neil Armstrong auf dem Mond hinterlassen hat. An der Wand war ein Fleck, schwärzer als die Dunkelheit: es waren die Umrisse der Standuhr, all der Staub, den die Zeit hinter ihrem Rücken angehäuft hatte und der jetzt, wo sie nicht mehr da war, zutage trat. Sie hatten die Fenster eingeworfen, das Glas lag überall auf dem Boden, du konntest nicht laufen, ohne dass es unter deinen Füßen ständig knirsch, knirsch machte. Ich hielt das für sinnlos, aber später begriff ich, dass dem nicht so war. Es war ihre Form, die Zeit zu töten, sie hielten sie an, und sie hielten zugleich das Leben an; indem sie die Scheiben kaputtmachten, hinderten sie sie daran, weiterzufließen bis zum Boden, ganz Flüssigkeit, sie hatten ihren Prozess unterbrochen; sie hatten sie umgebracht.

Aus meinem Zimmer hatten sie zwei Matratzen und die Kleidung aus dem Schrank mitgenommen. Er war so leer wie das erste Mal, als ich ihn aufmachte. Diese Nacktheit gab mir eine Idee, oder ich erinnerte mich daran, was ich tun sollte. (Das kaputte Glas brachte meine Zeitvorstellung durcheinander.) Ich nahm einen Stift vom Zwerg und schrieb unter den Schriftzug *Pedro '75 Harry '76*. Dann kletterte ich auf die Schubladen und legte das Buch an dieselbe Stelle, wo ich es gefunden hatte, darauf vertrauend, dass der Staub es endgültig verstecken und retten würde, bis der nächste Entfesselungskünstler kam.

Mama legte den schlafenden Zwerg auf das große Bett (wie man sieht, fanden sie keine Möglichkeit, dieses auch noch mitzunehmen), und Papa deckte ihn mit seiner Jacke zu.

«Ich muss wissen, dass sie sicher vor diesem ganzen Mist sind», sagte Papa, und seine Stimme klang tief, ein wenig nach Narciso Ibáñez Menta.

«Weißt du, was mir als Einziges Angst macht? Sie nie mehr wiederzusehen», sagte Mama, und dann machte sie in ihrer Kehle ein komisches Geräusch.

Ich weiß all das, weil ich es gehört habe. Ich war nicht im Haus, aber ich habe es gehört. Die Fenster ihres Zimmers waren auch kaputt.

Genau in dem Moment, direkt nach dem Kehlengeräusch von Mama, hörte ich das Plop. Erst dachte ich, es handele sich um ein weiteres Gurgeln, aber dann stellte ich fest, dass es woandersher kam, aus dem Garten, dem Schwimmbecken, das Plop kam aus dem Wasser. Ich lief an den Beckenrand, weil ich dachte, eine weitere Kröte wäre hineingefallen und ich müsste sie retten, ich wollte nicht warten, wir würden jeden Moment verschwinden, und ich konnte mir den Luxus nicht leisten, auf das Antisprungbrett zu vertrauen, ich hatte keine Zeit, ich musste die Kröte sofort retten, denn ich war der toten Kröten müde, ich war es leid, sie zu beerdigen, ich war es leid zu warten, warten ist das Schlimmste, eine Strafe.

Ich erlebte eine Überraschung. Das Plop machte die Kröte nicht beim Ins-Wasser-Springen, sondern wenn sie es über das Antisprungbrett verließ. Da war sie, auf dem geneigten Brett, ich habe das nicht geträumt, ich schwöre, es war eine wunderschöne Kröte, sie hatte zwei Flecken auf dem Rücken, die wie Augen aussahen, und sie war wirklich hochgeklettert, denn das Brett war bis auf die feuchte Spur, die die Kröte bei Verlassen des Wassers hinterlassen hatte, trocken.

Wir blieben eine Weile so stehen, ich am Beckenrand und die Kröte auf dem Brett, als wäre alles Übrige ein Vorwand gewesen, um an diesem Moment anzulangen, dieser Moment, der geschrieben war, zwei Leben, die sich ein paar Sekunden begegnen und sich für immer verändern, das eine Leben verändert das andere, man verändert sich, wenn einem nichts anderes übrig bleibt, das hat Fräulein Barbeito mir erklärt.

Als sie es müde wurde, mich anzusehen, machte sie einen Sprung und verschwand im Gras.

80. Wo ein paar lose Fäden zusammenfinden

Und das war alles. Diesmal stimmt es, oder zumindest fast.

Falls nötig, kann ich noch etwas mehr erzählen. Zum Beispiel, dass Bertuccio Autor und Theaterregisseur wurde. Er ist nicht unbedingt berühmt, weil er immer die kleinen Zirkel den kommerziellen Bühnen vorzog; mir gefällt der Gedanke, dass er immer noch seinem künstlerischen Credo folgt, das er so früh gelernt hat, denn das gibt mir das Gefühl, etwas – etwas mit Sicherheit sehr Wertvolles – hat in dieser Welt Bestand, obwohl man uns davon zu überzeugen versucht, dass nichts von Dauer und folglich nichts von Wert ist.

Roberto ist nie wieder aufgetaucht. Ramiro und seine Mutter sind nach Europa gegangen. Ich weiß nichts über sie, obwohl ein Bekannter mir berichtete, sie wollten nie mehr nach Argentinien zurückkehren.

Es waren viele Jahre vergangen, als mich beim Aufschlagen einer Zeitung Lucas' Gesicht von einem alten Foto anlachte. Es war das Gesicht, das ich kannte, mit diesen verrückten Stoppeln am Kinn und diesem Licht, das er trotz des schlechten Abzugs und des noch schlechteren Drucks ausstrahlte. Da erfuhr ich seinen wahren Namen, er stand in der Anzeige, zu der das Foto gehörte, und ich sah, dass er, wenige Tage nachdem ich ihn das letzte Mal gesehen hatte, entführt wurde. Ich fragte mich, ob er nach Verlassen des Landhauses einen alten Freund getroffen hatte, ich wünschte sehnlichst, es wäre so gewesen, ich wünschte, dass ihn jemand in den Arm genommen, ihm den Rücken getätschelt und ein Adiós geschenkt hat, das, wenn auch nur für kurze Zeit, das Loch füllte, das ich erzeugte, indem ich es ihm verweigerte. Ich brauchte noch Jahre, um zu begreifen, wie sehr Mama recht hatte, als sie mir sagte, ich solle mich von Lucas verabschieden, als sie den Wert, die Notwendigkeit der Abschiede verteidigte. Wir alle stellen am Ende fest, dass unsere Eltern mehr wussten, als wir vermuteten, das gehört zum Leben. Ungewöhnlich ist, dass sie so weise sind, was den Schmerz und die Kunst des Verlustes und den Umgang mit so frühen und gewaltsamen Toden angeht.

Schließlich nahm ich allen Mut zusammen und nahm Kontakt zu Lucas' Familie auf. Als ich ihnen erzählte, wir hätten in diesen Wochen zusammengelebt, entdeckte ich mit der Wucht einer Offenbarung die Macht der Geschichten. Bis dahin glaubte ich, dass sie eine persönliche, fast einseitige Faszination auf mich ausübten. Aber als ich vor ihnen sprach, spürte ich, dass ich ihnen Lucas wiedergab; solange die Erzählung dauerte – ich tat alles Mögliche, um sie auszudehnen, mich an das zu erinnern, was ich nie gewusst hatte –, zeigte die Zeit sich in all ihrem Glanz, und Lucas lebte wieder, Lucas tauchte wieder auf (mir gefällt der Gedanke, dass dies eine Geschichte von wieder Aufgetauchten ist), und wir lachten über seine Scherze, als wären sie neu, denn indem ich sie erzählte, erfand ich sie von neuem.

Die Anzeige erscheint immer noch pünktlich Jahr für Jahr. Jetzt taucht auch mein Name in dem Text auf. Als Lucas' Familie mir sagte, sie wollten meinen zu ihren dazusetzen, war ich sprachlos – etwas, das, wie Sie bemerkt haben, selten vorkommt. Ich sagte sofort zu, unter der Bedingung, dass sie mir erlaubten, Lucas' jüngerem Bruder etwas beizubringen. (Wie ich vermutet hatte, hatte Lucas einen Bruder in meinem Alter.) Ich blieb bis Mitternacht und zeigte ihm, wie man die Knoten machte, die Lucas mir beigebracht hatte und die mir perfekt in Erinnerung geblieben waren. Während wir sie übten, spürte ich in der Bewegung unserer Finger etwas Heiliges; wir banden etwas zusammen, das nie hätte gelöst werden dürfen.

Es gibt viele Dinge, die ich nicht weiß und vielleicht nie erfahren werde. Was aus Pedro geworden ist und ob Beba und China seine Tanten waren, und ob an meinem Verdacht mit dem Gespenst in dem Landhaus etwas Wahres dran war. Ich weiß auch nicht, wer heute der Besitzer des Houdini-Buches ist, wenn es überhaupt noch existiert. Oder was aus

Denucci, Pater Ruiz und der Freundin geworden ist, die uns in jener Nacht aufgenommen hat. Ich würde ihnen gerne sagen, dass die Erinnerung an ihre Großherzigkeit mir während des langen Exils in Kamtschatka geholfen hat zu überleben.

In all den Jahren habe ich mich nie von einem Buch getrennt, das ich in Großmutter Matildes Schubladen gefunden habe: die Ausgabe von *Der Gefangene von Zenda*, aus der Sammlung Robin Hood, die Mama gehört hatte, als sie klein war. Auf seinen Seiten entdeckte ich die Gestalt von Prinzessin Flavia, eine Adelige von Geburt, aber vor allem der Seele, so blond wie die Sonne auf dem Spielfeld des TEG. Ich kann nicht erklären, was ich spürte, als mir klar wurde, dass selbst auf dieser Insel, in diesem Sturmwind, den wir durchlebten, während eine grausame Welle der Zerstörung das Land erfasste, Mama den Namen Flavia gewählt hatte, um zu protestieren und Rechte zurückzufordern, denn sie wollte nie «der Fels» sein, die Welt hat aus ihr einen Fels gemacht, die Welt, die Kinder an Hunger sterben lässt, weil so viele ihnen das Essen wegnehmen, eine Welt, in der man aus Stein sein muss, um nicht vor Schmerz zu sterben, wer möchte das bezweifeln. Mama wollte nie aus Stein sein, deshalb hat sie instinktiv auf die Dinge zurückgegriffen, die uns helfen, in dunklen Zeiten zu überleben, diese wenigen Gewissheiten, die man seit der Kindheit in sich trägt, Erinnerungen an Liebe und Schmerz oder einfache Fantasien, wie die, die sie von klein auf hatte und deren sie sich so schämte, dass sie sie nicht eingestand, weil sie kindisch war, politisch inkorrekt; die Fantasie, wirklich blond zu sein, Flavia zu heißen und Prinzessin zu werden.

81. Kamtschatka

Das Letzte, was Papa zu mir sagte, das letzte Wort, das ich aus seinem Mund hörte, war Kamtschatka.

Es war an der Tankstelle, nach dem Frühstück. Mama holte den Zwerg, den Herrscher über den grenzenlosen Raum, der im Auto noch schlief. Eigentlich war es mehr eine Art Koma: er wachte nicht auf, als sie ihn hochhoben, nicht als Mama ihn mit Küssen überschüttete, und auch nicht, als er im Arm von Großvater landete. Ich erinnere mich, dass Großvater ihn mit in den Lieferwagen nahm, und dann war ich an der Reihe mit Küssen und Umarmungen, Mama drückte mich ganz fest, und dann legte sie die Hände auf meine Schultern, so als wollte sie auf Distanz gehen, und sagte, benimm dich anständig. Sie sagte nichts weiter, benimm dich anständig, das war alles, mit dem Tonfall, den sie immer hatte, wenn sie uns allein zu Hause ließ und unserem Talent zum Unheilanrichten Einhalt gebieten wollte, ja, aber abgesehen davon, dass sie damit andeutete, was uns passieren würde, wenn wir nicht spurten, hieß das, Mama wird kommen und uns unsere gerechte Strafe geben, Mama wird sie uns geben, Mama wird kommen, ich garantiere es dir. Ich dachte: Mama «der Fels» wird nie weich, und wenn Papa in der Nähe gewesen wäre, hätte er die Geste mit der geschlossenen Faust gemacht, aber Papa war nicht da, er war zum Citroën gegangen, um etwas zu holen.

Manchmal gibt es Variationen in der Erinnerung. Manchmal dreht Mama sich um und geht zu dem Citroën, und ihr fällt etwas hin, ein roter Kugelschreiber, das bekritzelte Päckchen Jockey Club, ich hebe es auf und lese, was sie geschrieben hat, sie hat meinen Namen geschrieben, ganz oft, bis das ganze Papier voll war, als hätte sie Angst, ich könnte ihn vergessen, ich könnte für immer glauben, ich sei Harry, Harry, der Entfesselungskünstler, ich bin nicht Harry, nicht mehr, ich versuche nicht mehr, zu entkommen. Das wird mir klar, als ich es lese, da bin ich mir sicher, jetzt, wenn ich mich zum hundertsten Mal an die Szene erinnere, begreife ich das mehr denn je.

Die Zeit ist seltsam. Manchmal denke ich, sie ist wie ein Buch. Es ist zwischen den Deckeln alles darin enthalten, die ganze Geschichte, von A bis Z, man könnte mehrere Personen in einem Raum versammeln, ihnen Exemplare derselben Ausgabe aushändigen und sie bitten, ihres auf einer beliebigen Seite aufzuschlagen und zu lesen, was sie vor sich haben, und voilà, die ganze Geschichte würde gleichzeitig in simultanen Stimmen ablaufen, als würden wir gleichzeitig mehrere Radiosender hören. Natürlich wäre es schwierig, zu verstehen, was sie sagen, genauso wie es schwierig ist, ein Buch in der Mitte aufzuschlagen, einen Abschnitt zu lesen und ganz zu verstehen, was er bedeutet, man geht davon aus, dass man ihn besser verstünde, wenn man das Vorhergehende gelesen hätte, aber es ist nicht immer so, manchmal schnappt man sich die Bibel oder I Ching oder Shakespeare, schlägt sie irgendwo auf und hat das Gefühl, der Abschnitt, auf den man stößt, sagt einem, was man wissen wollte, was man brauchte, das Wesentliche. Es kann schiefgehen, ja. Stellen Sie sich vor, irgendjemand hört mich über die Kröten sprechen, er wird denken, ich bin Biologe oder ich erzähle eine Kindergeschichte. Aber es kann auch sein, dass er mich genau in diesem Moment hört, als ich zum Beispiel sage: Lieben Sie all die innig, die Sie kennen, aber vor allem die, die Sie brauchen, denn die Liebe ist das einzig Wirkliche, der Leuchtturm, der Rest ist Dunkelheit, und vielleicht versteht der Typ alles, ohne mich von Anfang an gehört haben zu müssen, ohne dass er meine moralische

Autorität anzweifeln muss, ohne dass er wissen muss, warum ich das sage, ohne dass er wissen muss, was ich verloren habe oder was wir alle verloren haben.

Ich habe lange Zeit an dem Ort gelebt, den ich Kamtschatka nenne, ein Ort, der dem echten Kamtschatka sehr ähnlich ist (wegen der Kälte und der Vulkane, wegen seiner Abgeschiedenheit), aber den es in Wirklichkeit nicht gibt, denn manche Orte stehen auf keiner Landkarte. Jetzt, wo ich die Bedeutung der Abschiede verstanden habe, möchte ich mich von ihm verabschieden. All diese Jahre waren notwendig, damit ich die Jockey-Schachtel wiederfand, aber ich habe sie gefunden, gerade, zum hundertsten Mal, das zum ersten Mal geworden ist, indem ich Ihnen meine Geschichte erzähle, ich brauche Kamtschatka nicht mehr, den Schutz, den es mir gewährte, weil es fern von allem war, unzugänglich, unter ewigem Eis. Es ist für mich der Augenblick gekommen, wieder an meinen Ort zurückzukehren, ganz dort zu sein, mit meiner ganzen Person, um nicht mehr zu überleben, sondern anzufangen zu leben.

«Fahren wir nach Hause», sagt Großvater. «Es ist Zeit.»

Papa war zum Auto gegangen, um das TEG zu holen, er bringt es mir, legt es lächelnd in meine Hände, wie fahrig, fast hätte ich es vergessen. Dann gibt er mir einen Kuss und sagt, er habe mich sehr lieb, es hat etwas von Narziss, Papa wird immer etwas steif, wenn er etwas Wichtiges zu sagen hat. Dann streift er mich mit seinem Dreitagebart und flüstert mir ins Ohr, er sagt verschiedene Dinge, aber woran ich mich am besten erinnern kann, ist Kamtschatka, weil Kamtschatka sagte er zum Schluss, Kamtschatka fasst alles zusammen, die letzten Worte sind immer wichtig, Goethe sagte, Licht, mehr Licht!, man muss ihnen Aufmerksamkeit schenken.

Er steigt ins Auto, und sie fahren. Ich laufe der grünen

Blase hinterher, bis ich nicht mehr kann. Sie drehen sich nie um, um zu winken; sie wollen nicht zu Salzsäulen erstarren.

Von da an zog ich mich jedes Mal, wenn die Partie schlecht lief, nach Kamtschatka zurück, und ich überlebte. Obwohl ich anfangs dachte, Papa wäre mir noch eine Partie schuldig, begriff ich später, dass dem nicht so war. Er hatte mir sein Geheimnis verraten und mich damit zu seinem Verbündeten gemacht. Immer wenn ich spielte, war er bei mir, und als die Lage unangenehm wurde, harrten wir in Kamtschatka aus, und am Ende war alles gut. Denn Kamtschatka war der Ort, wo man sein musste. Denn Kamtschatka war die Bastion des Widerstandes.

Danksagung

Ich möchte mich bei Amaya Elézcano und dem ganzen Team von Alfaguara España bedanken. Bei Juan Cruz, Pepe Verdes, Ximena Godoy und den Leuten der Oficina del Autor. Bei Fernando Esteves, Mercedes Sacchi, Claudio Carrizo, Analía Rossi, Amalia Sanz und Juliana Orihuela, die bei Alfaguara Argentina so viel für mich getan haben. Bei Jesús Robles von der Buchhandlung Ocho y Medio für seine Begeisterung. Bei dem Fotografen Juan Hitters für sein Porträt.

Bei Marcelo Piñeyro, weil er an *Kamtschatka* geglaubt hat.

Und auch bei Bernarda Llorente und Manuel Gaggero, die mit mir ihre Geschichten der finsteren Jahre teilten. Bei Mauricio Runno, José Luis García Guerrero, Sergio Olguín und Cristián Kupchik. Und bei Julio Talavera und den Leuten von HIJOS, die mir eine der größten Freuden meines Lebens bereitet haben.

Großen Dank schulde ich Pablo Bossi, Paco Ramos und Oscar Kramer, die dazu beitrugen, dass *Kamtschatka* verfilmt werden konnte. Danken möchte ich auch meinen Weggefährten Nico Lidijover und Miguel Cohan. Und Martha Olivera, weil sie sofort begriff, dass dies eine Geschichte von wieder Aufgetauchten ist. Ricardo Darín, Héctor Alterio und dem Cast des Films. Und ganz besonders Cecilia Roth, deren Großzügigkeit mir gegenüber unbezahlbar war und nach wie vor ist.

Ich möchte dieses Buch meiner Familie widmen: meinem Vater und meiner Mutter, meinen Onkeln und Tanten, meinen Großeltern, die meine Geschwister und mich in einem Umfeld voller Liebe aufzogen, die es möglich machte, dass unsere Seelen in den Jahren überlebten, die wir Argentinier in Kamtschatka lebten; und meinen Töchtern Oriana, Agustina und Milena, in der Hoffnung, dass das vorliegende Buch Teil eben dieses wundervollen Erbes ist.

Inhalt